rowohlt

Georg Klein

SCHUND & SEGEN

Siebenundsiebzig abverlangte Texte

Rowohlt

1. Auflage März 2013
Copyright © 2013 by Rowohlt Verlag GmbH,
Reinbek bei Hamburg
Alle Rechte vorbehalten
Satz DTL Dorian, InDesign,
bei Pinkuin Satz und Datentechnik, Berlin
Druck und Bindung CPI – Clausen & Bosse, Leck
Printed in Germany
ISBN 978 3 498 03566 2

SCHUND & SEGEN

Anmerkung des Verfassers

Jeder der in den folgenden Kapiteln versammelten Texte ist einem Zeitgenossen geschuldet. Denn keines dieser Stücke wäre entstanden, wenn ihr Verfasser nicht telefonisch oder per E-Mail aufgefordert worden wäre, zu einem Anlass, über ein Thema oder über ein Buch zu schreiben.

Dass einem derart etwas abverlangt wird und umgehend einen guten öffentlichen Ort findet, bedeutet ein Privileg. Der Autor dankt daher denen, die an ihn dachten, ihn inspirierten und dann ohne Einschränkung denken und schreiben ließen. Die Mehrzahl der so entstandenen Texte, all diejenigen publizistischen Arbeiten, die nicht in diesen Auswahlband finden durften, muss er hingegen um Verzeihung bitten.

1
DIE GÖTTLICHE GEWALT DES GEMACHTEN

NIMBUS UND STREICHHOLZHEFTCHEN

Das unbewegte bildnerische Werk
von David Lynch

Im schmucken Brühl bei Köln, in den noblen Ausstellungsräumen des dortigen Max-Ernst-Museums, hilft es, sich den großen David Lynch als einen Gescheiterten vorzustellen: Dann wäre dieser 63-jährige Amerikaner nur einer der zahllosen Künstler, die es an die Peripherie der Aufmerksamkeit, in das endlos weite Wasteland der modernen Bildproduktion verschlagen hätte. Lynch säße in irgendeinem kalifornischen American Diner, rauchend und kaffeetrinkend, und kritzelte mit einem Fineliner auf die Innenseiten eines leergerissenen Streichholzheftchens – einer, der mit dem Bildermachen nicht aufhören kann, obschon sogar in den Augen der nachschenkenden Kellnerin jene Mischung aus Geringschätzung und Mitleid blinkt, die unweigerlich denjenigen Künstler trifft, der sich keinen Anteil am Superfetisch der Moderne, am monetären Erfolg, sichern konnte.

Besagte Streichholzheftchen finden sich in dieser ersten großen Schau, die Lynch seinen deutschen Verehrern als Maler, Zeichner, Drucker und Fotografen vorstellt. Die kleinen Papp-Rechtecke liegen feinsäuberlich aufgereiht unter Glas, und der Katalog reproduziert sie in exzellenter Qualität, fast schärfer als echt; über den vernutzten Reibflächen, den winzigen Heftklammern, über jedem Kaffeefleck scheint sich der

Nimbus der Bedeutsamkeit zu ballen: Ein echter Lynch! Schon kann man sich in das Ambiente der Entstehung den Fan dazu phantasieren, der am Nachbartisch recht scheinheilig seinen Milchshake schlürft und darauf lauert, dass der Meister das akute Streichholzheft und damit das Bild der gerade in dieser Winzigkeit magischen Theaterbühne, das darauf gestrichelt ist, doch ausnahmsweise liegen lassen möge.

Die klug gebaute Ausstellung positioniert diese Miniaturen nur wenige Schritte entfernt von ihrem größten Objekt. Eine Buntstiftzeichnung Lynchs wurde in die dritte Dimension gebracht: übermannshohe Stellwände, Teppichboden und zwei Polstermöbelattrappen. Ein Zimmer, aus dem sich zwei Durchgänge in einen weiteren Raum öffnen. Auf Knopfdruck lässt sich ein diffus dröhnender Sound zuschalten. Zwangsläufig stellt sich die Assoziation ein, dass es derart gemusterte Stoffe und Tapeten wie die akustische Untermalung auch in Lynchs Filmen gibt. Die legendären Filmsets und die gezeigte Installation verbindet zudem ihre theatralisch überdeutliche, fast prätentiöse Gemachtheit. Aber während im Film die Kamerabewegung, die Präsenz der Schauspieler und die Einbettung in Handlung unsere Wahrnehmung zu der einzigartigen Raumillusion steigern, für die Lynch berühmt ist, dominiert nun das Attrappenhafte. Die Künstlichkeit bleibt unerlöst. Es ist, als ginge man durch eine stillstehende, ihrer Schreckfiguren beraubte Geisterbahn, deren Betreiber versehentlich vergessen hat, die Musik abzuschalten.

Dies ist nicht ohne Reiz. David Lynch hat in seinen Dankesworten am Eröffnungstag die hier aufklaffende Wirkdifferenz in das Begriffspaar «great» und «interesting» gefasst. Es erweist sich in der Tat als zumindest interessante Erfahrung, mit eigenen Füßen durch etwas zu tapsen, was einen, Blick auf Blick, Schritt für Schritt, in hintergehbarer Kulissenhaftigkeit und flachem Dekor zwingend an großartige Kunsterfahrung erinnert. Das überwältigend Artifizielle rückt in die Nähe des Gebastelten. Man ahnt, warum sich Lynch, in Anspielung auf einen früheren Gelderwerb, noch immer einen «shed builder», einen Schuppenbauer nennt und am liebsten alles, was für seine Filme errichtet werden muss, eigenhändig aus Holz zusammenhämmern würde.

Unmittelbar überraschend ergreifen den Besucher hingegen die großformatigen Bilder. Erst ein dichtes Herantreten offenbart die Mischtechnik, in der sie hergestellt sind: Fotoprints, Übermalung, Applikation von Gegenständen und Stoffen, dazu verspachtelte, nicht eindeutig identifizierbare, brei- oder schaumartig aufgetragene Substanzen. Dennoch führte es in die Irre, sie als Collagen oder Patchwork zu bezeichnen. Die Bilder erweisen sich, nimmt man den nötigen Abstand ein, als im herkömmlichen Sinne vollgültige Gemälde, die eine einzelne suggestiv realistische Figur in das Kraftfeld eines ebenso wirkmächtig illusionären Raumes betten. Die verwendeten Verfahren dienen nicht dem Bruch, sondern offensichtlich der Verstärkung der Illusion. Als Ganzes wirken diese Tableaus gemalt: Nicht nur ihre Schönheit und Grausamkeit, auch der Glaube an die Technik, die sie evoziert, liegt also letztlich im Auge des Betrachters.

«This man was shot 0.9502 seconds ago» erfasst wie ein Foto mit extrem kurzer Belichtungszeit den Augenblick, in dem eine Kugel die Brust eines Mannes zerreißt. Es ist ein Jedermann. Was seine bis auf Kopf, Hände und Wunde unsichtbar bleibende Haut bedeckt, stammt dinglich real aus der Massenproduktion unserer Tage. Seine Digitaluhr ist gleich Hose und Gürtel vielleicht noch kurz vor Entstehung des Bildes am Fleisch eines unserer Zeitgenossen gehangen. Das Handy, das aus der Tasche des ebenfalls aufgeklebten Sakkos ragt, hat vermutlich tausendundeinmal für ein real existierendes amerikanisches Ohr gepiept. Der rohe Materialismus erreicht seinen Höhepunkt aber nicht in den identifizierbaren, transparent lackierten Textilien oder im unbearbeitet applizierten Gerät, sondern an einer wirklich stupenden Stelle: Aus der blutspritzenden Wunde, aus dem tödlich getroffenen Herzen windet sich die entweichende Seele des Sterbenden!

Ein weißer Pfeil weist auf das, was da den Körper verlässt, und wie in einem Schau- oder Lehrbild wird es durch das Wort «spirit» benannt. Man könnte dies für einen boshaft flachen Scherz halten, besäße der entfliehende Geist nicht selbst eine bestürzend eigentümliche Körperlichkeit. Was sich anschickt, den Leib zu überdauern, ist ein wurmförmiges, plastilinhaftes Gebilde von schwer bestimmbarer halb organischer, halb technoider Struktur. Im Augenblick seiner Erlösung offenbart sich der Geist in seiner vielleicht schrecklichsten Gestalt: als Textur, als gewebeartige Abstraktion des Prinzips Leben. Dies gilt es auszuhalten; dann vermögen das unbewegte Tableau und das Auge eines entsprechend standhaften Betrachters zusammen etwas anderes, im Idealfall sogar mehr als der Bildfluss der Filmrezeption.

Natürlich wird man Lynchs Filme beim Gang durch die Ausstellung allein in solch glücklichen Momenten der Bildversenkung los. Umgekehrt ist es viel leichter, die Erinnerung an große Filmsequenzen sogleich gegen das eine oder andere schwächere Akt- oder Industrieanlagen-Foto, die eine oder andere weniger intensive Lithographie auszuspielen. Auch der treuste Fan trägt in einem klammen Seelenwinkel den kleinlichen Wunsch, den bewunderten Meister bei etwas zu ertappen, was bloß das serielle Arbeitsergebnis eines fleißigen Handwerkers darstellt. Lynch ist zweifellos ein manischer Arbeiter und hat gewiss weit mehr Zeit vor Leinwänden als an Drehorten verbracht. Werner Spies, der die Ausstellung kuratiert, kann erzählen, wie viel der Künstler über die Jahre in seinen kalifornischen Schubladen angesammelt hat und wie wenig davon bisher den Weg in die Öffentlichkeit fand.

Die Werke, die in Brühl gezeigt werden, sind eine heterogene Auswahl, aber gerade in ihrer schwankenden Qualität bilden sie einen trefflichen Prüfstein für das Gemüt desjenigen, der ihnen als naiver oder skeptischer Bewunderer von David Lynch entgegentritt: Wie trächtig ist der Nimbus, der sich über drei Jahrzehnte hinweg wie eine langsam schwellende Regenwolke in unseren Köpfen gebildet hat, sobald wir vor einem Lynch-Bild innehalten müssen? Wie tief reicht die Wurzel dessen in unsere Seele, was unseren nervösen Geist als sausendes Zelluloid mehr als einmal in einen eigentümlich analogen Fluss gebannt hat? Erfahren wir diese Kult gewordene Kunst noch? Oder sind wir bloß endgültig benommen vom Geltungsrumor der Kunstbetriebe, betrunken und verkatert zugleich, und halten die Gegenwart der Bilder, die wir rühmen, wenn sie in Rahmen ernstlich stillstehen, nicht die unbedingt nötige Weile aus?

(Geschrieben für die Süddeutsche Zeitung, *November 2009)*

SIMULATION DES FLEISCHES

William Gibsons Roman-Trilogie «Neuromancer»

Wozu sind all die Maschinen, diejenigen, die wir bereits besitzen, und diejenigen, von denen wir noch träumen, letzten Endes gut? Das erste Gerät, das in William Gibsons legendärem Science Fiction-Roman «Neuromancer» beschrieben wird, ist der künstliche Arm eines Barkeepers: «Es war eine russische Militärprothese, ein Greifer mit sieben Funktionen, rückkopplungsgesteuert und eingegossen in schmuddeliges, pinkfarbenes Plastik.»

Gemessen an dem, was künstliche Gliedmaßen gegenwärtig leisten können, ist der falsche Arm, den Gibson seinen Lesern im Jahre 1984 als zukünftig vorstellt, weiterhin von einer beeindruckend futuristischen Brauchbarkeit. Seine literarische Wirkung ergibt sich allerdings vor allem aus einem erzählerischen Trick: Das maschinelle Körperteil wird in dem Augenblick, in dem die Handlung einsetzt, als ein Oldtimer der «Bioelektronik», als ein antiquiertes Überbleibsel vergangener Zeiten präsentiert.

Wir befinden uns in Chiba City, einer Stadt an der Bucht von Tokyo, Hochburg der globalen Neurochirurgie. Ein junger Amerikaner ist nach Japan gekommen, weil die Kliniken von Chiba seine letzte Hoffnung bedeuten. Sein ehemaliger Arbeitgeber, ein großer Konzern, hat sein Nervensystem mit einem «russischen Mykotoxin aus Kriegszeiten» so geschädigt, dass er, der einstige «Supercowboy des Cyberspace», sich nicht mehr die Elektroden seines «Cyberspace-Decks» an die Stirn heften und über dieses Gerät in die virtuellen Weiten der «Matrix» hinaussurfen kann.

Was ist der Cyberspace? In welchen hochwichtigen, hypnotisch wirkmächtigen und süchtig machenden künstlichen Raum will dieser Mann um jeden Preis zurück? Und warum ist der Leser im Folgenden volle tausend Seiten lang bereit, an den Cyberspace und seine logische Struktur, die sogenannte Matrix, zu glauben? Als William Gibson sein erstes Buch «Neuromancer» in eine Hermes 2000, eine kleine mechanische Reiseschreibmaschine, hämmerte, existierte das Internet erst in einer Frühform, dem elitären Wissenschaftsnetz Arpanet. Die Vorläufer der heutigen PCs waren noch recht klobige, voneinander isolierte Heimrechner für Schreibarbeiten, simple Spiele oder einfache graphische Darstellungen. Dieses bescheidene empirische Sprungbrett, den technologischen Standard der frühen 80er des vorigen Jahrhunderts, nutzt der Romancier Gibson zu einer Vision, die bis heute nichts von ihrer Faszination eingebüßt hat. Und er schafft dies, ohne dass seine Phantasie ins technische Detail gehen muss. Obskure Kästen, in denen irgendwelche «Chips» arbeiten, und bedeutungsträchtige Namen wie «Ono-Sendai Cyberspace 7, der teuerste Hosaka-Computer des nächsten Jahres», reichen ihm meist aus, um die Pforte, die magische Schleuse, in den virtuellen Raum zu markieren. Denn nicht die spezielle Bauart, das benennbar Mechanische, Elektronische oder Biotechnologische der Geräte, auf die wir zusteuern, sind in diesem Roman das Wesentliche. Entscheidend ist vielmehr das, wovon sie uns erlösen sollen. Der Motor der «technologischen Evolution» ist kein utopisches «Dorthin!», sondern ein inständiges «Bloß weg von hier!».

Der Ort, den es um alles in der Welt zu verlassen gilt, ist der individuelle Leib, mit dessen Sensorium man auch im Zeitalter des Cyberspace geboren wird und dessen Freuden und Gebrechen weiterhin jeden Menschen durch sein Leben begleiten. Ausschließlich «Gefangener seines Fleisches» zu sein, erscheint dem jungen Cyberspace-Cowboy des Romananfangs ein schreckliches Schicksal. Aber schon bald wird er einen Schrecken kennenlernen, der der Gefangenschaft im Körper seltsam spiegelbildlich gegenübersteht. In die Matrix zurückgekehrt, trifft er auf einen legendären Cyberspace-Pionier. Dessen Persönlichkeit wurde nach dem Hirntod in einen Rechner übertragen, und erst dort begreift der erfahrene Weltenpendler, dass er nun für immer – das heißt: bis man ihn «abschaltet» – ohne Physis auskommen muss.

Dem Leser begegnet im Folgenden eine ganze Serie von Gestalten, die das Feld zwischen diesen existenziellen Polen bewohnen. So liegt der Körper eines reichen Kunstsammlers unheilbar krebskrank in einer Nährlösung, während sein Geist durch ein virtuelles Barcelona wandelt. Und im letzten Roman-Teil «Mona Lisa Overdrive» gebiert die Matrix aus sich die alten Voodoo-Götter, die telepathisch auf ein biotechnisch manipuliertes Medium in der Echtwelt zugreifen können. Spätestens hiermit ist endgültig klar, dass es in diesem Science Fiction-Wälzer um Religion geht.

«Das Fleisch, das spricht», also der Mensch, liegt in einem merkwürdigen Hader mit dem, was er als sein Eigenstes erkennt. Sosehr es seinen Scharfsinn auch in die Pflicht nimmt, das Gehirn kommt nicht umhin, sich einzugestehen, dass auch seine schönsten Neuronenblitze leibliche Phänomene sind. Und die «Evolution der Maschinenintelligenz», die rasante Verbesserung der Maschinen in der Moderne, weiß sich zuletzt nichts Besseres, als den Leib, aus dessen Kerker sie wegwill, in einem technologisch generierten Raum erneut zu repräsentieren. Gibsons Helden, fanatische Computer-Freaks, Cyberspace-Junkies und mikrochirurgisch verbesserte Cyborgs, müssen erkennen, dass der grandios hochgewölbte Regenbogen der Technikentwicklung schließlich dort wieder Fuß fasst, wo einst die Religion und nach ihr die Kunst ihren Ausgang genommen haben: in der schmerzensreichen, aber auch lustvollen Selbsterfahrung des Fleisches.

(Geschrieben für die Neue Zürcher Zeitung, *Mai 2007)*

DIE GROSSEN KINDERAUGEN DES POP

Michael Jackson versteht es, im rechten
Moment zu sterben

Längst ging sein Bild seinem Werk voraus. Selbst wer sich niemals auch nur eine einzige Songzeile aus Michael Jacksons Kehle mit Herz und Verstand angehört hat, wusste, dass es diesen Sänger gab. Genau dies hob ihn aus dem Meer der Bekanntheit in den Himmel des Ruhms. Er war ein Star, weil sein Bild immer schon da war. Wie eine riesige Rückprojektion erwartete es den Künstler, sobald er ansetzte, mit einer neuen Platte, mit einem neuen Videoclip oder mit einer neuen Show auf die Bühne des Augenblicks zu springen.

Es ist müßig zu fragen, ob Michael Jackson hierüber nachgedacht hat. Er muss kein großer Grübler gewesen sein, um die Gewalt dieses Umstands zu spüren. Die Art, wie er über mehr als drei Jahrzehnte die Wucht, die beschleunigende Gewalt seines eigenen Bildes, erfuhr, war zweifellos total. Wie keine zweite steht Jacksons Karriere dafür, dass körperliche Präsenz und medialer Anschub am Ende des 20. Jahrhunderts eine neuartige Allianz eingingen.

Jackson war schon als Kind ein Performer. In zahllosen Tournee-Auftritten schickte ihn sein Vater, der auch sein erster Manager war, vor die älteren Geschwister hin an den Rand der Rampe. Abend für Abend galt es, die mehr oder minder geneigte Aufmerksamkeit der Gekommenen mit Präsenz und

Können zu verführen. Stets hieß es, jene Sphäre zu erreichen, in der die Faszination des Publikums mit der Darbietungslust des Künstlers zu einem besonderen Stoff verschmilzt. Charisma ist ein synthetisches Gas, das den, der es inhaliert, vergessen macht, wie er an seiner Synthese beteiligt ist. In den frühen Filmdokumenten, die Michael Jackson noch als Mitglied seiner Familienband The Jackson Five zeigen, flammt dieser Wechselzauber in den Augen des Halbwüchsigen auf. Dieser Knabe hört zweifellos selbst, wie hinreißend gut er singt. Zugleich spürt er mit Haut und Haar, wie anschwellend lustvoll, zuletzt enthusiastisch ihm die Anwesenden Auge und Ohr schenken.

Die serielle Tortur der Tourneen gewährte zudem noch eine spezielle Gnade: Die Bilder jedes Abends begannen bereits mit der letzten Zugabe zu erlöschen. Erst das Fernsehen brachte eine mediale Abformung des Auftritts ins Spiel, die auf einer eigenen Präsenz und einer spezifischen Dauer beharrt. Das Fernsehen sagt immer auch: «Dieses Ereignis ist nicht bloß passiert. Mindestens genau so wichtig ist, dass sein Bild nun auf Millionen Mattscheiben hinausgeht!» Das Magnetband, dessen digitale Kopien uns bis heute den zwölfjährigen Jackson bei der ersten TV-Darbietung des Welthits «ABC» zeigen, verrät bereits viel über den eigentümlichen Charakter dieser Doppelung. Dem kleinen Michael ist der energetische Brückenschlag hinüber zu einem Live-Publikum zweifellos längst ins Blut übergegangen. Er wirkt hinreißend kraftvoll, dazu bezaubernd unbefangen, auch wenn diese Anmut nicht ganz frei von Routine sein mag. Zugleich aber lässt er den Blick immer wieder blitzschnell zur Seite gleiten. Offenbar suchen seine Kinderaugen die Kamera, deren Zugriff er spürt. Singend und tanzend beginnt er, in wohl noch halbnaiver Anverwandlung, die Sog- und Strahlkraft des Bildmediums für die Wirkung des eigenen Auftritts zu nutzen.

Der Jüngling, den wir, ein Jahrzehnt später, zu den Mega-Hits der frühen 80er Jahre tanzen sehen, hat dann bereits den entscheidenden und zweifellos bewussten Schritt ins totale Bild getan. Jacksons Aufstieg zum internationalen Star ist dabei nicht vom Siegeszug des Video-Clips und dem Erfolg der neuen Fernsehsender, deren Programm fast ausschließlich aus Clips bestand, zu trennen. Jackson gibt eine doppelte Antwort auf das neue Format und auf den neuartigen ästhetischen Erfahrungsraum, den es dem Pop-Fan eröffnet. Zum einen reagiert er mit einer atemberaubenden Perfektionierung seines Tanzes. Wie sein geschulter Körper die Choreographie zum zwingend überzeugenden Bestandteil des nun stets auch visuell präsentierten Songs macht, ist bahnbrechend. Michael Jackson setzt in diesem Medium durch, dass man ein Lied auch tanzen kann. Und wer wissen will, wie neu das 1980 gewesen ist, muss sich bloß die Clips anderer Interpreten aus dieser Zeit ansehen. Nur Frisuren werden vielleicht noch schneller lächerlich als der Hüftschwung und die Tanzschritte vergangener Jahrzehnte. Michael Jacksons Tanz überzeugt dagegen bis heute durch eine unheimliche Präzision der Einzelbewegung, durch eine Künstlichkeit, die den Körper zum fast roboterhaft gehorsamen Agenten von Rhythmus und Emotion macht. Bis heute brauchen auch tänzerisch begabte Sängerinnen und Sänger alle Tricks der digitalen Schnitttechnik, um eine auch nur halbwegs ähnliche Dynamik und Intensität des Ausdrucks zu erreichen.

In seiner tänzerischen Brillanz scheint Jackson auf den ersten Blick ein Bühnenkünstler alter Art zu sein. Schließlich vertraut er weiterhin auf sein leibliches Vermögen, auf Musikalität und erworbene Technik, auch wenn die Studioarbeit viele Wiederholungen und den beliebigen Zusammenschnitt der besten Sequenzen und Momente erlaubt. Und während seiner zahllosen Tournee-Auftritte war er tatsächlich wie früher auf die Gunst des gelingenden Augenblicks angewiesen. Aber seine zweite Antwort auf die schnell dominierende Clip-Kultur verrät, wie sehr es dem jungen Mann bereits um 1980 um das millionenfach vervielfältigte und technologisch dauerhafte Bild geht. Mit Hilfe kosmetischer Operationen verwandelte er sein lustig pausbäckiges Bubengesicht in das starre, zwischen wenigen markanten Ausdrücken hin und her zuckende Antlitz einer Ikone. Jacksons Gesicht tanzt auf unverwechselbare Weise mit. Aber es hat alles gleitend Weiche und das sympathisch Unbestimmte dem strengen Spiel der Virtuosität geopfert. Jacksons neues Gesicht, das Gesicht des Stars, unterstreicht die hochdifferenzierte Arbeit des Restkörpers mit wenigen überdeutlichen, fast comicartigen Mienen. Wie sehr es im Musikclip auf solch wuchtig auftrumpfende mimetische Gesten ankommt, hat er vor seinen vielen, mehr oder minder geschickten Nachahmern erkannt.

Dieses künstliche Antlitz, aus dessen Mitte eine von Operation zu Operation immer spitzer werdende Nase ragte, kennen alle, die in den letzten dreißig Jahren jung waren. Die Spekulationen über das Ausmaß und die jeweiligen Gründe der Gesichtskorrekturen rissen nie ab. Der Spott und die Häme, die über Jacksons Haut- und Narbenproblemen, vor allem über die mehr oder minder große Künstlichkeit seiner Nase ausgeschüttet wurden, wurden zum deutlichsten Ausdruck des spezifischen Neides, den seine Figur weltweit unweigerlich auf sich gezogen hat.

Was missgönnen wir, seine Zeitgenossen, einem Pop-Star vom Kaliber Jacksons? Weit mehr als seinen Erfolg oder als seinen Reichtum neidet man einem solchen Künstler die luzide Stabilität, die blanke Härte des Bildes, das von ihm im Umlauf ist. Deshalb ist jener populäre Künstler der Schlauere, der das eigene Bild immer wieder in andere geläufige Klischees umschlagen lässt, wie dies zum Beispiel Madonna tut. Und gewieft verfährt auch derjenige, der seinen Zeitgenossen in regelmäßigen Abständen eine mittlere, allzu menschliche Katastrophe zur Anschauung bringt, was Britney Spears in den letzten Jahren vorbildlich gelang. Jackson hingegen wurde die hochgradige Gemachtheit, die feste Figürlichkeit seines Bildes zum Verhängnis. In einem solchen Fall weiß unsere Missgunst stets, wo sie, nagend und kratzend, anzusetzen hat. Noch ist kein Star-Ruhm ohne Körperlichkeit denkbar. Zumindest im Pop bleibt der Leib die materielle Basis des Bildes. Und wer das Bild niedergehen sehen will, kann auf das Alter, auf Krankheiten und auf die Tücken der chirurgischen Manipulation vertrauen. Michael Jackson, dem es gelungen war, hinter einer rhythmisierten Maske zu verschwinden, musste erfahren, dass von keinem anderen zeitgenössischen Gesicht der entblößende Verfall mit größerer Gier erwartet wurde als von seinem.

Der fünfzigjährige Jackson stand vor einer neuen Konzertserie. Mehr noch als die vorausgegangenen hätte sie ihn mit dem eigenen Bild konfrontiert. Erneut wäre er vor riesige Leuchtschirme getreten, die Hunderttausenden von Konzertbesuchern vorproduzierte Videosequenzen zu alten und neuen Songs geboten hätten. Erneut hätte er sich den Live-Kameras auf der Bühne zugewandt, die sein aktuelles Gesicht sogleich auf diese Bildwände übertragen hätten. Und mit einem flinken Seitenblick hätte er dann kontrollieren können, ob er mit der Künstlichkeit seinerselbst zufrieden gewesen wäre. Wahrscheinlich hätte er rund um den Globus noch einmal gezeigt, dass es möglich ist, mit somnambuler Laszivität so zu tanzen und zu singen, als wäre eine Ikone aus ihrem goldenen Rahmen gesprungen.

Wahrscheinlich hätte es, um Atem zu sparen, das eine oder andere Playback gebraucht, aber die wohlmeinende Mehrheit der Konzertgänger hätte ihm dies gewiss verziehen. Der wahre Fan ahnt den Schmerz, der sich wie ein Lichtbogen zwischen dem alternden Körper und dem anders hinfälligen Bild eines Stars spannt. Der gute Fan fühlt, dass es keine leichte Sache ist, dem technologisch immer rabiateren Bilddruck die Performanz des schwächer werdenden Fleisches entgegenzusetzen. Nur der böse Fan, den es immer auch gibt, hofft klammheimlich auf die Katastrophe, auf den Moment, wo sein Star vor der Übermacht des eigenen Bildes in die Knie bricht.

Michael Joseph Jackson, genannt «The King of Pop», war noch einmal bereit, dieses Risiko auf sich zu nehmen. Aber etwas in ihm, etwas sehr Kluges irgendwo in seinem für die kommenden Auftritte trainierten Körper, hat sich dann doch anders entschieden. Genau im rechten Moment, im unmittelbaren Vorfeld einer mörderisch steil gewordenen Bild-Erwartung, hat dieser großartige Performer die großen, in vierzig Karrierejahren fast unverändert gebliebenen Kinderaugen für immer vor jedem Bild verschlossen.

(Geschrieben für die Berliner Morgenpost, *Juni 2009)*

«DU BIST GOTT!»

Weisheit und Schund in Robert A. Heinleins Roman
«Fremder in einer fremden Welt»

Unter den Missgriffen, die jedem Romancier, auch einem Science Fiction-Autor, drohen, liegt ein besonders fataler Fehler stets verführerisch nahe: Er kann seinesgleichen, also einen Schriftsteller, zur Hauptfigur des Geschehens machen. Robert A. Heinlein gönnt sich einen langen, ereignis- und figurenreichen Vorspann, bevor er in «Fremder in einer fremden Welt» just diesen Missgriff mit genüsslichem Pomp zelebriert. Der steinalte Erfolgsautor Jubal E. Harshaw betritt die Bühne der Zukunft.

Harshaw ist nicht nur Schriftsteller, er ist auch Rechtsanwalt, Mediziner, Philosoph und Bonvivant. Eisgekühlten Brandy schlürfend, diktiert er seinen ebenso schönen wie klugen Sekretärinnen, was ihm am Pool seiner Villa in den Sinn kommt. Dabei scheut er sich nicht, mit zynisch hellsichtigen Aphorismen zu brillieren, um dann, nach einem kurzen Kratzen im grauen Brustfell, ein superbes Exempel in Sachen Schund zu geben. «Jubal, schämst du dich nie?», fragt ihn eine seiner Sekretärinnen, nachdem sie eine rührselige Weihnachtsgeschichte rund um ein halbverhungertes Kätzchen in ihr absolutes Gedächtnis gespeichert hat.

Harshaw, der seinem hundertsten Geburtstag entgegensieht, hat drei Weltkriege erlebt, aber weit wichtiger als alle irdischen Wirrnisse erweist sich, dass er Zeitgenosse der ersten beiden bemannten Marsexpeditionen war. Die Besatzung des zweiten Raumschiffs, das erst ein Vierteljahrhundert verzögert auf die Reise ging, fand wie erwartet die Leichen ihrer Vorgänger. Dann aber machte man zwei spektakuläre Entdeckungen. Es existiert eine uralte Zivilisation von Marsianern. Und die Marsbewohner haben ein menschliches Kind, den Sohn von zwei Besatzungsmitgliedern des ersten Raumschiffs, aufgezogen.

Valentine Michael Smith, die Waise vom Mars, wird auf die Erde gebracht. Und der verwickelte Plot muss einige Klippen höchster Unwahrscheinlichkeit umschiffen, damit der wundersame, in allen Angelegenheiten unseres Planeten unbedarfte Jüngling unter die Fittiche des alten Harshaw gerät. Der Mann vom Mars ist ganz vom meditativ-kontemplativen Geist der dortigen Kultur geprägt. Er kennt keinen Ehrgeiz und keine Aggression. Lüge und Missgunst liegen ihm ebenso fern wie jede Form von Eile. Sein einziges Bestreben gilt dem «Groken» alles Seienden, einem Erkennen, das sich völlig in seinen jeweiligen Gegenstand versenkt, um ihn restlos zu durchdringen und in seiner Eigenart anzunehmen. Smith, der auf dem Flug zur Erde Englisch gelernt hat, «grokt», was seine neuen Artgenossen angeht, allerdings zunächst fast gar nichts und missdeutet das wenige, was er zu begreifen glaubt, auf typisch marsianische Weise.

Die zum Himmel schreiende Unschuld des Jünglings erschüttert die goldene Nische, in die sich der Allesversteher Harshaw zurückgezogen hat. Smith, der allen, auch seinen potenziellen Ausbeutern und heimlichen Feinden, empathisch «grokend» entgegentritt, der auch den letzten miesen Halsabschneider in «seiner ganzen Fülle» begreifen und liebend annehmen will, gerät schnell in Lebensgefahr. Harshaw, dem keine irdische Niedertracht fremd ist, wird sein Berater und Beschützer. Und der illustre Greis schreckt nicht davor zurück, sich als intriganter Jurist, als gewiefter Psychologe, als phantasievoller Risikospieler und nicht zuletzt als wortgewaltiger Schwadroneur mit den Geheimdiensten und Spitzenpolitikern des zu einer Föderation vereinigten Globus anzulegen.

Die Erzählung des Sieges, den Jubal E. Harshaw dabei zunächst erringt, ist ein prächtiges Stück Schund. Und der Umstand, dass sich ausgerechnet ein Romancier zum rettenden Heros aufschwingt, scheint ein Exempel schamloser Autorengrandiosität, ein leicht durchschaubarer Akt professioneller Wunscherfüllung. Robert A. Heinlein war 41 Jahre alt, als er sich erste Notizen zu «Fremder in einer fremden Welt» machte, und er sollte 53 werden, bis er den Roman endlich fertig hatte. Seine Veröffentlichung verzögerte sich weiter, weil der Verlag inhaltliche Einwände erhob. Schließlich musste Heinlein in einem demütigenden Akt von Selbstzensur mehr als ein Viertel streichen. Das Erscheinen der ursprünglichen Fassung hat er nicht mehr erlebt.

«Du bist Gott!», sagt der auf die Erde Gekommene zu seinem väterlichen Mentor Harshaw, als ihm nach vielen Gesprächen und langem geduldigem «Groken» eine Synthese marsianischer und irdischer Weisheit zu dämmern beginnt. Und dieser Satz wird zur Begrüßungsformel der spirituellen Gemeinschaft, die Smith zur Verbesserung der Welt ins Leben ruft. Man «grokt» einander so innig wie möglich, teilt alles Eigentum und frönt einem eifersuchtslosen freien Sex. Dies geht ein utopisch schwebendes Weilchen gut. Wie ein kleiner Gott darf sich noch heute der Leser fühlen, der das

Glück dieser friedlichen Kommune und die Jesus-gleichen Wunder, die ihr übersinnlich begabter Stifter tut, in naiver Identifikation mitgenießt. Dann wird Smith durch einen von den Mächtigen aufgehetzten Mob gelyncht. Mit einem grausamen Ruck scheinen wir noch hinter unsere Gegenwart, bis in die Entstehungszeit des Romans, in die USA der 50er Jahre, zurückversetzt. Ernüchtert müssen wir «groken», dass die Güte zu allen Zeiten der Macht der Bosheit unterliegt – bevor Robert A. Heinlein und sein Wunsch-Ich Jubal E. Harshaw mit zwei verblüffenden Schlusskapiteln erneut eine Tür hinüber in jene Welt aufstoßen, in der Schund und Weisheit, ohne sich etwas zu missgönnen, göttlich lustvoll miteinander kopulieren dürfen.

(Geschrieben für die Neue Zürcher Zeitung, *September 2007)*

DIE GÖTTLICHE GEWALT DES GEMACHTEN

Versuch, die Wirklichkeit des Spiels «GTA 4» zu verstehen

Eine Stadt und ein Roman sind erst wirklich groß, wenn sie uns verleiten, in ihnen verloren zu gehen. Beide Verführer, die wahre Metropole und ein Prosatext, der die Bezeichnung Roman verdient, appellieren mit Erfolg an das Verlangen unseres Bewusstseins, von einem größeren System vereinnahmt zu werden. Dabei weiß unser Begehren sehr wohl, dass das Labyrinth, das uns verschlingt, gebaut ist. Die Künstlichkeit des Systems ist sogar ein notwendiges Ingrediens der Faszination, die es ausstrahlt.

Alle Spieler, mit denen ich bisher über «Grand Theft Auto IV» gesprochen habe, behaupten, dass dieses Computerspiel das bislang beste sei. Und fragt man nach dem Grund, fallen unweigerlich die Adjektive «wirklich», «echt» und «real». Diese Attribute bekommt zunächst die Stadt «Liberty City» verliehen, die den Raum des gesamten Geschehens bildet. Liberty City liegt, verteilt auf sieben Inseln, an der Küste und ist dem heutigen New York nachempfunden. Der Spielende, der seinen Helden, den serbischen Immigranten Niko Bellic, zugleich begleitet und lenkt, wird diese Stadt während der vielen Stunden, in denen er den Controller in der Hand hält, nicht verlassen. Die Zahl der Straßen, die er mit zahlreichen Fahrzeugen befährt, ist so groß, dass er bis zuletzt ein

Navigationssystem benutzen wird, um ans Ziel zu kommen. Nie wird er die partielle Ortskenntnis eines Einheimischen oder gar die Souveränität eines Taxifahrers erreichen. Die wichtigsten Verkehrspunkte, vor allem die monumentalen Brücken, werden zwar bald wiedererkannt. Aber wenn es überhaupt einen Reiz des Wiedersehens gibt, liegt er darin, wie jäh das Bekannte aus dem Geflecht der Stadtautobahnen, der Überführungen, der Tunnel und der Kreuzungen, also aus dem Nicht-Überschauten, auftaucht.

Dabei ist der Erwerb einer weitergehenden Übersicht prinzipiell möglich. Das Straßennetz von Liberty City ist bei weitem kleiner als das einer Metropole aus Backstein, Asphalt und Beton. Aber die Handlungsstruktur des Spiels drängt zur Eile. Wie ein Verrückter zu fahren macht außerdem Spaß. Und da die Autos in Schrott verwandelt werden dürfen und die Kollateralschäden an anderen Verkehrsteilnehmern nur geringfügige Sanktionen nach sich ziehen, ist Rasen von Anfang an das Naheliegende. Dass dabei nicht nur eine Erfahrung gewonnen, sondern auch eine Erfahrung vermieden wird, verraten die Taxi- und U-Bahn-Fahrten. Sie dauern, da sich der Taxifahrer an die Verkehrsregeln und die Bahn an die Schienen hält, fast so lang wie auf unseren Straßen. Den Raum derart dröge zu durchmessen, wäre «wirklich» in einem quälend alltäglichen Sinne und würde die Intensität der Spielrealität beeinträchtigen. Also leistet man eine Sonderzahlung aus dem virtuellen Kapital des Helden und springt ohne Weg ans Ziel.

Ausgesprochen störend wirkt es sich auf den Genuss der Spielwelt aus, weite Strecken zu Fuß zu gehen. Ich habe dieses laienhaften Unterfangen eine halbe Stunde lang durchgehalten und alle Anrufe, die Niko zu Treffen mit anderen

Kriminellen und damit zur Benutzung eines Fahrzeugs verlocken wollten, ignoriert. Ab und zu tapste mein ungeschickt geführter Protagonist in fahrende Autos, einmal wurde er hinterrücks von einem Drogendealer niedergeschlagen. Eindrucksvoller als diese Interaktionen war, was mir an den Gebäuden widerfuhr. Während meines Spaziergangs gelang es mir kein einziges Mal, in eine Fassade einzudringen. Die graphisch aufreizend perfekt präsentierten Geschäfte, Lokale, Kinos und Appartementhäuser erwiesen sich als Potemkinsches Dorf. Wie ein virtuelles Rumpelstilzchen rannte mein Held gegen ihre Türen an. Die begehbaren Häuser des Spiels sind meist nur über die Episoden der Spielhandlung erreichbar. Die restliche Welt, der denkbare Innenraum von Liberty City, bleibt wie versiegelt. Wer gelegentlich weit nach Mitternacht durch reale Großstadtreviere geirrt ist, weiß, wie nahe unsere Städte der Fiktion von Liberty City hierin sind.

Auch Niko Bellic selbst sei, so beteuern mir die erfahrenen Spieler, wirklicher als seine Vorgänger in den älteren GTA-Spielen. Der Fortschritt soll im Agieren seines Körpers liegen, der noch realistischer kämpft und klettert, der sich geschickt hinter Deckung duckt, wenn Kugeln fliegen, und sich geschmeidig abrollt, wenn ihm per Fingerdruck ein Sprung aus größerer Höhe befohlen worden ist. Der Maßstab, an dem sich die Glaubwürdigkeit dieser leiblichen Präsenz messen muss, ist in das Spiel integriert. In unbeeinflussbaren Zwischensequenzen, die die Handlung vorantreiben, agieren Niko, seine Kumpane und Gegenspieler auf dem Niveau des computeranimierten Trickfilms. Ihre Körper sind glaubwürdig weiche Massen in glaubwürdig hohlen Räumen. Und ihre Gesichter zeigen das auf wenige emotionale Schachzüge begrenzte Spektrum an Ausdruck, mit dem heutzutage auch ein humaner Darsteller die Folgen einer vergleichbaren TV-Serie bewirtschaftet.

Dieses Niveau, die Wirklichkeitssuggestion des Fernsehens und des auf TV-Format geschrumpften Kinofilms, kann der vom Controller geführte Niko dann nicht mehr ganz halten. Aber da er meist von hinten zu sehen ist oder von seinem Fahrzeug verborgen wird, wird man von der nun vorherrschenden Starre der Mimik relativ selten belästigt. Und in einem merkwürdigen Übersprung der Anteilnahme rühren stattdessen Kleinigkeiten des leiblichen Ausdrucks: Wie sorgsam streift Niko sich den Schutzhelm über, bevor er mit dem Motorrad losbraust, wie rührend langsam rappelt er sich nach einem Sturz auf, der ihm in unserer Verkehrswelt sämtliche Knochen gebrochen hätte.

Das ist der Traum von Nikos Wirklichkeit. Und vordergründig gibt es keinen Grund, den Systemgenuss, das wissende Verlorengehen des Spielers an diesen Körper und an diesen Raum, zu stören. Dennoch kommt es aus heiterem Himmel dazu, dass Grand Theft Auto IV die Grenzen der eigenen Realität wie eine Eierschale knackt. Auf der Insel «Happiness Island» steht die gewaltige «Statue of Happiness», der New Yorker Freiheitsstatue ähnlich. Am schnellsten ist das Monument mit einem Hubschrauber zu erreichen. Der mächtige Sockel kann betreten werden, offeriert aber nicht viel mehr als einen Getränkeautomaten und apathisch herumlungerndes Wachpersonal. Ein Aufstieg, hinauf auf die Aussichtsplattform zu Füßen der Statue, scheint unmöglich.

Der erfahrene Spieler jedoch darf entdecken, dass just in diesem virtuellen Monolithen ein sogenanntes «Easter Egg», ein besonderes Geschenk der Spielemacher an ihn, verborgen ist. Niko Bellic steuert den Hubschrauber so nahe an das Denkmal, dass die Rotorblätter Funken schlagen. Dann zwingt ihn der richtige Tastendruck zum tollkühnen Sprung hinunter auf die Plattform. Während der Helikopter in der Tiefe vor dem Sockel der Statue zerschellt, durchschreitet Niko – in absichtlich plumpem Bruch der Wirklichkeitsillusion! – eine geschlossene Tür, neben der die Aufschrift «No hidden content this way» prangt. Damit ist er ins Innere, in den hohlen Leib der Figur, gelangt. Eine Leiter, ein Aufstieg über viele Sprossen, führt ihn hinauf in die Brust der heroischen Jungfrau. Schon auf dem letzten Stück begleitet ihn ein dumpfes, schließlich bedrohlich anschwellendes Pochen. Mit Niko heben wir den Blick und sehen ein gigantisches, zuckendes, laut schlagendes Herz. An Ketten ist es im Innenraum der Statue aufgehängt.

Nun gibt es nichts weiter zu tun, als das Organ aller Organe in seiner anatomisch korrekten Echtheit und in seiner monumentalen Künstlichkeit zu bestaunen. Die Handlung ist ausgesetzt. Aber das Spiel hält an, als wäre mit dem Bruch des bisherigen Realismuskonzepts ein Hochplateau möglicher Wirklichkeit erklommen. Im Rhythmus des Herzschlags, des intimsten aller Geräusche, stehen sich Niko Bellic und seine Götter, die Schöpfer des Spiels, so lange gegenüber, wie es der Spieler aushält. Dann geht es die Leiter hinunter, hinaus auf die Plattform und über deren Brüstung in die Tiefe, wo Niko, ein Abstieg ist nicht programmiert, nach kurzem Sturz in einer blutroten Lache einen seiner obligatorischen Tode findet.

Gibt es außerhalb von Liberty City, im Alltag des jeweiligen Spielers, vergleichbare Momente des Verlorengehens? Als Niko für mich, den Dilettanten, zum ersten Mal über die Brüstung flankte, verlor ich einen Augenblick lang den

Halt in meiner Wirklichkeitsreligion. Kurz wankte in mir der Glaube, dass mich irgendeine materiell existierende Metropole oder zumindest der Systemgenuss eines Romans zu einer vergleichbaren Erfahrung zwingen, in ein vergleichbares Verschwinden führen könnte. Zweifellos hat das mit Gewalt zu tun. Diejenigen, die als Nichtspieler die vordergründige Gewalttätigkeit dieses Spiels, das Überfahren, Niederschlagen und Totschießen, beklagen, haben allerdings gerade mal den kleinen Finger seiner mächtigen Faust begriffen. Die ganze Hand fühlt allein der Spieler. Er spürt die höhere Gewalt des Schöpfers, die sich im Weltei seines Systems mit einer besonders subtilen Brutalität offenbart.

Bevor er zu einem neuen Durchgang wiederauferstehen muss, blutet Niko noch zwei, drei stumme Sekunden am Fuß der «Statue of Happiness». Die rote Lache ist hübsch realistisch. Aber womöglich wird unser Held bereits in der nächsten Version von Grand Theft Auto jeden seiner Tode so lange beweinen und beklagen müssen, wie es ihm seine Kreatoren eingeschrieben haben. Schon jetzt sagen die stärksten Augenblicke dieses Spiels: Das Gemachte soll alle Macht erringen. Der wahre Kitzel des Realen liegt im offensichtlich absichtsvoll Geschaffenen, selbst wenn das Wesen göttlicher Absicht dabei ein Geheimnis bleibt.

(Geschrieben für die Süddeutsche Zeitung, *Mai 2008)*

GROSSES GEGRUSEL MIT GOTT

Mark Z. Danielewskis voluminöser Horrorroman
«Das Haus»

Energetisch gesehen gibt es für den Leser zwei Arten von sehr dicken Romanen: zum einen die süffigen Schmöker, die versprechen, viel Lesezeit mit wenig Kraftaufwand durchmessen zu dürfen. Räumlich könnte man solche Bücher mit einer extrem langen Rutschbahn vergleichen. Draufsetzen und loslassen! Alles Weitere erledigen das erzählerische Gefälle und die Genre-üblichen Gleitmittel. Daneben gibt es aber auch Wälzer, die nicht mit flotter Gängigkeit, sondern mit deren Gegenteil, mit Widerstand, Verzögerung und langwieriger Anstrengung locken. Wer sich auf einen solchen Leseweg begibt, wählt einen Trimm-dich-Parcours für Fortgeschrittene und ist sogar bereit, mit einer speziellen Wollust an der Schmerzgrenze der eigenen Kondition zu leiden.

Mark Z. Danielewskis Roman «Das Haus» ist nicht nur dick, sondern auch kompliziert. Dabei gibt es einen zentralen Plot, der alle Voraussetzungen für ein zügiges Wegschmökern mitbringt. Eine vierköpfige Familie, die Navidsons, verlässt Anfang der 90er Jahre New York, um in Virginia ein altes Haus zu beziehen. Schnell kulminieren unheimliche Begebenheiten. Durch einen wie aus dem Nichts entstandenen Korridor lässt sich ein völlig finsteres, eiskaltes Riesengebäude betreten, das dem Häuschen, von außen unerkennbar, anhängt. Dieses Haus-am-Haus lebt. Unvorhersehbar verändert es seine Struktur und scheint durch sein Wuchern, Dehnen und Schrumpfen auf diejenigen zu reagieren, die es zu erkunden wagen. Was dabei im Einzelnen geschieht, ist weit origineller und vertrackter, als es eine Zusammenfassung wiedergeben könnte, und weil es zudem spannend erzählt wird, soll kein wichtiges Detail der Exkursionen, die Will Navidson und andere wagen, verraten werden.

Neben der fast klassischen Haunted-House-Story bietet Danielewski noch eine umfangreiche zweite Handlung auf. Sechs Jahre nach dem Geschehen um das Spukhaus gerät in Kalifornien ein junger Mann namens Johnny Truant in eine tiefe existenzielle Krise. Truant, der in einem Tätowierladen jobbt und seine freie Zeit mit Drogen und schnellem Sex herumkriegt, ist hochsensibel und künstlerisch begabt, hat eine traumatische Kindheit hinter sich, und so braucht es nur noch einen letzten Kick, dass sein Leben aus der Spur springt. Der Roman schließt die beiden Ereigniskomplexe kurz, und als Verbindungsstück dient ihm – dies hat eine lange Tradition – in Gestalt eines Manuskripts die Literatur selbst.

Truant fällt eine wüste Blätter- und Zettelsammlung aus dem Nachlass eines kürzlich verstorbenen Greises namens Zampanò in die Hände. Kernstück dieser Papiere ist der sogenannte «Navidson-Report», in dem Zampanò erzählt, was der Familie Navidson in Virginia zugestoßen ist. Ein Buch im Buch also, aber mit dieser einmaligen Verschachtelung lässt es Danielewski nicht bewenden. Der Navidson-Report tritt nämlich nicht als direkte Chronik realer Ereignisse vor uns, sondern als Nacherzählung eines Films. Will Navidson hat, nachdem er mit Frau und Kindern ins Spukhaus gezogen war, die dortigen Ereignisse akribisch auf Zelluloid und Video gebannt. Navidson ist ein mit dem Pulitzer-Preis ausgezeichneter Fotoreporter, und mit dem Navidson-Report scheint ihm auf Anhieb ein Meisterwerk des Dokumentarfilms gelungen zu sein.

Den Rang dieses Werks bezeugt die gewaltige Rezeption, die der Film binnen weniger Jahre in der Kritik und in allen möglichen Wissenschaften erfahren hat. Die 450 Fußnoten des Romans geben hierin einen Einblick. Zum größten Teil stammen sie von Zampanò, der auf ausgewählte Sekundärliteratur verweist und auch ausführlich aus dieser zitiert. Dazu kommen noch Anmerkungen von Johnny Truant und Anmerkungen der anonymen Herausgeber, die Truants Werk, also die kombinierten Geschichten der beiden, in Druck gebracht haben. Im Anhang finden sich des Weiteren Dokumente aus beider Leben: Manuskriptfragmente, Zeichnungen, Fotos und Briefe. Eine zusätzliche Dimension der Darstellung öffnet sich im Druckbild des Romans. Es werden verschiedene Schrifttypen und -größen verwendet. Manchmal erscheint der Text in Spalten oder Kästen. Man muss rückwärts lesen oder zwischen den Zeilen hin und her hüpfen – von weiteren den Lesefluss stauenden Einfällen ganz zu schweigen.

Behält man rigoros die Handlung im Auge, werden einem, in wechselnd langen Teilstücken, drei Ebenen «wirklichen» Lebens geboten: die Erlebnisse der Familie Navidson, das allmähliche Ausflippen des jungen Truant und Bruchstücke aus dem Dasein des mysteriösen Zampanò. Allerdings stellt Danielewski den Wirklichkeitscharakter aller drei Dimensionen von Anfang an regelmäßig in Frage. Truant kann bei seinen Recherchen keinen Hinweis darauf finden, dass der angeblich berühmte Film tatsächlich existiert. Viele der in den Zampanòs gelehrten Anmerkungen zitierten wissenschaftlichen

Werke sind offensichtlich erfunden. Zampanò war zudem die letzten vierzig Jahre seines Lebens blind. Er kann den Film, den er nacherzählt und kommentiert, so es ihn denn gäbe, nie gesehen haben.

Auch Truant selbst ist ein fragwürdiger Erzähler. Gleich zu Beginn des Romans erweist er sich als notorischer Schwindler, als einer, der Geschichten aus seinem Leben gern so zurechtlügt, dass er damit maximalen Eindruck bei den Zuhörern erzielen kann. Außerdem leidet er während seiner Arbeit über Zampanòs Zetteln zunehmend an Angstattacken und Wahnvorstellungen. Einiges deutet sogar darauf hin, dass er den Navidson-Report in einem kreativen Delirium selbst verfasst haben könnte. Diese und zahlreiche weitere Fragwürdigkeiten werden dem Leser manchmal diskret, oft wie auf dem Präsentierteller serviert. Dabei lässt sich nicht alles, was die Authentizität des Geschilderten in Frage stellt, auf die Konten der beiden fiktiven Autoren Zampanò und Truant wegbuchen, manches geht zu Lasten der waghalsigen, nicht immer glatt verfugten Konstruktion des Überautors Mark Z. Danielewski.

Wer es als Romancier frontal darauf anlegt, die Wirklichkeitsillusion des Lesers zu frustrieren, spielt ein riskantes Spiel. Letztlich hofft er, dass die hauchdünne bleiche Larve, mit der jede Fiktion das banale Bastlertum des erfindenden Autors verbirgt, an Liebreiz gewinnt, wenn sie mit dem Rouge ironischer Relativierung aufgeschminkt wird. Solche Texte sagen dann mit artistischer Koketterie: «Guckt mal, ich bin nur erfunden, aber ist nicht alles hinreißend schlau ausgetüftelt?» Kleine Glanzstücke dieses Spiels mit Wirklichkeitsillusion und Desillusionierung finden sich im Navidson-Report. Die Idee, das Kernstück des Plots, die eigentliche

Horrorhandlung, als Abriss eines Dokumentarfilms zu erzählen, geht verblüffend gut auf. Die Beschreibung der Technik, der verschiedenen Kameras und Beleuchtungsutensilien, die fachmännische Reflexion über deren Potenz und über die gewonnenen Resultate erzeugen eine eigene Aura von Wirklichkeit. Im Griff der Geräte erringen die Körper der wagemutigen Spukhauserforscher eine schmerzhafte Präsenz. Selbst das bis zuletzt gestaltlos bleibende Grauen bekommt eine eigentümlich technologische Kontur. Die bildgebenden Maschinen scheinen auf suggestive, fast magische Weise Garanten für die Authentizität jedweden Geschehens.

Am anderen Ende der Wirkungsskala liegt das Tischfeuerwerk aus Belesenheit und interpretatorischer Schläue, das in den Anmerkungen und auch im Erzähltext abgebrannt wird. Allein schon die Titel der erfundenen Bücher, Aufsätze, Fernseh- und Rundfunkbeiträge strotzen vor Gescheitheit und protzen zugleich mit einem Witz, der die Welt der Theorie aufs Korn nimmt. Sogar einen, der selbst lange, lernend oder lehrend, akademisch gelitten hat, wird dieses Spiel mit wirklichem oder vorgetäuschtem Wissen irgendwann ermüden. Natürlich gibt es Zeitgenossen, die erwarten, dass ein schwieriges Buch auch die Spannbreite möglicher Deutung in irgendeinem Theorie-Kauderwelsch zur Schau stellt. Aber die allzu freigiebige Befriedigung dieses Anspruchs wird zuletzt den Herzmuskel des Lesens, die Phantasie, lähmen. Der starke Leser denkt gern selbst. Ungut pompös erscheinen mir in diesem Zusammenhang auch die zahlreichen direkten Bezugnahmen auf Werke der Weltliteratur, oft sogar in der Originalsprache. Wessen Bildung wird hier, für oder gegen wen, in Stellung gebracht? Der Anhang bringt unter der Überschrift «Diverse Zitate» noch einmal zwanzig gewichtige Namen, von Homer bis Derrida, und es entsteht der Verdacht, dass der Autor mit einem finalen Schlag entweder alle weniger Belesenen vollends einschüchtern oder uns auf dem Wege der intellektuellen Anbiederung in den Kreis der Eingeweihten, in die Gemeinde der Fans einbinden will.

Aber halb so schlimm! Dieses dicke Buch kann dem, der bis auf seine letzten Seiten gelangt, eine Menge Freude bereiten. In der Bewältigung seiner Komplexität genießt unser mentales System sich selbst, es freut sich an der eigenen Vielschichtigkeit, und unser Ego darf stolz sein auf sein Durchhaltevermögen. Unserem Ich bietet das Figurenaufgebot darüber hinaus wunderbare Möglichkeiten der Identifikation. Die Navidsons stehen samt dem zu Hilfe herbeigeeilten Onkel anrührend tapfer füreinander ein. Die Familie, der harte Kern des amerikanischen Selbstbilds, überdauert mit heroischem Opfermut die wahrlich schaurigen Prüfungen, die ihr das Haus auferlegt. Wer jung ist, kann sich speziell Johnny Truant zu Herzen nehmen. Er ist der gefährdete Jüngling, der ums Haar an seiner Sensibilität zerbricht, dann aber über Zampanòs Zetteln selbst zum Künstler, zum wortmächtigen Schriftsteller wird und als Gesellenstück seine traumatische Kindheit in Erzählung verwandelt.

Süßer noch als ein solcher Gleichklang mit den Figuren ist jedoch die Identifikation mit dem, der sie erdacht hat. Denn einfach alles, was einem wichtig erscheint, in einen 800-Seiten-Wälzer zu packen, die Welt und ihre Vergangenheit, Raum und Zeit, die liebe Kunst samt der nicht ganz so geliebten Kritik der Kunst, das muss sich anfühlen wie Gott-Sein. Mehr noch als ein Horrorroman erscheint mir «House of Leaves» deshalb ein Künstlerroman zu sein. Und die Grandiosität, zu der sich seine Verfasser, die fiktiven wie der authentische, aufschwingen, schreckt vor letzten theologischen Höhen nicht zurück. Gott kommt in diesem Roman, recht gruselig und zugleich ironisch-theoretisch gebrochen, selbstverständlich auch vor.

(Geschrieben für die Süddeutsche Zeitung, *September 2007)*

TOTENKULT UND LIEBESDIENST

Harald Bergmanns monumentaler Film
«Brinkmanns Zorn. Director's Cut»

Kann der Film der Literatur einen Liebesdienst erweisen? Oder hat zwischen zwei zeitgenössischen Künsten stets die Missgunst das letzte Wort, weil sich jede auf Kosten der anderen ein möglichst großes Stück Fleisch aus dem knappen Braten unserer Aufmerksamkeit säbeln muss? Falls Futterneid den Umgang zwischen Literatur und Film bestimmt, dann begleitet ihn der Wunsch, sich Zugriff auf das Besteck des Konkurrenten zu verschaffen. Film wie Literatur versuchen die Gabeln in die Finger zu bekommen, mit deren Zinken der Nebenbuhler besonders wirkungsvoll in unser Herz zu pieksen versteht.

Der Lyriker Rolf Dieter Brinkmann kauft sich Ende der 60er Jahre eine Super-8-Kamera und begann damit zu filmen. Vom WDR erhält er 1973 ein Tonband als Leihgabe und nimmt damit seine Umwelt, Frau und Kind, vor allem aber sich selbst auf. In derselben Zeit, einer Krisenphase seines Schreibens, wirft er sich auch auf das Fotografieren, knipst manisch mit einem billigen Schnappschussapparat herum und verarbeitet einen Teil der Positive mit anderem Bildmaterial und Textfragmenten zu Collagen. Nur hier, in aufwendigen Text-Bild-Bänden, von denen zwei posthum erscheinen werden, führt dieses Fremdgehen mit den Verfahren und den Gerätschaften der bilderzeugenden Künste zu abgeschlossenen Werken. Ansonsten enden Brinkmanns Versuche, die «alten verfluchten Trampelpfade der Literatur» zu verlassen, in einem Wust aus Aufgelesenem und Gebasteltem, in einem Neben- und Durcheinander von dilettantisch Missratenem und genialischen Glücksgriffen. Maleen Brinkmann hat diesen Fundus, über den frühen Unfalltod ihres Mannes im Jahre 1975 hinaus, aufbewahrt. So geduldig, wie vergängliche Dinge ausharren können, warteten die Schmalfilme, die Tonbandspulen und die Collagen darauf, dass der Richtige kommen würde.

Inzwischen kann man sagen, dass 1997 mit dem Filmemacher Harald Bergmann der Rechte aufgetaucht ist. Bergmann rettete Film- und Magnetbänder durch Digitalisierung vor dem Verfall und hat in zehnjähriger Arbeit aus dem Nachlass des Dichters und fiktiven Spielszenen einen knapp sechsstündigen Film komponiert. Dessen Herzstück, das auf den Tonbändern Brinkmanns basiert, war bereits im Frühling dieses Jahres unter dem Titel «Brinkmanns Zorn» in den Kinos zu sehen und hat die Anerkennung der Kritik und zwei Preise errungen. Jetzt liegt der vollständige Film als «Brinkmanns Zorn. Director's Cut» vor.

Bergmann beginnt mit einer Zusammenstellung von Brinkmanns Super-8-Experimenten. Die Schwarzweiß- und Farbaufnahmen sind bereits von Brinkmann kurztaktig montiert worden. Und dieser Vorschnitt zeigt, wie weit ein Amateur kommen kann, so er über den kreativen Furor und die manische Zähigkeit eines Rolf Dieter Brinkmann verfügt. Nur wenige der nicht selten unscharfen oder verwackelten Einstellungen besitzen, für sich genommen, die konzentrierte Kraft, die wir von einem Kinobild erwarten. Brinkmanns Montage jedoch legt offen, wie blutig ernst es ihm damals mit dem

Ablichten seiner Umwelt war. Er will «den blöden Realitätsfilm» zusammenzwingen mit dem, was er die «Flitzefilme» in seinem Kopf nennt. Die «grobe, verletzende und verletzte Welt» soll mit einem Bewusstsein, das an der Hyperintensität seiner Wahrnehmung laboriert, zu Bildsequenzen verschmolzen werden, die auch dem Betrachter die Augen für «den schrecklichen Mangel», für «die zähe klebrige Traurigkeit» öffnen, die Brinkmann überall wahrzunehmen glaubt.

Es muss eine empathische Tortur bedeutet haben, die aus sekundenkurzen Schnipseln zusammengeklebten S-8-Rollen zu sichten, die Strukturen von Brinkmanns Kompositionen zu begreifen und aus dem Stummfilmmaterial ein neues Ganzes zu formen. Harald Bergmann stand letztlich vor der Aufgabe, das auf halber Strecke gescheiterte Synthese-Unterfangen Brinkmanns, die Kombination von hochgespannter Wahrnehmung, direkter Ablichtung und rigoroser Wahrnehmungskritik, die dem filmenden Dichter vorschwebte, zu einem wirkmächtigen Ende zu bringen. Er hätte hierzu auf einen nachträglich eingesprochenen Kommentar, also auf das Wort, das uns der Dichter hier verweigert, zurückgreifen können. Stattdessen wählt Bergmann eine Kunst, in der er selbst ein ambitionierter Dilettant ist: Er unterlegt die Schmalfilme Brinkmanns mit einer Musik, die Pathos-Gesten und emotionale Floskeln der populären Musik um 1970 zitiert. Was in Brinkmanns Bildsequenzen wie in einem lautlosen Schluchzen stecken bleibt, tritt, von der Musik erlöst, unabweisbar zutage. Nun muss es jeden, dem das Gelingen und Scheitern von Kunst etwas bedeutet, bis ins Mark rühren, diesen hochbegabten Kerl, dieses Monstrum von einem Schriftsteller, eine Zigarette der untergegangenen Marke «Astor Filter» rauchen zu sehen. Sein Blick in die Kamera gilt zwingend uns, den Kommenden. Und wenn wir seine junge Frau Maleen betrachten, spüren wir jenen historischen Amputationsschmerz, den vergangene körperliche Schönheit evoziert, so sie die Tücke der Technologie für uns dokumentiert hat. Zugleich jedoch versöhnt uns die Vertonung mit der mörderischen Abgenutztheit des zu oft durch den häuslichen Projektor gejagten Materials. Denn ausgerechnet die Musik, die der Flüchtigkeit des akustischen Augenblicks gehorchen muss, vermag mehr als jede andere Kunst den Zeitschmerz zu lindern.

Den zweiten Teil des Films eröffnen die souveränen Bilder von Bergmanns Kamerafrau Elfi Mikesch. Sie zeigen eine schneebedeckte Landschaft bei Longkamp im Hunsrück, wo Brinkmann im Winter 1971 drei Wochen lang versuchte, ein Romanprojekt in Gang zu bringen. Gleichzeitig wollte er sich, getrennt von seiner Familie, «entgiften», das hieß für ihn, ohne Alkohol und Haschisch auskommen. Seine täglichen Notizen dokumentieren das Scheitern dieser Selbstkur. Ein kurzes Weilchen, nur wenige Sekunden, darf sich der Filmbetrachter in der Illusion wiegen, die Gestalt des Dichters wäre nun durch stimmungsvolle Naturbilder und Spielszenen in die gewohnte Fiktionalität gebettet. Dann aber kommt Brinkmanns Tagebuch gleich einem aufhuckenden Dämon über das Bild. Als wäre die abgelichtete Landschaft aus Papier, wird sie von links oben mit skelettweißen Schreibmaschinenlettern überschrieben. Das Verfahren ist einfach. Dass seine Simplizität schlagend wird, liegt an den rhythmischen Wechselwirkungen, den Dopplungen und Kontrastierungen, die im Weiteren zwischen den Spielfilm-Elementen, den Interviews mit Zeitzeugen und dieser gewaltsamen Überschreibung entstehen. Brinkmanns Tagebuch ist ein eigentümlich taumelnder Text. Fast kindlich tastende Beschreibungspassagen wechseln mit Stücken, in denen die ganze Radikalität seiner Wahrnehmungsreflexion und das merkwürdig verstockte, fast lauernde Potenzial seiner poetischen Möglichkeiten aufleuchten.

Die Stunde des Brinkmann-Darstellers Eckhard Rhode schlägt im vierten Teil, der auf den Tonbändern des Dichters basiert. Spätestens seit es Filme gibt, in denen alle Darsteller, bis hin zum Säugling in der Stummfilmwiege, das Zeitliche gesegnet haben, begreifen wir, dass uns die Kinematographie wie keine zweite Kunst die Toten vor Augen führt. In «Brinkmanns Zorn» erleiden wir den hiermit verbundenen Vergänglichkeitsschock auf eine besonders subtile Weise. Eckhard Rhode spielt von der ersten Szene an einen hypnotisch intensiven Brinkmann. Aber zugleich weiß der Zuschauer, dass dieser wirkmächtige Darsteller mit jeder Mundbewegung einer fremden Wirkmacht unterliegt. Rhode darf in diesem Filmteil kein einziges Wort verlauten lassen. Er bewegt die Lippen nach den Bändern, die der Poet hinterlassen hat. Der tote Dichter souffliert ihm, und unsere Gegenwart wird auf eine umheimliche Weise zum dienstbaren Medium junger Vergangenheit. Derjenige, der da grimmig monologisiert, hätte inzwischen – womöglich als altersmild gewordener Zeitgenosse! – das Rentenalter erreicht, wäre ihm nicht an einer Londoner Bordsteinkante der Außenspiegel eines schwarzen Rovers mit tödlicher Wucht ins Gesicht geknallt.

Der vorletzte Teil von Bergmanns Film, der sich vor allem auf Brinkmanns in Rom entstandenes Collagenbuch «Schnitte» stützt, wäre eigentlich der methodisch letzte, denn er vereint in spielerischer Freiheit die in den drei anderen Teilen entwickelten Verfahren. Fotos, Text- und Super-8-Fragmente, Interview- und Spielszenen wechseln in rhythmisierter Folge, und Brinkmanns poetische Texte werden in dynamischer Wechselrede oder chorisch eingesprochen. Den Zuschauer und Brinkmann-Fan beglückt die Illusion, hier wäre mit über dreißigjähriger Verspätung doch noch eine Darbietungsform gefunden, die den bis zuletzt mit seinen Ausdrucksmöglichkeiten hadernden Poeten zufriedengestellt hätte. Brinkmanns trotzigen Sätzen «Ich bin ein Dichter. Ich bin ein Publikum. Ich bin kein Dichter!» wächst wie von selbst Sinn zu: Die Kunst befreit das von seinen Ansprüchen überforderte Ego in eine multiple Fiktionalität.

In dieser nachtragenden Vollendung liegt etwas Liebevolles. Und zugleich kann man die Verfahren, die Bergmann für seine Hommage entwickelt hat, in ihrer besonderen technologischen Magie einen gültigen modernen Totenkult nennen. Wer als Zuschauer daran teilnimmt, empfindet eine merkwürdige, fast euphorische Erleichterung, ja eine Entschuldigung. Denn das große verunglückte poetische Talent, das Brinkmann wie kein Zweiter für die Nachkriegsbundesrepublik verkörpert, lastet über seinen Tod hinaus auf denen, deren Lebensspanne sich mit der seinen überschneidet. Nun hat ausgerechnet die Filmkunst für alle, denen die Literatur ihrer Zeit etwas bedeutet, an diesem Dichter etwas gutgemacht.

(Geschrieben für die Süddeutsche Zeitung, *Oktober 2007)*

IM KRIEG DER WELTEN

Zur Krise des Systems Märklin

Märklin ist pleite. Und die unverhohlen markante, die alles andere als klammheimlich vage Genugtuung, die mich bei dieser Meldung überfiel, erinnerte mich daran, wie weit meine Verachtung der Modelleisenbahn zurückreicht. Zum Uranlass meiner Geringschätzung verschwimmen zwei Märklin-Anlagen, die ich am Anfang meiner Grundschulzeit vor Augen bekam. Beide wurden mir mit betulichem, fast ängstlichem Stolz von Klassenkameraden vorgeführt. In beiden Fällen waren die Schienen auf etwa türgroße Platten montiert. Einmal ließ sich die Anlage von der Wand eines Flurs in die Waagerechte klappen und war auf der Unterseite so tapeziert, dass diese im hochgeschwenkten Zustand, zumindest für Erwachsene, die ihre Brille verlegt hatten, in das Muster der Wand verschwamm.

Natürlich durfte ich fast nichts anfassen. Denn hinter den Modellanlagen meiner Freunde steckte in beiden Fällen ein bastelnder, ein klebender, pinselnder und schraubender Vater, der es womöglich noch am Abend desselben Tages bemerkt hätte, wenn einem seiner falschen Bäumchen ein grünes Härlein gekrümmt worden wäre – von Schäden am zarten Blech der Schienen oder an der insektenhaft zierlichen Mechanik der Loks ganz zu schweigen. Die klägliche Begrenztheit dieser Spielwelt offenbarte sich zur Gänze, sobald meine Freunde an den Trafo griffen, um einen Zug in Bewegung zu setzen. Nach wenigen Runden, nach ein bisschen Hin-und-her-Rangieren, war unübersehbar, dass diese Brettbebauung an jener beschämenden Krankheit litt, für die es heute den schick gespreizten Euphemismus «Unterkomplexität» gibt.

Dass mir die Spielwelt «Modelleisenbahn» bis heute als eine hoffnungslose Unterforderung unserer spielerischen Fähigkeiten erscheint, hat kaum etwas mit dem technischen Aufwand zu tun, der von Fall zu Fall getrieben wird. Zwanzig Jahre nach jenen ernüchternden Erstbegegnungen führte mich eine Freundin in den Keller des elterlichen Hauses, um mich ihrem Vater vorzustellen. Papa sei unten, hatte es oben nur geheißen. Eine eiserne Tür schwenkte nach außen und gab den Blick frei auf einen großen Raum, dessen gesamte Fläche, von Wand zu Wand, von den Kellerfenstern bis zur Schwelle, von einer monströsen Modellanlage eingenommen wurde. In deren Mitte stand mit dem Rücken zu uns ein Mann ohne Unterleib. Der Kreisausschnitt, durch den er den Rumpf nach oben gezwängt hatte, war so knapp bemessen, dass ihm die Kante der artifiziellen Landschaft in den Hüftspeck schnitt. Stumm sank ich in die Knie, um einen Blick unter die Spielwelt zu werfen. Gewiss über hundert Meter bunter Kabel hatte der in einem ländlichen Bauamt versauernde, mit drei Töchtern gesegnete Ingenieur auf die rohe, auf die hügel- und häuschenlose Kehrseite der Spanplatten geheftet. Aber sogar das System seiner Krampfadern, das mir zwischen Hauslatschen und knielangen Shorts entgegenleuchtete, schien mir mehr Verstörung und Geheimnis zu versprechen als diese elend ausgetüftelte, von Anfang an auf funktionale Durchschaubarkeit gegründete Verdrahtung.

Nun, Märklin ist zum Glück pleite, aber Lego soll sich nach langer Krise im zurückliegenden Jahr wieder etwas aufgerappelt haben. Mein Bruder bezweifelt dies. Denn ihm ist vor kurzem in dem Großmarkt, der nahezu all seine Konsumbedürfnisse befriedigt, aufgefallen, dass diverse Einstiegspakete in die Welt der genoppten Klötze verdächtig radikal herabgesetzt waren. Er, der Fünfzigjährige, der kinderlos gebliebene, aber verdiente Onkel unserer Söhne, griff in einem heftigen Sehnsuchtsanfall zu. Und schon am folgenden Wochenende lud er drei Freunde zu einem Spielabend in seine Behausung. Es soll schön, in manchen Momenten rührend intensiv gewesen sein. Bis spät in die Nacht wurde das Vollendete erneut zerlegt, um noch einmal mit dem Bauen beginnen zu können. Händeringend beklagte man das Fehlen bestimmter Spezialsteine. Um wichtige, weil knappe Schlüsselelemente entstanden zunächst mit moralischen Appellen, schließlich mit Trick und Tücke geführte Verteilungskämpfe.

Als die Besucher, nostalgisch erschöpft, in die Nacht abzogen, unternahm mein Bruder einen letzten einsamen Selbstversuch. Unter Aufbietung aller zur Verfügung stehenden Steine versuchte er jene Teilhabe zu erreichen, die er im Verlauf des Abends mehrfach wie ein inneres Anschwingen gespürt, aber nie als eine kohärente Empfindungswelt zu stabilisieren vermocht hatte. Er war sich sicher, dass es irgendetwas mit dem Blick auf Spielfeld und Spielmaterial zu tun hatte. Wenn es ihm nur gelänge, die richtige Perspektive zu finden, würde ihn diese Sonderwelt noch einmal so innig umfangen, wie er es aus seiner Kindheit zu erinnern glaubte. Aber selbst das Kinn auf die Tischplatte gedrückt, die Augen zu Schlitzen verengt, vermochte er die nötige Fokussierung nicht zu erzwingen. Jener mysteriöse Tunnelblick, der einst in einem paradoxen Gegenschlag die Panorama-Schau, den Aufgang einer in ihren Möglichkeiten selig unbegrenzten Parallelwelt, nach sich gezogen hatte, stellte sich nicht ein.

Nun, das System Lego mag es mit Glück noch ein paar Jährchen machen, aber irgendwann, vielleicht noch zu meinen Lebzeiten, sind die dänischen Klötzchen so endgültig Vergangenheit und bestenfalls Legende wie die Margarine-Figürchen. Bis vor wenigen Tagen wusste ich nicht einmal, dass es deren Spielwelt gegeben hatte. Ihr Ursprung ist kriegerischer Art. Aus dem Verdrängungswettbewerb, den über hundert Margarine-Marken Anfang der 20er Jahre in Deutschland führten, entstand der Usus, den Produkten Spielfiguren beizulegen. Erst Mitte der 50er Jahre beendete eine Absprache der auf dem Markt verbliebenen Produzenten den verschwenderischen Einsatz dieses Werbemittels. Ich wurde gerade eine Handvoll Jahre zu spät geboren, um noch in den Sog dieses Figurenkosmos zu geraten. Aber unsere Nachbarin Evelyn, frisch pensionierte Kindergartenleiterin, hat dieser Welt als Mädchen mit der ihr bis heute eigenen Fähigkeit zur Hingabe gefrönt.

Ein nur zigarrenkistengroßes, rot gelacktes Spielköfferchen enthält bis heute so viele Figuren, dass es sich erübrigt, sie abzuzählen. Alle sind aus dem gleichen elfenbeinfarbenen Kunststoff. Alle wurden materialsparend in flachen Formen gegossen. Selbst das muskelbepackte Brauerei-Ross und der schwernackige amerikanische Bison erringen durch ihre Schmalheit, die die Zweidimensionalität gerade eben verlässt, die Freiheit des Künstlichen. Alle sind, weil es ihr Wesen als Beilage erzwingt, ungefähr gleich groß. Reh und Rehkitz reichen der Burg, so man sie danebenstellt, bis an First und Zinne. Kühn gegossen sind die weißen Plastikdrähte, die sich dicker als Taue zwischen hölzerne Strommasten spannen, kühner noch die Spatzen, die truthahngroß auf ihnen hocken. Verwegen wie die Proportionen der Körper und Dinge sind auch die Kontinente und die Zeitläufte in Evelyns rotem Köfferchen zusammengezwungen. Der Ritter schwingt das Schwert, der Cowboy das Lasso, Fuhrwerk und Dampflokomotive stehen Rädchen an Rädchen mit LKW und PKW.

Die Nase auf die weiße, rasant schmalbrüstige Lokomotive aus Evelyns Margarine-Figuren-Sammlung gesenkt, ließe sich vielleicht ein doppelter Systemfrieden schließen. Das System Märklin mag mitsamt seinem Authentizitäts- und Kontrollwahn vollends aus der Welt der Kinder in die Welt der Sammler und Fetischisten hinüberdriften.

Und jene neuen virtuellen PC- und Konsolenspielwelten, die nach und nach nicht nur Lego und Playmobil, sondern auch Barbie und ihrem Freund Ken die Spielenden abjagen, sollen erst einmal, wie weiland die deutschen Margarine-Marken, in einem ausführlichen Verdrängungskampf gegeneinander antreten. Der Krieg der Systeme ist gut. Er schärft den Blick für Spritzguss und Proportion, für Realismus und Historismus und für andere Verfahren, die uns im Spiel und über das Spiel hinaus die Welt suggerieren. Im günstigsten Fall erfährt der Blick, sobald Evelyns rotes Köfferchen aufklappt, sobald die Lok in den Tunnel sticht oder sobald sich der Bildschirm erhellt, etwas über das unerhört komplexe Spiel seiner eigenen Natur.

(Geschrieben für die Süddeutsche Zeitung, *Februar 2009)*

DEIN KUNSTDING SIRRT!

Zu einem Anagramm Unica Zürns

Satt irrt der Spassgeist in den Dunkelregen,
satt des Kreisens in Plunder. Geigend starrt
er in den Garten. Der Spass litt den Tigerkuss.
Kinder, rettet den Sprung! Sagt leis: Reis, Sand ...
Spart die Genien des Sterns! Irrstunde klagt:
Das Spielen der Kinder ist streng untersagt.

Kein Leser unserer Tage muss wissen, wann das obige Gedicht, zusammen mit neun anderen, als ein schmales Bändchen in die Welt kam. Noch immer sind diese Zeilen zeitfrei – so mit dem Zwang der Zeit der Zwang zur zeitgeschichtlichen Einordnung gemeint ist. Wer sich dennoch genötigt fühlt, sogleich nach dem Entstehungszusammenhang der sechs Verse zu fragen, oder gar nach einem literaturgeschichtlichen Schubfach für sie verlangt, tut sich diese Gewalt, aus welch innerer Notdurft auch immer, selbst an.

Der «Spassgeist» braucht, damals wie heute, bloß ein empfindlich-empfängliches Gemüt, um darin Sinn zu stiften. Die Szene ist offen, aber nicht beliebig: «Dunkelregen» geht nieder, am Rande eines «Gartens» und wohl auch über ihm. Dort spielt der «Spassgeist» die Geige, also dasjenige Instrument, das in seinem Wohlklang die schönste Stimme übersteigt, dessen Fehlklang aber zu einer besonderen Tortur werden kann. Der in den Garten starrende, der in Gegenwart erstarrte Geiger hat eine Vorgeschichte. Er ist einer anderen Existenz überdrüssig geworden. Es war ein Dasein, in dem das Disparate nur noch durch seine offenbare Wertlosigkeit, nämlich als «Plunder», einen Zusammenhang suggerierte. Dort oder erst auf dem Weg zum Garten hat der Geiger einen «Tigerkuss» erlitten. Von einem Tiger, von dessen harten Raubtierlippen, von dessen raspelrauer Zunge geküsst zu werden, heißt, die Spanne zwischen Zärtlichkeit und Verletzung in einem einzigen Moment, in einem einzigen sekundenkurzen Erleiden zu durchmessen. Kein Wunder, dass «Kinder» um Beistand angerufen werden. Kindheit ist immer. Darin liegt ein besonderes Grauen unserer Zeiterfahrung, aber zugleich auch die Erinnerung daran, dass es möglich war, der Immanenz der modernen Raumzeit durch einem «Sprung» in eine anderswertige, in eine ingeniöse Parallelwelt zu entkommen, die doch zugleich bis ins Reis- oder Sandkorn mit unserem «Stern» übereinstimmt.

Keiner braucht zu wissen, dass es sich bei diesem Gedicht Unica Zürns um ein Anagramm handelt. Aber laut lesen sollte man es unbedingt, um so die intime klangliche Verwandtschaft der Zeilen zu erfahren. Dass alle sechs Verse aus jeweils den gleichen 34 Buchstaben gebaut sind, vermag bei geduldiger Prüfung auch ein ungeschultes Auge zu erkennen. Aber dass jeweils die gleichen Vokale und Konsonanten erklingen, wirkt unwillkürlich und unwiderstehlich über unser Ohr.

Die zehn Gedichte, die Unica Zürns erste Buchveröffentlichung «Hexentexte» aus dem Jahre 1954 umfasst, sind ausnahmslos Anagramme. Diese Form ist streng und simpel zugleich. Gnadenlos rigide verlangt das Anagramm dem

Dichter bloß die Einhaltung einer einzigen Regel ab. Aber diesem Zwang erfolgreich zu gehorchen, erfordert ein besonders hohes Maß an tüftelnder Geduld, verlangt eine Konzentration, in der das sture Durchprobieren den jähen Einfall freisetzt. Schon die Ausgangszeile «Das Spielen der Kinder ist streng untersagt» enthält nicht nur alle obligatorischen, also die erlaubten und zugleich unumgänglichen Buchstaben, sondern in seinem Wortlaut sowohl das Gebot einer Regel als auch das Überraschungsmoment des Spiels, das heißt jene doppelköpfige Gottheit, der jedes Anagramm sein Dasein schuldet.

Niemand kann wissen, inwieweit Unica Zürn sich mit dem Verfassen von Anagrammen seelisch gefestigt oder zerrüttet, ob sie ihr Gemüt mit dieser poetischen Praxis noch einmal für eine fruchtbare Weile stabilisiert oder bereits recht zügig auf ein desaströses Ende hin gelockert hat. Die psychiatrische Klinik musste sie, als sie dieses Anagramm baute, jedenfalls noch nicht als Hilfs- oder Zufluchtsort in Anspruch nehmen. Dennoch: Wie verrückt ist das Verfassen von Anagrammen? Wie uneins mit sich kann ein durchschnittlicher Zeitgenosse heute wie damals über einem kleinen, selbstgewählten Setzkasten aus knapp vierzig Buchstaben werden?

Gleich zweimal hat die Dichterin Unica Zürn dem Vokal «i» ein doppeltes «r» folgen lassen. Zunächst führt diese Kombination zur Verbform «irrt», beim zweiten Mal sind die drei Buchstaben im Kompositum «Irrstunde» geborgen. Eventuell lässt sich noch ein wenig mehr für dieses drohende, für dieses ebenso schmerzverheißende wie bannungsbedürftige Adjektiv tun. Vielleicht lässt sich der Irrweg zwischen einer Freude, die sich irgendwann die Maske des Spaßes überstülpen musste, und einem kindlich offenen Sich-Freuen noch einmal anders abschreiten. Ich will es, um die Kunst von Unica Zürn anagrammatisch zu ehren, mit einer nachgetragenen siebten Zeile, gebildet aus den von ihr vorgegebenen Buchstaben, jetzt gleich, also nach einem halben Jahrhundert, selbst versuchen:

«Spassgetarnte Seele! Dein Kunstding sirrt!»

(Geschrieben für den Begleitband zur Ausstellung Doppelleben. Literarische Szenen aus Nachkriegsdeutschland, *November 2008)*

2
DIE GANZE ZARTHEIT UNSERER ZEIT

DER KALTE GENIUS

Wo uns der Frost erfasst

Wenn es stimmt, dass die Ahnen der Menschheit aus den tropischen Wäldern und den trockenen, warmen Savannen Afrikas nordwärts gezogen sind, dann muss es eine Urbegegnung gegeben haben: Eine Horde aus Männern, Frauen und Kindern wurde erstmals einer Verwandlung gewahr, für die ihnen in den Grenzen ihrer Sprache kein Wort und im Raum ihrer Erfahrung kein angemessener Vergleich zu Gebote stand. Etwas namenlos Neues hatte über Nacht das Gesicht der Welt verändert.

Gewiss war es auch an den vorausgegangenen Tagen schon kalt gewesen. Aber in der zurückliegenden Nacht hatte das Schwinden der Wärme eine unfühlbare, aber folgenreiche Schwelle überschritten. Nun, im Morgengrauen, war rundum alles Bodennahe, die Gräser, der Sand und die Steine, von etwas gleichförmig Weißem bedeckt. Und da unsere wandernden Vorfahren im Freien gelagert hatten, fand sich die rätselhafte Substanz auch auf ihrem Haar und auf den Fellen, mit denen sie sich gegen Auskühlung schützten.

Nach dem Auge versuchte der Tastsinn das Neue in das Feld des Vertrauten zu überführen. Kurz fühlte sich der rätselhafte Belag körnig an, aber dann wurde er weich, und fast im selben Moment spürten die Fingerkuppen, dass das

Ergriffene zwischen ihnen verschwand. Allerdings blieben wie eine letzte Absonderung geringe Mengen eines anderen Stoffes zurück, der wie Wasser aussah und gleich Regenwasser weder roch noch schmeckte.

Wahrscheinlich war sehr lange keiner unserer Artgenossen in der Lage, diesen verblüffenden Vorgang als eine Rückverwandlung zu deuten. Denn der Reif, um den es sich handelte, war ja aus dem unsichtbaren Wasserdampf der Luft kondensiert, und was er geschmolzen hinterließ, schien in der Menge deutlich weniger zu sein als das, was die Augen zuvor als festen weißen Stoff ausgemacht hatten. Hier war über Nacht etwas aus dem Nicht-Dasein herbeigezaubert worden, um im Nu zu verschwinden, wenn eine Menschenhand nach ihm griff. Offenbar war ein mächtiger Geist am Werke.

Überhaupt gab es damals nur wenige Phänomene, an denen die Menschen einen Gestaltwandel zwischen flüssig und fest beobachten konnten. Das Blut ihrer Beutetiere gerann, so wie das Blut des Jägers auf der offenen Wunde verkrustete. Und Säfte, die aus der Rinde mancher Bäume austraten, erstarrten zu harzigen Klumpen. Aber diese Vorgänge waren nicht umkehrbar. Erst durch die Anschauung von Gewässern, die einem strengen Winter unterworfen waren, muss unseren Vorfahren aufgegangen sein, dass Gefrieren und Auftauen als Gegenbewegungen zu verstehen sind. Und mit der Dienstbarmachung des vergleichbar geheimnisvollen Feuers war es schließlich sogar möglich, eine erste Herrschaft über dieses magische Hin und Her zu erringen. Ein Gefäß, randvoll gestopft mit Schnee, enthielt, in Glut und heißer Asche erwärmt, irgendwann ein Handhoch Wasser. Die Technik hatte zu zaubern begonnen.

Längst hexen die Apparate für uns. Und wenn in den letzten Tagen über die Auswirkungen der ungewöhnlich starken Frostperiode berichtet wurde, waren es meist Schwachstellen unserer hochentwickelten technischen Systeme, die in den Fokus der Aufmerksamkeit rückten: die Autobatterie, deren Energie nicht mehr genügte, um den Motor zu starten. Die mangelhafte Isolierung von Leitungssystemen, die ein Einfrieren nicht verhindern konnte. Bewährte Löschverfahren der Feuerwehr, die nun daran zu scheitern drohten, dass das verspritzte Wasser die Glutkerne eines Hausbrands nicht erreichte, weil es auf dem Weg dorthin zu Eis erstarrte.

Aber bis auf wenige spektakuläre Missgeschicke hat die Allmacht der Geräte das Staunen über den Gestaltwandel des Wassers aus der Welt geschafft. Und es ist zweifellos ein Segen, dass die Technik auch den allergrößten Teil des Schreckens, der Jahrhunderte mit ihm verbunden war, zum Verschwinden gebracht hat. Der Frost, der unsere Motoren am Anspringen hindert oder unsere Züge verspätet, scheint fast nur noch dem Namen nach verwandt mit jener erbarmungslos würgenden Eiseskälte, die Jahrhunderte lang die sorgsam in Erdmieten eingegrabenen Rüben und Kartoffeln verdarb, die Alten bis ins Mark auszehrte und die Kleinsten in ein Fieber stürzte, das sie den Frühling nicht mehr erleben ließ.

Nur die Sprache, auf deren spiegelnder Oberfläche irgendwann das Wort «Frost» erschien wie eine Eisblume auf kaltem Fensterglas, schlägt noch eine Brücke zwischen diesen fürchterlichen Wintern und den heutigen Kälteperioden. Weiterhin ist es dasselbe Verb «frieren», das das Absinken der Temperatur unter eine messbare Marke und eine Empfindung bezeichnet. Es friert uns, so wie es uns fröstelt. Ein

Lächeln kann auf dem Gesicht gefrieren, und jedem von uns ist schon einmal ein unangenehm, vielleicht sogar schmerzhaft frostiger Empfang bereitet worden.

Fast könnte man glauben, der Gestaltwandler Frost hätte sich auf eine subtile Weise dafür gerächt, dass ihm seine einst stupende Gewalt über unsere Lebensumstände durch die Macht der Maschinen genommen wurde. Mit dem zornigen Trotz des im freien Feld Geschlagenen, aber auch mit der Tücke des erfahrenen Kämpfers hätte er sich in eine besondere Bastion zurückgezogen. Ausgerechnet unser Gemüt wäre zu seiner letzten, von keinem Apparat auftaubaren Festung geworden. Dort, in unserem Herzen, gelänge es ihm weiterhin, das Flüssige erstarren zu lassen.

Dass es uns in unseren wohltemperierten Fahrzeugen und Gebäuden am Herzen fröstelt, würde erklären, warum nicht wenige in instinktiver Gegenbewegung die äußere Eiseskälte suchen: den schneidenden Wind einer Schiabfahrt auf dem Gesicht, das Brennen der trockenen Kälte in der Kehle beim winterlichen Joggen. Das deutlichste Bild dieser Flucht in die Eisigkeit fand sich auch am letzten Frostwochenende ausgerechnet dort, wo angeblich die Hitze und die Hitzigkeit des kollektiven Zusammenkommens am größten ist. Vor den Pforten unserer Tanzstätten ballten sich wie stets die Leichtbekleideten, um in merkwürdig lüstern wiederholten Kälte-Intervallen die Finger von Gevatter Frost im Gesicht und auf den blanken Armen zu spüren. Zumindest eine Zigarette lang kann es den Rauchenden wie den Nichtrauchenden offenbar gar nicht kalt genug auf der Haut sein, bevor es wieder gilt, den inneren Schneemann, die innere Schneefrau in das kochende Licht der Tanzfläche zu stürzen.

Und die Kunst? Zumindest einmal habe ich gesehen, wie

der Frost auf einer Bühne Gestalt wurde. Natürlich war er ein Mann, recht schaurig auf uralt geschminkt, in einem Kostüm, dessen wirres weißes Spitzgewebe ihn zunächst wie einen von einem Raureif überwucherten, toten Baum erscheinen ließ. Sein Gesang bewies, dass auch ein Bass jeder stimmlichen Wärme entsagen kann. Es dröhnte, als hätte sich in sibirischem Permafrostboden ein Klangloch geöffnet.

Und in der Tat ist der Frost in dieser über vierhundert Jahre alten Oper keine abstrakte, physikalisch definierte Gewalt, sondern das in langer Winterkälte erstarrte Land, die Insel Britannien, die sich nur noch in ihrer vereisten Gestalt begreifen kann und nichts mehr von einem anderen Zustand weiß. Aber der Alte, «Cold Genius» genannt, gerät sogleich in szenische Bedrängnis. Eine Gegenspielerin ist aufgetaucht. Der Frostige fordert, halb bedrohlich, halb kläglich, diese möge ihn doch in sein Bett aus ewigem Schnee, in die tödliche Starre der Vereisung zurücksinken lassen: «Let me, let me freeze to death again!» Umsonst: In Henry Purcells Oper «King Arthur» obsiegt der Sopran, der im Libretto den lateinischen Namen «Cupid» trägt, und dem der Chor der «Cold People», noch vor Kälte zitternd, aber bereits tanzend, schließlich «great love» nennen darf.

In den nächsten Tagen soll der große Frost nachlassen. Man kann sich also vornehmen, die schon erstaunlich hoch stehende Sonne und eine zumindest in der Mittagszeit wohltuend milde Luft zu genießen. Mehr als ein narzisstisches Sonnenbad könnte allerdings die Kunst von uns fordern. Und für ihr Verlangen findet sie längst nicht nur mythologische, sondern auch technologische, ja handfest technische Bilder, die auf die eigentümliche Anschaulichkeit unserer Apparate vertrauen. Wie wäre es, meint der Dichter Jean Paul (und es ist wohl auch als Aufforderung zu verstehen!), «wenn ich also für die guten vom Glatteis des Nachwinters überzognen Seelen den Frostableiter und den Frühling abgäbe?».

(Geschrieben für die Neue Zürcher Zeitung, *Februar 2012)*

ZIEGENHONIGMILCH

Über Françoise Sagans Roman
«Bonjour Tristesse»

Junge Frauen und tiefe Gefühle, das gehört in bestimmten Büchern zusammen wie heiße Milch und Honig. Dann riecht schon der erste Satz ganz leicht angebrannt, ist aber zugleich von verführerischer Klebrigkeit: «Ich zögere, diesem fremden Gefühl, dessen sanfter Schmerz mich bedrückt, seinen schönen und ernsten Namen zu geben: Traurigkeit.» – Kein deutscher Verlagslektor könnte einem solchen Manuskriptanfang zurzeit widerstehen, schon gar nicht, wenn er erführe, dass die Autorin zarte siebzehn Lenze jung ist.

Françoise Sagan war siebzehn Jahre alt, als sie mit den zitierten Worten ihren autobiographischen Roman «Bonjour Tristesse» begann; das Büchlein erschien 1954, wurde ein Weltbestseller und machte die junge Frau zu einer Art Kultfigur. Genauer gesagt, ein bestimmtes Bild von ihr wurde Kult, und dieses Bild ist, betrachtet man die Fotos reüssierender Jung-Autorinnen aus den folgenden Nachkriegsjahrzehnten, auf eine erstaunliche Weise gleich geblieben.

Immer scheinen diese Porträts vor allem aus Augen zu bestehen. Tiefgründig traurig, zumindest melancholisch blickt die junge Frau in die Welt. Oft gesellt sich zu diesem Blick eine leichte Hohlwangigkeit, was dem ganzen Ausdruck etwas Hungriges verleiht. Wie die Ziege im Märchen «Tischlein deck dich!» scheint ein solches Gesicht auf die Frage zu warten, ob es denn satt sei, damit es sogleich antworten kann, dass es viel zu wenig abbekommen habe. Zu wenig wovon? Von der Liebe natürlich.

«Warum bist du so mager, meine Teure?», wird die Ich-Erzählerin von «Bonjour Tristesse» am Anfang des Romans von ihrem Vater, einem alternden Pariser Playboy, gefragt. Und sechzig Seiten später, mitten in den Liebeshändeln der Handlung, meint die Erzählerin Cécile selbst: «Ich wartete ab und wurde täglich magerer.» Magersucht? Mitte der 50er Jahre war einem gescheiten, verwöhnten Mädchen durchaus klar, dass das ziegenhafte Dürr-Sein ihres Körpers eine mentale Entsprechung besaß. Sie nennt es lakonisch «die Dürftigkeit meiner Gefühle» oder etwas blumiger: «diesen Abgrund zwischen meinen Gebärden und mir selber (...) diese intensive Leere». In der Tat ist «Bonjour Tristesse» wie viele Bücher nach ihm ein Buch der emotionalen Gebärden, und je mehr von Gefühlen gesprochen wird, desto deutlicher erzählt es vom Fehlen derselben. Die psychologische Rhetorik dieser Literatur hat bei aller melancholischen Trägheit etwas von einem angestrengten Fuchteln, als hielten zwei dürre Arme ein weißes Plakat hoch, auf dem mit bleischweren Lettern nichts weiter als das Wort «LIEBE!» geschrieben steht.

Wer von den Ziegen und ihrem Liebeshunger erzählt, sollte jedoch auch ein Wort über die Hirten der Ziegen verlieren, über deren heimliche Lehrmeister. Im Text der siebzehnjährigen Sagan sagt ihre Heldin von einer anderen jungen Frau, einer Geliebten ihres Vaters: «Ich sah mit Staunen, wie dieses Mädchen, dessen Beruf es hart an die Grenze der käuflichen Liebe gebracht hatte, so romantisch wurde, so empfänglich für die Kleinigkeit eines Blickes, einer Bewegung – sie, die der knappen Sachlichkeit eiliger Männer ihre Erziehung verdankte.»

Hier werden in bösartiger Zuspitzung die «romantischen» Mädchen den «sachlichen» Männern gegenübergestellt. Aber der eigentliche Clou, der helle Gipfel der Bosheit, besteht in der beiläufigen Erkenntnis, dass diese Mädchen ihre emotionale Erziehung, ihr romantisches Training eben jenen Herren der Sachlichkeit verdanken. In subtiler Gemeinheit wird die Freundin des Vaters in die Nähe der Prostitution gerückt. Aber in Wirklichkeit geht es um die Käuflichkeit der bürgerlichen Liebe, deren Warencharakter die minderjährige Erzählerin am Geschlechtsleben ihres Vaters instinktiv begriffen hat. Als mit der vierzigjährigen Modeschöpferin Anne erstmals eine ernsthafte Konkurrentin um die Gunst des Ziegenvaters auftaucht, wird Cécile zur Intrigantin. Anders gesagt: Sie steigt aktiv ins Geschäft ein und versteht es, mit der Ware «Liebe» durch kalkulierte Bedürfnispflege, durch Verknappung des Angebots und durch Zielgruppenwerbung wie ein Geschäftsmann Gewinn zu machen.

Für die Literatur heißt das, hinter jedem frischen Mädel des Bücherherbstes steht wie der Schatten eines alten Mannes die bürgerliche Gefühlskultur, das traditionelle Geschäft mit der Liebe. Es ist noch nicht lange her, da ließen unsere großen bürgerlichen Erzähler ihre romantischen Heldinnen gerne an unglücklicher Liebe sterben. Es war eine namenlose Auszehrung, die die Frauen dieser Romane befiel, eine Art emotionaler Schwindsucht, eine Geschlechtskrankheit des Gemüts, die nur beim Weibe tödlich endete. Falls Männer an unglücklicher Liebe erkrankten, mussten sie sich wie Goethes Werther noch zusätzlich eine Kugel ins sachliche Hirn schießen, um zu Tode zu kommen.

Längst schreibt Frau die einschlägigen Bücher selbst. «Es ist eine Frage der Psychologie», sagt Cécile in «Bonjour Tristesse» mit altkluger Sachlichkeit und treibt die vierzigjährige Anne mit Hilfe einer Liebesintrige in den Selbstmord. Vielleicht hat sich seit den Gründerjahren der bürgerlichen Gefühlskultur vor allem diese eine Kleinigkeit geändert: Die Liebe führt die jungen Romanheldinnen wie ihre jungen Autorinnen immer seltener zum Tode und immer häufiger zum Erfolg. Dafür sorgen heutzutage unter anderem die grauen Hirten, die ja nicht nur im Jenseits der Literaturgeschichte, sondern ebenso im Diesseits unseres Kulturbetriebes ihre Stäbe, hegend und pflegend, über die eine oder andere der jungen Ziegen halten. Manchmal ist es sogar der goldene Hirtenstab des Papstes. Doch auch der Krummstab eines Literaturbischofs kann das eine oder andere zügig befördern.

Was aber wird aus den jungen Ziegen, wenn sie altern? Françoise Sagan wurde der Welterfolg von «Bonjour Tristesse» zum Verhängnis, was sie an Talent besessen hat, hielt dem Sog der gleichbleibenden Erwartung nicht stand. Wie lange geht eine Autorin als melancholisches Mädel durch? Wie lange darf sie in Sachen Liebe machen? Mit viel Glück bis ins vierzigste Jahr. Das scheint ein langes Ziegenleben. Aber als grauer Hirte kann man in aller Sachlichkeit fast das doppelte Betriebsalter erreichen – und dabei eine Ziege nach der anderen auf den rechten Pfad der richtigen Gefühle führen.

(Geschrieben für die Frankfurter Rundschau, *Juli 1999)*

REITE DEN GEILEN PAPAGEIEN!

Unsere Lust im goldenen Spiegel des Kamasutra

Schon immer weiß der Mensch, dass die Tiere es auch tun: Der Esel und die Eselin, die Stute und der Hengst, die Hunde, als unrein verrufen oder als treu geschätzt, sie alle haben es seit jeher unmissverständlich vor den Augen unserer verständigen Artgenossen getrieben. Sogar bei den Vögeln, deren Körper dem unseren ferner sind, erkennen wir das einschlägige Tun sogleich. Die unscheinbaren Spatzen besteigen einander wie die bunten Papageien, und ohne dass der Mensch ihrem Gefieder das jeweilige Geschlecht absieht, deutet er ihren flügelschlagenden Akt als das, was er selbst zu vollziehen begehrt. Das Wort «vögeln» ist als Bezeichnung für die sexuelle Vereinigung im Deutschen seit gut fünfhundert Jahren schriftlich belegt. Der indische Liebesgott Kama aber fliegt schon zweitausend Jahre länger auf seinen geilen Reittieren, auf dem Sperling oder dem Papageien, durch eine Welt, in der alles, was Flügel, Flossen, Beine und Arme besitzt, von der Lust geritten wird.

Kama, dessen Name den vorderen Teil des Buchtitels ‹Kamasutra› bildet, scheint also alles Tierartig-Lebendige gleichermaßen zu beherrschen. Und obwohl der Verfasser des Kamasutra nie einen Hehl aus unserer Tierhaftigkeit macht, entspringt sein Buch ebenso offensichtlich aus der

Differenz, die uns von Stute und Hengst und allen Vögeln scheidet: «Er steht morgens auf, erleichtert sich, putzt seine Zähne, benutzt Duftöle maßvoll, ebenso Wohlgerüche, Girlanden, Bienenwachs und roten Lack, besieht sich im Spiegel, spült den Mund und nimmt Betel, ehe er sich mit seinen Obliegenheiten beschäftigt ... Nach dem Essen verbringt er seine Zeit damit, seine Papageien und Stare das Sprechen zu lehren.»

So wird im Ersten Buch des Kamasutra «Der Lebensstil des Lebemannes» beschrieben. Der Mensch ist hier das einzige Tier der Welt, das den scheuen und klugen Papageien lebendig einfängt, ihn in Käfigen hält und ihm listig beibringt, die Menschensprache nachzukrächzen. Der Mensch zwingt der belebten Natur sein Spiel auf. Und so ist es kein Wunder, dass dieser kunstfertige Papageienfänger auch die eigene Sinneslust mit dem Blick des verständigen Herrschers, des trickreichen Dresseurs zu betrachten beginnt.

«Sutra» bedeutet im Sanskrit «Faden», meint im Speziellen den Faden, der beschriebene Palmblätter zusammenhält, und im übertragenen Sinne die Bedeutungskette, die niedergeschriebene Gedanken bilden. Wer die nun auf Deutsch vorliegende neueste Kamasutra-Ausgabe der amerikanischen Sanskritologin und Religionswissenschaftlerin Wendy Doniger und des indischen Autors Sudhir Kakar zu lesen beginnt, wird schnell merken, wie entschieden diese Herausgeber den Lehrbuch-Charakter des Kamasutra unterstreichen. Sie berufen sich dabei auf die Tradition der indischen Literatur, die ihre wichtigsten Schriften mit immer neuen Kommentaren durch die Jahrhunderte begleitet. Der ehrfurchtsvolle und gelehrte Kommentar leistet dabei zweierlei: Er befördert die Kanonisierung, indem er den kommentierten Text auf andere kanonisierte Schriften bezieht. Und er versucht, die Gültigkeit des Werkes für die jeweilige Gegenwart zu beweisen.

Wendy Doniger und Sudhir Kakar bieten uns neben dem schmalen Kamasutra-Originaltext des Vatsyayana Mallanaga noch umfangreiche Auszüge aus zwei historischen Kommentaren. Um 1250, also ungefähr tausend Jahre nach der Niederschrift, hat der indische Gelehrte Yashodhara Indrapada Erläuterungen zu den sieben Büchern des Kamasutra verfasst, denen bald selbst kanonische Geltung zukam. Weitere siebenhundert Jahre jünger ist der Kommentar des Devadatta Shastri, der in den 60er Jahren des vergangenen Jahrhunderts auf Hindi niedergeschrieben wurde. Und die Anmerkungen von Wendy Doniger und Sudhir Kakar bilden zeitlich gesehen die vierte Kommentierungsstufe.

Viele Worte für das, was der Papagei, während er es zustande bringt, allenfalls mit einem fröhlichen Krächzen kommentiert! Aber der Mensch ist nun einmal das einzige Tier, das sein Liebeslager auch als Lesestätte benutzt. Und so werden diejenigen, die dieses wunderschön in rote Seide gebundene Buch nicht nur als Schmuckstück für ihre Regalwand kaufen, sondern es tatsächlich mit seiner Lektüre versuchen, nicht um ein eifriges Hinundher-Blättern, um ein Vergleichen der vier Textwelten herumkommen.

Diese philologische Müh lohnt sich durchaus. Denn das, was wir als unser Begehren an das Buch herantragen, sieht sich darin auf zweierlei Weise gespiegelt. Die beiden Sanskrit-Texte, das Kamasutra-Original und der Kommentar des Yashodhara, gewähren uns zunächst die Freuden der zeitlichen Fremdheit. Auch die gelehrte Welt weiß wenig über jenes frühe Indien, von dessen erotischer Kultur das Kamasutra erzählt. Das Kamasutra selbst sei, wie die Herausgeber in bitter-süßer philologischer Ironie anmerken, «sein eigener Kontext», es ist selbst die wesentliche Hauptquelle für die Lebensverhältnisse der damaligen Zeit.

So bekommt die Lektüre, ähnlich der Arbeit der Kommentatoren, schnell verführerisch spekulativen Charakter. Wer waren diese «Lebemänner», für die in den Anmerkungen der global gewordene amerikanische Begriff «Playboy» als zutreffend empfohlen wird? Es waren die Herren einer privilegierten städtischen Schicht. Sie hatten Zugriff auf ökonomischen Überschuss und auf vielerlei Luxusgüter. Sie übten hohe Ämter aus und betrieben einträgliche Geschäfte, aber zugleich pflegten sie einen ausgiebigen Mittagsschlaf, verstanden sich auf das Bogenschießen, die Jagd und aufwendige Gesellschaftsspiele. Und für das Ende des Liebesakts rät ihnen das Kamasutra unter anderem zu Folgendem:

«Wenn die Leidenschaft verebbt ist, gehen Mann und Frau verlegen, ohne sich anzusehen, als kennten sie sich überhaupt nicht, einzeln zum Waschplatz. Bei ihrer Rückkehr nehmen sie ohne Verlegenheit ihre üblichen Plätze ein und kauen Betel, und er reibt ihren Körper mit Sandelholzpaste oder einem anderen Duftöl ein ... Bisweilen sitzen sie auf der Dachterrasse und genießen das Mondlicht und erzählen sich zu ihrer Stimmung passende Geschichten. Während sie in seinem Schoß liegt und den Mond betrachtet, zeigt er ihr der Reihe nach die Sternbilder.»

Dies ist nur ein Bruchteil von dem, was das Kamasutra dem Paar als Nachspiel nahelegt. Man stelle sich einen heutigen Manager nach zwölfstündigem Arbeitstag oder einen sogenannten Playboy nach seinen Party- und Szene-Strapazen beim Betrachten des Großen Bären und beim Erzählen einer traditionell dazugehörigen Geschichte vor!

Was hier und in vielen anderen Szenen, die der Verfasser des Kamasutra zur Belehrung seiner Zeitgenossen aufbietet, auf anmutige Weise befremdet, ist die Art, wie sich die Zeit der Liebe mit den anderen Zeitformen des menschlichen Daseins verschränkt. Lesend beginnt man einen Lebensstil zu begreifen, der das rechte Maß und die richtige Muße für alle Existenzbereiche anstrebt: für das Geschäft der Macht, zu dem auch der Wissenserwerb gehört, für die Welt der Religion, die auch die niedere, zweckgebundene Magie mit einschließt, und für eine Sinneslust, die rituelle Kontrolle und überschäumenden Exzess zu vereinen sucht.

Wer, gespiegelt in dieser fremden Welt, zuletzt gelb vor Neid wird, der kann sich zur Erholung in die modernen Kommentare flüchten. Hier ist die deutsche Übertragung von Robin Cackett dem forschen amerikanischen Pragmatismus ihrer amerikanischen Vorlage nicht selten bis ins einzelne Wort treu geblieben. So muss ein Missgeschick oder ein Unglücksfall in Liebesangelegenheiten nun auch im Deutschen «Desaster» heißen. Und wie eine Blendgranate explodiert in den Kommentaren und leider auch im Kamasutra-Text regelmäßig das Substantiv «Sex» und zerblitzt dann mit seinen drei gnadenlosen Lettern jede denkbare Bedeutungsabstufung oder Differenzierung.

Aber auch dies ist eine Spiegelung. Die mächtige amerikanische Kultur verfasst uns nicht nur die Einleitung und die Anmerkungen zu dieser Neuausgabe des Kamasutra, sie gibt längst auch die globale Lehrmeisterin in Sachen «Sex». Ist es wirklich ein Nachteil, dass das Deutsche kein vergleichbares Universalwort für das Reich des Gottes Kama hat? Brauchen wir die Lehnvokabel «Sex», wenn unsere Begierde, unser Verlangen, unser Trieb mit Ungestüm und voller Feurigkeit den exquisiten Kitzel, die höchstmögliche Sinneslust, ja wahre Wollust in geschlechtlichen Akten, im Liebesspiel und im Liebeskampf anstrebt? Das Kamasutra lehrt, wie man von dergleichen spricht, und es beschreibt immer wieder, wie man noch währenddessen das richtige Wort findet. Wunderbar ungeniert gibt es Beispiele für Sätze, die den Sinnen auf die Sprünge helfen.

Die küssenden und allerliebst sprechenden Münder, von deren Lust uns das Kamasutra erzählt, haben sich noch nicht in geschliffenem Glas gespiegelt. Die damals gebräuchlichen Spiegel besaßen nur hauchdünne, sorgfältig polierte Gold- oder Silberfolien. Dies war vielleicht kein Mangel. Blicken also auch wir mit der rechten Muße in den goldenen Spiegel der uralten Schrift! Dann rät uns dieses Denkmal des untergegangenen Sanskrit nicht nur zu Mandelmilch und Betel, sondern auch dazu, dem geilen Papageien, dem Reittier des Liebesgottes Kama, bei nächster Gelegenheit das prächtige Zaumzeug unserer Sprache über Gefieder und Schnabel zu werfen.

(Geschrieben für Die Welt, *Oktober 2004)*

MEMO FOR JAGGER

Einem gewesenen Gott zum
60. Geburtstag

Kann einer vergessen, dass er einmal ein junger Gott gewesen ist? Wenn wir heute Morgen als magisches Auge der Zeitgenossenschaft über die Schulter von Mick Jagger in dessen Badezimmerspiegel gesehen hätten, wäre uns das Antlitz im Glas wahrscheinlich keinen Tag jünger als sechzig vorgekommen. Allenfalls hätten wir dem Geburtstagskind zugestanden, dass sein hageres Gesicht auf eine rindige Art würdiger gealtert ist als jene Köpfe, die das Fett der Jahre zwar gerundet und geglättet, aber zugleich jeder Markanz beraubt hat.

Könnten wir vergessen, wer Mick Jagger einmal gewesen ist, dann sähe er so aus, wie heutzutage auch bei uns ein Kind des Weltkriegs, ein sogenannter 68er, mit etwas Glück aussehen kann: ganz passabel eben. Routiniert großmäulig grinsend, würde solch ein alter Typ noch an fast jeder Theke geduldet, und mit flatternder grauer Mähne zöge er seine Jogging-Runden durch den Park, ohne allzu komisch zu wirken.

Aber dies bleibt im Irrealis gesprochen – zumindest für alle, die Jagger noch als Gestalt der späten 60er Jahre vor dem inneren Auge haben. Für sie überblendet die Figur, die er zwischen 1965 und 1970 abgab, all seine späteren Daseinsformen. Damals stand für den Frontmann der Rolling Stones ein halbes Jahrzehnt lang die Zeit still. Er war nichts weniger als ein fleischgewordener Gott. Magnetisch zog dieser hinreißende Jüngling das Begehren Hunderttausender auf sich, und er antwortete auf das Verlangen, das ihm zuflog, mit lasziver Lässigkeit, mit einer betörend souveränen Geilheit.

In Körpersprache, Mimik, Gesangsstil, ja bis in den Wortlaut seiner Lyrics war Mick Jagger damals wirklich jene gewaltig große Zunge, die noch heute als hohl gewordene Verheißung das Logo seiner Band bildet. Der junge Gott Jagger vermochte nahezu jede Maid und auch fast jeden Knaben genau dort zu lecken, wo das erwachte Geschlecht glaubt, so phantastisch jung zu sein, wie nie zuvor eine Jugend jung gewesen war. Damit war Jagger die erste bestechend gültige Verkörperung des Pop. In ihm war jenes totalitäre Prinzip inkarniert, das seitdem allen Adoleszenz-Kohorten des Kapitalismus vorgaukelt, just ihrem jeweiligen Lebensgefühl gehöre nichts weniger als die ganze gegenwärtige Welt.

Die englischen Regisseure Donald Cammell und Nicolas Roeg waren schon 34 und 40 Jahre alt und Hoffnungsträger des neuen englischen Kinos, als sie den 25-jährigen Sänger 1968 überzeugten, erstmals in einem Film mitzuspielen. Mick Jagger, dem damals viele Filmprojekte angetragen wurden, begriff hellsichtig oder instinktiv, dass ihm die beiden Landsmänner das bestmögliche Angebot machten. Denn Donald Cammells Drehbuch zu «Performance» enthielt eine Rolle, die Jagger erlaubte, jene Ikone zu bleiben, die er öffentlich war und die ihm zugleich ermöglichte, einen Schritt aus dem goldenen Rahmen des eigenen Bildes herauszutreten.

Er spielt in «Performance» den Rockstar Turner, der sich auf dem Höhepunkt seines Ruhms aus dem Pop-Geschäft zurückgezogen hat und mit zwei Freundinnen und einem Gewächshäuschen voll mit psychoaktiven Pilzen das beschauliche Leben eines Hippie-Frührentners führt. Zu diesem Trio stößt ein junger Gangster auf der Flucht vor seinem einstigen Bandenboss. Höhepunkt des Films ist eine Szene, die man heute einen Video-Clip nennen würde. Der Gangster wird von den Freundinnen des Popsängers auf einen Pilz-Trip geschickt und erlebt halluzinierend, wie Turner eigens für ihn noch einmal in die Haut seines einstigen Ruhms schlüpft und ihm ein Lied singt.

Dieses «Memo from Turner» wurde auch die erste Solo-Single Jaggers. Und Platte wie Filmsequenz beweisen, dass Jagger damals nicht mehr auf die anderen Stones angewiesen war, die ihn auf der Bühne noch weitere dreieinhalb Jahrzehnte wie mehr oder minder steife Altarkerzen umstehen sollten. Dieser junge Gott brauchte nur noch den Spiegel seiner jugendlichen Anbeter. Ja, er ist sich in «Performance» seiner Schönheit wie deren Wirkung so gewiss, dass ihm auch das Auge der Kamera und der Blick eines todgeweihten Gangsters genügen, um in 2 Minuten und 35 Sekunden die Göttlichkeit eines Pop-Stars zu offenbaren.

Donald Cammells Drehbuch und Nicolas Roegs Arbeit an der Kamera und am Schnittpult sind dabei hingebungsvoll und kritisch zugleich. Ihre Kunst dient dem absoluten Augenblick der Wirkung und bleibt sich zugleich der flüchtigen Nichtigkeit des Pop bewusst. So hat der Film die Zeit, von der er erzählt, wunderbar unbeschadet überstanden. Und sogar das Lied «Memo from Turner», raffiniert primitiv, wuchtig emotional und holzschnittartig pathetisch, wie Pop eben sein muss, hat Anteil an diesem Überdauern.

«You still be in the circus when I'm laughing, laughing in my grave», singt der abgetauchte einstige Rock-Star Turner.

Und die Aussage, dass der eine noch im Zirkus wird mitspielen müssen, während sich der andere längst tot ins Fäustchen lachen darf, gewinnt eine sinistre Zweideutigkeit. Wohin kann der noch entkommen, der im größtmöglichen Zirkus, in der Weltöffentlichkeit des Pop, ganz oben auf dem Seil der Götter getanzt hat?

Anita Pallenberg, die im Film eine Geliebte Turners spielt, hat Jagger geraten, sich bei der Interpretation der Rolle an seinen gefährdeten Stones-Kollegen zu orientieren, an Brian Jones, der bald darauf im eigenen Pool ertrinken sollte, und an Keith Richards, der bereits im freien Fall der Heroin-Sucht befangen war. Auch das Drehbuch gibt ein katastrophales Ende vor: Turner bittet den Gangster, dem er Obdach gewährt hat, ihn mit in den Tod zu nehmen, als der von einem Killerkommando seiner einstigen Bande aufgespürt worden ist.

Mick Jagger jedoch ist in den 35 Jahren, die seit seinem furiosen Filmauftritt vergangen sind, weder aus der Zirkuskuppel des Ruhms gestürzt, noch ist er im Pop-Olymp, auf dem Hochseil des Göttlichen, verblieben. Schon in «Memo from Turner» zitiert der zurückgezogen lebende Ex-Star seine einstige Allgegenwart artifiziell herbei, ohne deren Allmachtstaumel zu erliegen. Im Wesen des formbewussten Selbstzitats liegt nicht nur die Gefahr der Schwächung, sondern auch die Chance rettender Distanzierung. Der Ruhm wird nicht zum Grab, wenn es gelingt, den damit verbundenen Größenwahn Zitat für Zitat gelinde schwinden zu lassen. So ist, in wohldosierter Selbstzitierung, aus dem sich selbst gefährdenden Gott Mick Jagger die gleichnamige Weltmarke geworden. Von Platte zu Platte, von Tournee zu Tournee wurde das Seil des Zirkustänzers ein wenig tiefer gehängt.

Und weil die Formen, die nach und nach ausgehöhlt wurden, die gleichen geblieben sind, scheint nicht einmal in diesem Schwund ein schlimmer Mangel zu liegen.

Noch immer versteht es Mick Jagger, über einen Laufsteg zu tänzeln – die Hand mit abgespreiztem kleinem Finger an die schlank gebliebene Hüfte gelegt. Aber niemand käme mehr auf die Idee, dort die Lenden eines Olympiers zu vermuten. Wahrlich, wer sein Gott-Sein dergestalt überlebt hat, hat weiterhin gut grinsen!

So sollten diejenigen Zeitgenossen, die wie ich nicht vergessen können, was Mick Jagger einst gewesen ist, zumindest heute den spitzen Quälgeist des Zynismus wie den trübsinnigen Dämon der Nostalgie aus ihren Gedanken verscheuchen. Denn heute gilt es, dem soliden Sänger, dem trickreichen Texter, dem begabten Amateur-Schauspieler, vor allem aber dem genialen Überlebenskünstler Mick Jagger eine glückliche Serie weiterer Geburtstage im Kreise seiner Töchter und Enkel zu wünschen.

(Geschrieben für die Berliner Zeitung, Juli 2003)

IM TAKTSCHLAG DER GELEGENHEITEN

«Josefine Mutzenbacher. Das Leben einer
Wiener Dirne, von ihr selbst erzählt»

Welcher Mann kommt in der Ära des Porno-Videos noch auf die Idee, sich den gewissen Kitzel auf altväterlich umständliche Weise durch die Lektüre eines Textes zu holen? Nur mit Mühe kann ich mir einen zeitgenössischen Porno-Leser vorstellen. Es muss wohl ein etwas verschrobener, aus der medialen Zeitrechnung gefallener Geschlechtsgenosse sein. Mit Vorsicht und mit Respekt, so wie man etwas brüchig Gewordenes, aber Erhaltenswertes anfasst, nimmt er «Josefine Mutzenbacher. Die Lebensgeschichte einer Wiener Dirne, von ihr selbst erzählt» zur Hand.

Ob es sich bei diesem Buch um Pornographie handelt, ist, ungeachtet aller bemühten Vor- und Nachworte, nie eine ernstzunehmende Frage gewesen. Der Text reiht die Beschreibung eines Geschlechtsakts an den nächsten. Es gibt kein Erzählziel außer der Darstellung sexueller Handlungen. Die erste dieser Szenen führt das fünfjährige Proletariermädchen Josefine und einen Schlossergesellen, einen Bettgeher der Familie, zusammen. Die letzte zeigt Josefine als dreizehnjährige Prostituierte mit einer Kollegin auf dem Sofa eines Bordellzimmers.

Die sieben oder acht Jahre der Handlung sind kein Zeitraum im Sinne einer Entwicklung. Das Zeitverständnis des

Entwicklungsromans wird nicht einmal parodiert und nur selten, in wenigen floskelhaften Bemerkungen, als erzählerisches Alibi, herangezogen. Es gibt keine Vorgeschichte, keine Schlüsselerlebnisse, keine schicksalhaften Begegnungen, keine Lebenskrisen oder -höhepunkte. Josefine ist am Ende der Handlung im Wesentlichen dasselbe wie am Anfang: eine allzeit bereite Sexmaschine, «ein Ding für jedermann», eine Gestalt gewordene Männerphantasie, der es egal wann, wo, wie und mit wem auf merkwürdig gleichförmige Weise Spaß macht.

Das Zeitmaß des Textes ist die regelmäßig auftretende Gelegenheit. Gelegenheit zum Sex war im proletarischen und kleinbürgerlichen Milieu der Wiener Jahrhundertwende, wenn man dem Roman glaubt, eigentlich immer. Zu jeder Tag- und Nachtzeit, und an erstaunlich vielen Orten kommen «Fut» und «Schweif» umstandslos zueinander. Die Gelegenheiten im fiktiven Leben der Josefine Mutzenbacher reihen sich aneinander wie die Minutenstriche auf dem Ziffernblatt. Und noch jede Minute des sexuellen Beisammenseins folgt, analog wie ein kleineres Zahnrad, dem gleichen Maß: «Ihr bleicher Hinterer flog auf und nieder, vielleicht sechzigmal in der Minute.»

Wo ist im Taktschlag der Gelegenheiten der Augenblick geblieben? Heißt es vom geschlechtlichen Beisammensein nicht bis heute, dass es die Zeit des Alltags, die nach Nummern durchzählte Uhrzeit von Arbeit und arbeitsähnlich organisierter Freizeit in Augenblicken lustvoller Entgrenzung aufhebt? Die Pornographie weiß es anders: der Geschlechtsakt ist selbst eine «Nummer» und zerfällt in Unternummern: «Er hatte mich eines Tages, gleich als ich ins Zimmer trat, ohne weiteres entkleidet, mich geschleckt und gevögelt, sich wieder schlecken lassen und mich dann ein zweites Mal numeriert ...»

Wer numeriert hier wen? Sind Mann und Frau dem Tick-Tack dieser Uhr in gleicher Weise unterworfen? Die pornographische Literatur, die sich zwischen ihren Nummern fast keinen Erzählraum gönnt, muss in den Sexszenen alles sagen, was sie von Raum und Zeit berichten kann: «Lass dir nur Zeit, meinte Eckhardt, der sich wie ein Drescher auf und nieder bewegte.» «Lass dir nur Zeit ... ich spritz nicht, warte nur.» Herr Eckhardt, der hier, von Josefine beobachtet, auf deren Mutter liegt, ist ein etwa fünfzigjähriger Mann. Eine knappe Seite nach der zitierten Passage wird Herr Eckhardt zum ersten Mal ejakulieren, und bis zur zweiten und zur dritten Ejakulation braucht der Text jeweils fast exakt dieselbe Zeilenzahl. Das liest sich im Wechsel von wörtlicher Rede und Beschreibung zügig weg, und auch «in echt» soll es wohl nicht länger als ein Stündchen gedauert haben.

Dreimal in sechzig Minuten? Nicht schlecht für einen älteren Herren! Nun ein paar Seiten zuvor hat es der vitale Wiener mit Josefine in ähnlich kurzer Zeit sogar auf vier Nummern gebracht. «Es wollte gar kein Ende nehmen», heißt es dort von Herrn Eckhardts dritter Ejakulation. Und die Beschreibung des vierten Ergusses schließt: «Das ganze Bett war naß.» Wir wissen nichts Sicheres über den Verfasser der «Josefine Mutzenbacher». Aber wenn er seine Phantasie die Grenzen der männlichen Natur überschreiten lässt, tritt er heute wie damals seinem lesenden Geschlechtsgenossen so schamlos vertraut entgegen, dass es keinen Namen braucht. Man kennt sich als Mann. Und jeder Mann, der sich beim Sex und anderswo als Herr der Zeit aufspielt, weiß, dass sein Körper dem endlos tickenden Uhrwerk unserer kulturellen

Zeitrechnung sexuell nicht genügen kann. Und selbst einem wahren Helden der Standhaftigkeit wie Herrn Eckhardt muss nach dem vierten Mal dämmern, dass er, verglichen mit der Potenz der Frau, letzten Endes immer zu früh endgültig fertig ist – «weil er zu viel Schwäche hat», wie es einmal über Josefines Vater als Liebhaber heißt.

Bei der Produktion von Porno-Filmen soll das kontinuierliche und zügige Voranschreiten der Dreharbeiten vor allem dadurch behindert werden, dass die männlichen Akteure zwischen den Szenen und in ihnen immer wieder neu «aufgebaut» werden müssen. Dieses Problem stellte sich dem Verfasser der «Josefine Mutzenbacher» noch nicht. Die Herstellung eines pornographischen Textes ist nicht zwingend mit der Potenz seines Produzenten verbunden. Aber in einem merkwürdigen Vorgriff kommt der Roman an seinem Ende auf die nachliterarische Zukunft der Pornographie zu sprechen. Josefine landet im Atelier eines Fotografen und posiert dort mit dessen Frau und einem jungen Mann für eine Serie von Gruppensexbildern. Volle sechs Sekunden Belichtungszeit müssen die drei Akteure absolut stillhalten und den Geschlechtsverkehr «markieren», bis die Glieder gelockert werden dürfen und eine neue Stellung eingenommen werden muss.

Mit dem Fotografen Capuzzi, der bei jeder Aufnahme erbarmungslos gleichmäßig bis sechs zählt, ist der Pornograph selbst ins literarische Bild getreten. Und diese Gestaltwerdung des Autors im Text wird durch die Handlung sogar noch in das Medium der Fotografie hinübergetragen. Am Ende der Atelierszene macht das männliche Modell schlapp. Und weil die Serie fortgesetzt werden muss, wirft der Fotograf Capuzzi seine Kleidung ab, um sich selbst der Plattenkamera zu stellen. Deren Objektiv sieht «eine riesige Brust, die ganz dicht behaart war» und eine «kolossale Rübe, die schwankend und ganz dunkelfarbig unter seinem Bauch aufwuchs». Wie ein Gorilla tritt Capuzzi, der es mit seiner Frau «so sieben- bis achtmal» pro Tag zu tun pflegt, an, um die pornographische Reihe fortzuführen, die gleich der linearen Zeit nicht enden kann und darf.

Das scheint heroisch und komisch zugleich. Aber der urige Porno-Fotograf Capuzzi, der letzte Liebhaber der Mutzenbacher, ist durch seine «schwarzen Augen» mit dem «ersten Geliebten» des Buches verbunden, jenem Bettgeher der Proletarierfamilie, der sich der fünfjährigen Josefine näherte, um, stumm und bewegungslos, «die ganze Zeit» ihr Geschlechtsteil mit seinen kleinen, traurigen schwarzen Augen anzustarren. Diese Traurigkeit der Augen ist es, die den Pornographen und den Porno-Konsumenten bis heute verbindet. Und gültiges Emblem dieser Verbindung bleibt bis heute die zeitvermessende Maschine – nicht mehr die tickende Uhr, deren Taktschlag der Porno-Roman der Jahrhundertwende gehorcht hat, sondern der lautlos auf schwarzem Grund voranhüpfende Time-Code des Videorecorders.

(Geschrieben für die Frankfurter Rundschau, *Oktober 1999)*

ABGRUND DES ABBILDMACHENS

Das ösenköpfige Weib vom Hohlen Fels

Wir dürfen uns für die Insassen eines bildmächtigen Zeitalters halten. Wer mit einer digitalen Kamera, einem PC und der die beiden Gerätschaften verbindenden Software umgehen kann, plustert sich im Nu zum kreativen Herrn, zumindest zum potenten Hauspatron einer eigenen Bilderwelt auf. Im Rahmen seiner Lebensverhältnisse, im Kreis seiner Nächsten und Nahen, produziert er Abbilder des menschlichen Leibes in Fülle und mit einer Leichtigkeit, von der man wenige Generationen vor uns noch nicht einmal träumen konnte. Das Bildnis der Frau, insbesondere die Gestalt des nackten Weibes, ist natürlich in Abermillionen von Dateien und Ausdrucken stets dabei.

Der Mensch, der vor mehr als 35 000 Sonnenumläufen unseres Planeten ein Stück Elfenbein, den Teil eines Mammutstoßzahns, in die Hände nahm, erfuhr seine Werkzeuge in anderer Weise. Höchstwahrscheinlich waren es klingenförmige Stücke aus Feuerstein. Er selbst oder ein Hordenmitglied hatten den Schaber, das einfache Messer, aus einer Gesteinsknolle herausgeschlagen und weiterbearbeitet – mit einer Geduld, die wir noch erahnen, wenn wir spielende Kinder beobachten, mit einer Hartnäckigkeit, die wir uns für das eigene Tun wünschen, mit einer Geschicklichkeit, die nur aus einer unglaublich geduldigen und hartnäckigen Praxis erwächst. Und was bereits für die Herstellung des Werkzeugs gilt, muss in noch höherem Maße für die Figuren gelten, die aus dem spröden Material mehr geschabt und gekratzt, denn geschnitzt wurden.

Wir spüren die Umstände dieser Herstellung, wenn wir ein Figürchen wie die sogenannte Venus vom Hohlen Fels auf einem vergrößernden Foto betrachten. Und die Differenz zur billigen Leichtigkeit, zur fahrigen Nervosität der eigenen Bildfabrikation erklärt zum Teil die elend saloppen Sprüche und peinlich herrenwitzähnlichen Vergleiche, die in den letzten Tagen zu lesen waren. Der Ernst der Vorzeit beschämt. Und die Scham macht sich entweder in Überhebung oder in Anbiederei Luft.

Nie werden wir erfahren, ob ein Mann oder eine Frau den Feuersteinschaber führte. Auch die Frage, ob die Gestalt von einer einzigen schöpferischen Hand stammt oder eine Gemeinschaftsarbeit war, wird sich nicht klären lassen. Alle Zwecke und Ziele, die mit ihrer Herstellung und ihrem Gebrauch verbunden gewesen sein mögen, verschwimmen im Dunst mehr oder minder gelehrter Spekulation. Dies zeigen in besonderer Weise die Äußerungen zum Kopf der Figur. Hat sie überhaupt einen solchen? Oder müssen wir, was nicht selten behauptet worden ist, diese Frau für «kopflos» halten?

Bereits die bisher veröffentlichten Fotografien, unsere Abbilder des Abbilds, kämpfen mit diesem Problem. Meist unterstreicht die Perspektive die Kleinheit des Nippels, der den Schultern der Gestalt entwächst. Dem steinzeitlichen Bildnismacher, der aus dem Vollen gearbeitet hat, könnte die gewählte Größe angemessen erschienen sein. Dann wäre ihm das weit voluminöser Gestaltete wichtiger gewesen.

Vielleicht aber ist das bescheidene Maß des Schädels auch Ausdruck eines Wunsches oder einer Sehnsucht. Vielleicht steckt sogar das Heimweh nach eigener Vorzeit in der Wahl dieser Proportion.

Eventuell waren unsere Urahnen eben dabei, den bislang geheimsten Ort, den Ursprung aller Bilder, zu entdecken. Dann rang unser Artgenosse erstmals damit, dass die Grandiosität wie das Elend unserer Weltbildherstellung nicht in den tüchtigen Händen, nicht in den fleißig wandernden Füßen, auch nicht im Bauch, der den kleinen Menschen hervorbringt, sondern im Kopf seinen Platz hat. Dass der Kopf alle Bilder nicht nur vom Körper, sondern von der ganzen Welt macht, ist eine schreckliche Vorstellung, und die Unschuld, die wir dem Tier gerne zusprechen, liegt auch darin, dass es angeblich nichts von dieser Produktion weiß.

Durch zahlreiche Funde ist belegt, wie kunstfertig die Steinzeitmenschen ihren Hordengenossen bei lebendigem Leib ein Loch, manchmal sogar mehrere Löcher durch die Schädelknochen schabten. Durch diese sogenannte Trepanationen könnte der Druck der Einsicht in den Ursprung der Bilder entwichen sein. Auch der Kopf der Frauenfigur von der schwäbischen Alb ist gelocht. Die Öffnung ist sogar so groß, dass die verbliebene Substanz ringförmig erscheint. Vielleicht ist es wirklich nur eine Öse, durch die ein getrockneter Tierdarm oder zur Schnur gedrehte Pflanzenfasern gezogen wurden. Sicher wissen können wir dies nicht.

Aber ein Selbstversuch, fast eine symbolische Trepanation, ist möglich: Schon diesen Herbst wird der Fund der Öffentlichkeit zugänglich gemacht. Dann dürfen wir uns in Stuttgart in eine Schlange stellen und nach geduldigem Warten unsere schweren, verstopften Köpfe über den winzigen

Elfenbeinleib beugen. Vielleicht spüren wir dann sekundenkurz, wie durch den Schädel dieser Frau – von rechts nach links oder von links nach rechts – der zum Glück immer neu an die Zeit gebundene Wind menschlicher Selbsterkenntnis weht.

(Geschrieben für die Süddeutsche Zeitung, *Mai 2009)*

DIE NATTER DER GIER, GEBÄNDIGT

Eine neue Übersetzung der Geschichten
aus 1001 Nacht

Noch immer ist die Tausend eine magische Zahl. Selbst wer ein Vielfaches im Monat verdient und das Vierzigfache an Euro für sein neues Gefährt ausgibt, er wird doch, so er ein Gespür für Zauber besitzt, seine Liebste mit tausend oder, wenn er die Magie auf ihre orientalische Spitze treiben will, mit tausendundeinem Kuss grüßen. Unser Sprachgefühl sagt uns, dass 1001 für einen Liebesbrief weiterhin die rechte Zahl ist, mögen auch anderenorts längst sechs Nullen besser Staat hinter der Eins machen. Denn während die Million in platter Selbstgefälligkeit prallt, spricht aus der Tausend und noch mehr aus Tausendundeins eine Großzügigkeit, die bereit ist, für einen anderen überzufließen.

Geiz hingegen ist ein lähmendes Gift für alles, was zu bezaubern vermag. Wer die Geschichtensammlung «Tausendundeine Nacht» in die Hand nimmt, darf nicht mit seiner Zeit knausern. Die neueste Ausgabe ist fast siebenhundert Seiten schwer. Eine blaue Bauchbinde verspricht dem Leser, er halte das arabische Original, erstmals ins Deutsche übersetzt, in Händen. Dies ist bereits in orientalisierender Manier geschwindelt. Und man möchte dem Verlag eines der vielen schönen Sprichwörter, die sich im Buch finden, entgegenhalten: «Wen die Lüge rettet, den rettet die Wahrheit zweimal!»

Die Wahrheit findet sich im Nachwort der Übersetzerin Claudia Ott, das sich gut als Vorwort lesen lässt: Es gibt von 1001 Nacht kein Original, genauso wenig wie sich ein Autor dingfest machen lässt. Die ältesten Spuren, die die Orientalisten in den überlieferten Texten ausfindig machen können, verweisen nach Indien. Dort spielt die Rahmenhandlung um den frauenhassenden König Schahriyar und seine kluge Gemahlin Schahrasad, die sich erzählend vor der Mordlust ihres Gatten von einer Nacht in die nächste Nacht rettet. Um Christi Geburt könnte ein mögliches indisches Original entstanden sein. Über inzwischen verlorengegangene persische Fassungen kam das Werk während des frühen Mittelalters ins Arabische, wo es sich über Jahrhunderte erhielt und neue Geschichten aufsog. Wahrscheinlich gab es nie einen stabilen Bestand aus tausend Erzählungen, sondern sich wandelnde Versionen schwankender Länge und unterschiedlichen Inhalts.

Dass es dennoch so etwas wie einen Haupttext gibt, der, so man ein Auge zudrückt, auch als eine Art Original durchgeht, ist der neuzeitlichen Neugier des Okzidents zu danken. Nach gezielter Suche gelang es dem französischen Diplomaten und Bibliothekar Antoine Galland (1646–1715), in Syrien eine umfangreiche, allerdings unvollständige Handschrift aus dem 15. Jahrhundert aufzuspüren: 253 Erzählungen aus Tausendundeiner Nacht!

Nur 253? Glauben Sie mir, dies ist genug, ja in gewisser Weise sind es doch tausendundeine Erzählung. Denn wenn man den merkwürdigen Palast der ineinander verschachtelten Geschichten betreten hat und darin, zügig von Episode zu Episode lesend, die Übersicht verliert, weil zu viele der auftretenden Königssöhne und Wesir-Töchter selbst wieder

Geschichten zu berichten haben, in denen wiederum neue Erzähler auftauchen, ist man in einer Welt angekommen, in der viele durchwachte Nächte zu einem Reich mit tausend nachtblauen Provinzen verschmelzen.

Noch immer tut sich jedem, der die Muße mitbringt, einfach drauflos zu schmökern, in diesem Buch ein eigentümlicher Raum mit einer bezaubernd fremden Zeitrechnung auf. Bagdad? Vergessen Sie das geschundene Bagdad unserer Tage. Bagdad, das prächtige, gehört wie Damaskus und Kairo allein in die Welt von 1001 Nacht, und diese Städte schmiegen sich in ihren Raum wie die Edelsteine auf jene Prunkgewänder, von denen so oft in den Geschichten die Rede ist. Eine Bewegung, ein Faltenwurf, und das glänzende Bagdad ist aus dem Licht der Erzählung ins Dunkle gefallen, ein rascher Ritt in die Wüste, und Damaskus verschwindet für lange, vielleicht für immer hinter dem Horizont. Und da der unendliche Indische Ozean gleich hinter der nächsten Sanddüne an eines seiner Ufer schlägt, da es geschehen kann, dass man von Dämonen oder von Riesenvögeln in die Lüfte gerissen wird, können alle heimatlichen Gefilde plötzlich unerreichbar fern sein, und stattdessen schimmern einem die Zinnen des märchenhaften Samarkand unter den schwebenden Fußsohlen.

Es ist eine Welt ohne Grenzen, eine Welt ohne Rand, aber zugleich eine Welt, die auch in ihren haarsträubenden Ausgeburten erstaunlich gleichförmig ist und keine wirkliche Neuerung, keinen Wandel kennt. Eine alte versiegelte Flasche, in der ein mächtiger Ifrit gefangen gehalten wird? Jeder hat schon davon gehört, mit etwas Geschick oder Ungeschick lässt sich eine solche Flasche samt Geist auf dem Basar um die Ecke erwerben! Böse Zauberweiber, die Menschen in Affen, Hunde oder Maultiere verwandeln? Ach, ein Mann wie du oder ich müsste außergewöhnliches Glück haben, um nicht irgendwann mit solchen Hexen zu tun zu bekommen!

Überhaupt die Frauen: Wenn die Erzählungen aus Tausendundeiner Nacht so etwas wie Thema, so etwas wie eine fixe Idee haben, dann sind es die unkontrollierbaren Kräfte der Frauen. «Es gibt keine Kraft noch Macht, außer bei Gott dem Allmächtigen!», stöhnt so mancher der männlichen Helden hilfesuchend, um wenig später wieder zu einer für das Abenteuer Leben weit wichtigeren Erkenntnis zurückzukehren: «Die Tücke der Weiber ist ungeheuerlich!» Der Gott des Koran, der bisweilen auf fast komische, rein rhetorische Weise in die offensichtlich älteren Geschichten hineingebastelt ist, hilft in der Regel gar nichts. Besser man stützt sich als Mann auf die Zauberkünste eines Magiers, eines Dämons oder einer gutmeinenden Frau, um weiblicher Arglist zu entgehen.

Quell dieser Tücke aber ist das sexuelle Vermögen des Weibes. Kaum ist der Mann ermattet aufs Liebeslager gesunken, da verwandelt sich seine schöne Geliebte in einen Vogel, flattert in den Garten, um sich dort von einem männlichen Piepmatz bespringen zu lassen. Nicht von irgendeinem Sperling, nein, von einem ihrer zahllosen früheren Liebhaber, die sie allesamt in Tiere verwandelt hat. Kann einem Mann noch Schlimmeres zustoßen? Gewiss: Kaum hat er seinem treulosen Weib und den nicht weniger niederträchtigen Nebenfrauen eigenhändig die Köpfe abgeschlagen und ist mit seinem ebenfalls gehörnten Bruder in die weite Welt hinausgezogen, da lauert am Strande des Ozeans neues Unheil – wiederum in Gestalt eines unersättlichen weiblichen Schoßes.

Ein Ifrit, ein mächtiger, aber etwas tumber Dämon, hat sich ein schönes Menschenweibchen geraubt. Er ist zwar schlau genug, seine Beute fast immer tief im Meer zu verbergen, aber einmal im Jahr führt er sie an den Strand. Kaum ist der Dämon in der Sonne eingeschlafen, zwingt die Schöne die beiden frauenflüchtigen Männer, die sich im Wipfel eines Baumes versteckt haben, ihr beizuwohnen. Denn: «Wenn eine Frau etwas will, kann sich ihr niemand verweigern!» Und die beiden unglücklichen Liebhaber erfahren anschließend, dass sie Nummer 99 und Nummer 100 eines sich alljährlich wiederholenden Spiels abgegeben haben.

Auch die Hundert ist eine magische Zahl, aber da die Tausend höhere Potenz besitzt, wird der nichts ahnende Ifrit wohl weiter betrogen worden sein. Die Zahl, die noch keine nackte Ziffer, sondern rundum in Magie gekleidet ist, unterliegt in diesen Geschichten gleich der Zeit der geheimnisvollen Gewalt der Frauen. Wer dies als Mann vergisst und seine eigene Rechnung mit dem Lebenslauf aufmachen will, dem ergeht es wie jenem Jüngling, der in ein Schloss mit hundert Schatzkammern und vierzig liebeshungrigen Mädchen geraten ist. «Ich selbst bin der König meiner Zeit, denn ich herrsche über all diese verschiedenartigen Schätze, und ich bin der Herr über diese Mädchen, die keinen kennen als mich!», ruft er in vorschneller Überhebung. Hätte er sich nur an den Rat seiner Geliebten gehalten und nie einen Blick in die hundertste Kammer geworfen, er wäre vielleicht der glücklichste Mann der Welt geblieben. So aber wird ihm wie seinen Vorgängern ein Auge ausgerissen, und ein neuer Tollpatsch tritt an seine Stelle.

Kann es überhaupt ein Ende dieses schrecklich schönen Reigens geben? Einen wirklichen Abschluss wohl nicht, denn in Tausendundeiner Nacht weiß jeder Mann, dass die Begierde des Weibes nicht endgültig zu stillen ist. Und doch gibt es einen innigen Moment des Stillehaltens, einen Augenblick, wo sich die Natter der Gier mit einem glückselig versonnenen Schlangengrinsen in den eigenen Schwanz beißt. Es ist jene immer wieder beschworene Hochzeitsnacht, die schönste aller Nächte, in der ein Kind gezeugt wird – ein Mädchen oder ein Junge, so bezaubernd, dass man neun Monate später dem Neugeborenen, um seinen Liebreiz zu ehren, die Augen mit Kajal schminken wird.

Schahrasad soll von ihrem schließlich geschichtensüchtigen Mann während der 1001 Nächte drei Kinder empfangen haben. Sie hat also den misogynen König nicht nur davon abgehalten, seine monströse Mordserie fortzusetzen, sondern ihm und der Welt neues Leben geschenkt. Zu Recht, mit gelassenem Stolz, weist die Übersetzerin Claudia Ott am Ende ihres Nachworts darauf hin, dass sie während ihrer mehrjährigen Arbeit am großen arabischen Fragment zwei Söhne geboren hat. Und sie dankt ihrem Lebensgefährten für die erwiesene Unterstützung. Dem kann sich der Leser nur anschließen. Und zusätzlich wollen wir diesem wackeren modernen Gatten wünschen, dass er auch in den kommenden Jahren immer aufs Neue dem Zauber seiner Gemahlin erliegt, aber – Gott, der Allmächtige, möge es verhüten! – niemals in etwas Gefiedertes, Bepelztes oder Gehörntes verhext wird.

(Geschrieben für Die Welt, *Februar 2004)*

DER MELANCHOLISCHE MECHANIKER

Udo Lindenbergs Tournee-Auftakt
in Mannheim

Ganz zum Schluss geht eine mechanische Kleinigkeit schief: Die Zeppelin-Attrappe, mit der Udo Lindenberg eingangs vor seine Fans geschwebt war und in deren Gondel er nach fast drei Stunden leibhaftiger Präsenz wieder in der Bühnentiefe verschwand, hat sich nicht, wie geplant, sanft gesenkt und hängt nun, komisch erschlafft, auf halber Höhe. «Keine Panik!», ruft uns der bereits unsichtbare Luftschiffer über die hervorragend ausgesteuerte Tonanlage wie aus einem technischen Jenseits noch zu. Und alle, die zu seinem Tournee-Auftakt in die Mannheimer SAP-Arena gekommen sind, quittieren dieses letzte Selbstzitat mit einem allerletzten Jubel.

Ich stand ganz vorn am Gitter und lernte, bevor es losging, Andrea und Andrea kennen. Die beiden gleichnamigen Grundschullehrerinnen hatten sich aus dem linksrheinischen Altrip auf den Weg nach Mannheim gemacht. Sie seien ihrem Udo Lindenberg immer treu geblieben, auch damals, als er ziemlich viel Mist gemacht habe. Was die Treue angeht, kann ich nicht mithalten, aber dafür liegt mein erstes Udo-Live-Erlebnis noch einige Jährchen weiter, fast vier Dekaden tief im Korridor der Zeitgeschichte geborgen.

«Ihr seid Zeitzeugen!», wird Lindenberg uns wenig später

zurufen und damit unsere Teilhabe an seiner langen Laufbahn meinen, deren Auf und Ab ihn nun endlich aus einer Talsohle von «Entbehrung und Verzicht» wieder auf den Bergkamm einer Tournee geführt habe. So sei es schon immer gewesen, und so werde es noch «viele Jahrzehnte» weitergehen. Das ist eine Zeitrechnung, die allen einzuleuchten scheint. Alle, das sind an diesem Abend sämtliche Alterskohorten, die im getrennten und dann im wiedervereinigten Deutschland jung gewesen sind. Halbwüchsige Schüler sind zusammen mit ihren Eltern in die Arena gekommen. Und die Ältesten, die im unbestuhlten Grund der Mehrzweckhalle die Arme recken, gehen wie Udo selbst auf die siebzig zu – mit jenen unter Fans sprichwörtlich gewordenen «schnellen Stiefeln» aus dem schönen, frühen Song «Leider nur ein Vakuum», den Udo auch heute Abend singen wird.

Welcher Kitt hält dieses Publikum zusammen? Was führt dazu, dass generationenübergreifend mitgesungen wird und dabei selbst ein Wort wie «Entzugserscheinung» aus dem Lied «Meine erste Liebe» enthusiastisch gedehnt, fast sphärisch unter dem Hallendach zu schweben scheint?

Die Musik kann es nicht sein, die dieses magische Einverständnis stiftet. Das Panikorchester präsentiert kreuzbraven und, von wenigen Soli abgesehen, fast minimalistisch dürren Teutonenrock. Die sieben versierten Musiker wirken chronisch unterfordert und verwenden einen Großteil ihrer Konzentration darauf, jenes wilde «Rocken», das nicht als Klang Wirklichkeit werden darf, zumindest gestisch vorzutäuschen. Auch dies ist keine leichte Arbeit, denn der eine oder andere ist längst im Alter jener «Rentnerband» angekommen, die im Lied «Alles klar auf der Andrea Doria» seit 1974 kontinuierlich liebevoll auf die Schippe genommen wird.

Noch deutlich härter trifft es die jungen Sängerinnen, die nacheinander zum Duett mit Udo antreten. Mehr schlecht als recht spielen sie die «total scharfen Frau'n», von denen im dümmlich angeberischen «Honkey-Tonk Show» auch an diesem Abend die Rede ist. Man muss die Gesichter der ausnahmslos stimmgewaltigen Maiden nur bis zu ihrem Bühnenabgang im Auge behalten, um zu sehen, dass ihnen ihr Gastauftritt beim großen Nuschler, Antatscher und Auf-den-Mund-Küsser keine geringe darstellerische Disziplin abverlangt hat.

Jan Delay darf, obwohl er kein schönes Mädchen ist, gleich zweimal zu Udo auf die Bühne hüpfen. Man kann vom quäkenden Sprechgesang des Hamburger Hip-Hoppers denken, was man will, der zierliche Mitdreißiger kann tanzen, ist überhaupt eine performative Wucht. Aber es geht ihm wie einem Kometen, der in den Sog eines Schwarzen Loches gerät. Auch ein stiller Lindenberg lässt keinen neben sich leuchten. Am besten schlägt sich da noch der Erfurter Liedermacher Clueso, der im Wechselgesang mit Udo den Hit «Cello» vortragen darf. Er verharrt fast paralysiert passiv auf der Stelle und beschränkt sich auf jenes entgeisterte Dauerlächeln, das die Handycams auch aus der wogenden Menge fischen und in Hintergrundbild verwandeln, einen Ausdruck, den ich auch aus nächster Nähe bewundern darf, wenn ich mich zu den beiden absolut textgewissen, wie in Trance intonierenden, famos tanzenden Grundschullehrerinnen aus Altrip umdrehe.

Udo Lindenberg hat ohne Zweifel Macht über sein Publikum. Aber es ist nicht ganz leicht zu sagen, auf welchem Wechselspiel diese Macht beruht. Wenn er sich in seiner Zwischenmoderation selbst einen «Popstar» nennt, ist dies unüberhörbar ironisch gemeint. Und sobald die Bühnenshow ihn als Star zu feiern sucht, wirkt dies unfreiwillig komisch, denn der dünne, krumme Mann im schwarzen Lederfrack ist eben kein Stern, der alle Energie auf sich zieht, um sie, gebündelt zu Ausdruck, wieder ins Publikum zurückzustrahlen. Viel eher wirkt er wie einer, der hochdiszipliniert knappe Kraftressourcen kleinteilig portioniert, um anständig, ohne Hänger und Stolpern, über die Runden zu kommen.

Die Gewalt der Gesinnung ist es auch nicht, die die Konzertgemeinde zusammenschmiedet. Als Udo politisch wird und mit «Sie brauchen keinen Führer» gegen Rechts ansingt, lässt die Grundspannung in der Halle spürbar nach. Da hilft es auch nicht, dass Lindenberg nach den obligatorischen «Nazi-Schweinen» auch den syrischen Diktator Baschar al-Assad ein «Schwein» und Wladimir Putin einen «Verbrecher» nennt. Das ist quasi geschenkt, da ist man sich ohnehin einig. Derart plattes Auf-der-richtigen-Seite-Stehen ermüdet nur. Einziger Tiefpunkt des Abends ist dann prompt das dämliche «Wozu sind Kriege da», das die titelgebende Frage in keiner Zeile ernstlich verhandelt, sondern konsequent in vager Gefühligkeit herumrührt. Wie schon in der aktuellen DVD-CD-Edition «Live aus dem Hotel Atlantic» muss eine Gruppe Grundschüler zum Mitsingen und zum Abklatschen mit Udo auf die Bühne. Das Mannheimer Mädchen, das abschließend, riesengroß im Hintergrundbild, «Ich bin wohl noch zu klein / Ich bin ja nur ein Kind!» tönen muss, ahnt wohl zum Glück nicht, in welch elend flachem Klischee von Kindheit und Kindsein es gerade verbraten wird.

Aber das geht vorbei, und Lindenberg kehrt zu dem zurück, was er am besten, was er wirklich bemerkenswert gut kann. Er singt auf seine unverwechselbare Art eine ebenso unverwechselbare Art von Liebeslied. Es ist die erste Liebe, die heraufbeschworen wird oder zumindest eine Liebe, die irgendwie erneut wie eine erste Liebe wirkt. Macht und Eigenart bezieht sie aus dem, was sie mit unserem Zeitempfinden anstellt. Das fatale «Was hat die Zeit aus uns gemacht», wie einer der neueren Songs heißt, wird auf magische Weise außer Kraft gesetzt. Gleichzeitig weiß der Liebende, dass sein Fühlen nicht gegen die gnadenlose Linearität des Lebenslaufs ankommt, dass es irgendwann zurück auf die «Autobahn» geht, deren überraschende «Ausfahrt» das Verlieben bedeutet hat. Dies könnte man biographische Melancholie nennen, eine Stimmungslage, die einem hellsichtig pubertierenden Erstverliebten ebenso vertraut ist wie dem Grauschopf, dessen Gemüt es zum vermutlich letzten Mal erwischt hat. Udo kennt das, er scheut den Verweis in die eigene Lebensgeschichte nicht und kann den melancholischen Pendelschlag zwischen Wehmut und Sehnsucht glaubhaft machen.

Bei einem dieser Lieder kommt Udo mir und den beiden Altriper Pädagoginnen sehr nahe. Er ist auf die großen schwarzen Boxen gestiegen und stakst – es sieht nicht ungefährlich aus! – an deren vorderen Rand. Und dann nimmt er die dunkle Brille ab. Das Lächeln, das er ins Publikum wirft, ist großartig, treuherzig und durchtrieben zugleich. Kurz erinnert dieses Gesicht an Jack Nicholson als bleich geschminkten Joker. Aber im Profil haben Nase, Lippen und Kinn auch etwas rührend Deutsches, als wäre die Hexe aus Hänsel und Gretel unter die singenden Bühnenkünstler gegangen.

Hat ein Lied gefehlt? Vielleicht jenes «Ein Herz kann man nicht reparieren», das Udo zusammen mit Inga und Annette Humpe geschrieben hat. Als die Arena-Lichter angehen und zehntausend Konzertbesucher in die laue Frühlingsnacht hinausströmen, ist wohl kein Herz wieder rundum heil. Auch an einem seiner guten Abende kann Udo Lindenberg nicht hexen. Aber ein bisschen repariert, ein bisschen abgeschmiert, für ein Stück Lebensautobahn wieder gängig gemacht hat uns dieser melancholische Mechaniker schon.

(Geschrieben für die Süddeutsche Zeitung, *März 2012)*

EIN MANN NACH SEINEM GESCHMACK

Über Raymond Chandlers Roman
«Der lange Abschied»

Dass der Weg zum Erfolg in der Regel eine krumme Tour ist, gilt auch für den Schund. Selbst hier, wo der Autor von Anfang an krampfhaft auf das schielt, was das Genre, der Markt, die Mode und die Marotten der Leser von ihm zu verlangen scheinen, ist ungewiss, ob ein Buch reüssiert. Und wenn sich der Erfolg dann früher oder später doch einstellt, hat er nicht selten ein Gesicht, das dem vorausgegangenen Kalkül die Zunge herausstreckt.

Als Raymond Chandler in den Jahren von 1951 bis 1953 unter schwierigen Umständen an seinem Roman «The Long Good-Bye» schrieb, konnte er nicht ahnen, was diesen Text zu einem Kultbuch der nächsten fünf Dekaden machen würde. Noch heute nennt es der Klappentext der deutschen Ausgabe einen «Kriminalroman», preist es als den «Klassiker des Klassikers» und erhebt das Buch zum Nonplusultra eines Genres, zu dem es allenfalls beiläufig gehört.

Zwar stellt uns «Der lange Abschied» eine Reihe kleiner und großer Gangster, mieser und redlicher Bullen vor. Auch einen Mord gibt es, der nach umständlichem Hin und Her zuletzt halbwegs schlüssig aufgeklärt wird, aber die alte Krimi-Frage, wer es aus welchem Motiv getan hat, interessiert Autor und Held nur noch anstandshalber. Die Hartnäckigkeit, mit der Privatdetektiv Philip Marlowe in den Romanen Chandlers bei der Sache bleibt, hat mit Aufklärung, mit dem Glauben an hinreichende Gründe und an den Sinn ihrer Aufdeckung gerade noch pro forma zu tun. In seinem müden, fast mechanischen Recherchieren erinnert Marlowe an den Beamten einer überflüssig gewordenen Behörde, der bedeutungslose Vorgänge bearbeitet und zwischen den staubigen Aktenbergen nur auf eine einzige Sache wartet, auf den magischen Moment, in dem die Tür aufgeht und ein Mann hereinkommt: ein Mann nach seinem Geschmack!

In «The Long Good-Bye» findet Marlowe diesen Mann gleich mit dem ersten Satz: «Als ich Terry Lennox zum ersten Mal zu Gesicht bekam, lag er betrunken in einem Rolls-Royce Silver Wraith draußen vor der Terrasse des Dancers.» Einen Absatz lang ruhen der Blick des Erzählers und damit das Augenmerk des Lesenden auf dem malerisch hingestreckten Lennox, und trüge man als Krimi-Konsument nicht die Scheuklappen des Genres, man verstünde umweglos, dass es sich bei diesem innigen Anschauen um Liebe auf den ersten Blick handelt.

«Es war in der Woche nach Thanksgiving, als ich ihn wiedersah.» So lakonisch und zugleich verhohlen zärtlich beginnt das zweite Kapitel. Erneut stößt Marlowe durch einen schicksalhaften Zufall auf Terry Lennox. Wieder ist Lennox fast besinnungslos betrunken und dieses Mal auch völlig verwahrlost und halbtot vor Erschöpfung. «Ist der feine Herr in der dreckigen Wäsche vielleicht ein richtig guter Freund von Ihnen?», fragt der Polizist, der Lennox gerade festnehmen wollte. Und Marlowe antwortet: «Gut genug für mich, um zu wissen, dass er einen Freund braucht.» Hier und an vielen anderen Stellen kann man den tragenden Unterton eigentlich nur noch überhören, wenn man krampfhaft-schamhaft weghört: Im «Langen Abschied» geht es vor allem um Gefühle, genauer gesagt um Gefühle zwischen Männern. Dieser lange und oft betulich langsame Roman gehört einem großen und dennoch halb im Verborgenen blühenden Genre an: dem sentimentalen Männerroman.

Lennox und Marlowe freunden sich an. Sie treffen sich regelmäßig, um in leeren Bars die frühen Abendstunden zu vertrinken. Zweimal gibt der Roman ihre Thekengespräche als Dialoge in direkter Rede wieder. Es ist jenes Gemisch aus markigen Sprüchen, Weltschmerz und Frauenhass, für das Chandler berühmt ist und das auch in der deutschen Literatur seine Nachahmer gefunden hat. Anrührender, weil ohne toughes Getue, ohne philosophisch verbrämtes Selbstmitleid sind die beschreibenden Passagen, in denen Marlowes Blick ungebrochen gefühlig, fast naiv auf dem anderen Mann ruht: «Ich sah ihm nach, bis er außer Sicht war. Das Licht eines Schaufensters traf einen Augenblick lang den Schimmer seines weißen Haars, als er im leichten Nebel verblasste und entschwand.»

Terry Lennox, dem sein Freund Philip Marlowe bei Begrüßung und Abschied nicht einmal die Hand gibt, verschwindet nach dreißig Seiten als angeblich tot aus der Handlung und taucht erst in der Schlussszene des Romans wieder als agierende Figur auf. Auf den über dreihundert Seiten dazwischen bekommt es Marlowe infolge seiner zarten Gefühle für Lennox mit einer ganzen Serie roher Männer zu tun, und es bleibt nicht beim Händeschütteln. Man will ihm ans Leben, und in zwei Fällen wird Marlowe erheblich verletzt.

Einmal schlägt ihm ein Polizist im Verhör mit der Faust gegen den Hals, ein andermal ein Gangster mit einem Revolver ins Gesicht. Beide Verletzungen zieht sich Marlowe wegen Lennox zu, und beide machen ihn auf gewisse Weise dem verschwundenen Freund ähnlich. Denn aus den Misshandlungen im Polizeiverhör bleibt dem Privatdetektiv eine Lähmung der Mimik, vom Schlag des Gangsters ein von Risswunden entstelltes Gesicht zurück. Marlowes Freund Lennox hat im Krieg eine schwere Kopfverletzung erlitten, und seine rechte Gesichtshälfte wird als «wie gefroren», «kreideweiß und mit dünnen, feinen Narben gesäumt» beschrieben.

Am Ende des Romans kommt der totgeglaubte Lennox zurück. Er hat sich in Mexiko einer Gesichtsoperation unterzogen. Sie ist fast perfekt gelungen, sogar eine Nervenverpflanzung wurde vorgenommen, die die gelähmte Seite seines Gesichts belebt. Aber Marlowe verweigert dem Zurückgekehrten die Erneuerung der Freundschaft und in einem umständlichen, literarisch überambitionierten Schlussdialog wälzt Chandler allerlei wenig glaubwürdige moralische Motive für die emotionale Abfuhr, die Lennox erleidet.

Dabei liegt die Erklärung für das Erkalten von Marlowes Gefühlen auf der Hand, und ihre bleiche Wurzel ragt schon im ersten Satz des Romans zutage. Als Marlowe vom Blitzschlag der Liebe auf den ersten Blick getroffen wurde, lag Lennox leblos in einem Rolls-Royce Silver Wraith. «Wraith» meint im Englischen den Geist eines Toten, der unmittelbar vor oder nach seinem Hinscheiden den Lebenden als Gespenst erscheint. Als «Wraith» hat Lennox das Herz des harten Marlowe gewonnen, und Marlowe hat den Freund von Anfang an vor allem wegen seines effektvollen Tod-Seins geliebt. Das ist mehr als homoerotische Nekrophilie, es ist wie alle Männerliebe zu einem guten Teil Spiegelung des eigenen Geheimnisses im Liebesobjekt. Insgeheim spürt Marlowe, dass er – nicht nur wenn sein Gesicht wie das von Lennox halb gelähmt ist – selbst halb tot ist.

Etwas Ähnliches fühlen wohl auch die Männer, die sich bis heute, den Sätzen Chandlers folgend, mit seinem Helden, dem großen, schweren, sentimentalen 42-jährigen Halb-Zombie Marlowe, identifizieren. Das kann ich als Geschlechtsgenosse ruhigen Bluts verstehen. Aber mich schaudert, wenn ich einer begeisterten Chandler-Leserin gegenüberstehe. Was muss geschehen, dass eine Frau diesem lüsternen Totenkult, dieser sentimentalen Selbstvergötterung der halb paralysierten Kerle erliegt?

(Geschrieben für die Frankfurter Rundschau, *September 1999)*

DIE GANZE ZARTHEIT UNSERER ZEIT

Über einen großen Liebhaber von Frauen-Fotografien

Wer ein Mann ist, kennt dieses Verlangen. Meist erfasst es uns bereits, wenn unser zukünftiges Kerl-Sein gerade mal eine gruselig wohlige Ahnung in unseren Knabenköpfen ist. Dann beginnen wir mit einem bestimmten Tun, betreiben es eine Zeitlang, lassen nach einer Weile wieder davon ab. Viele unserer Geschlechtsgenossen überwältigt das fragwürdige Begehren erneut, wenn sie mitten im Leben stehen, auf dem stabilen Dreifuß aus Beruf, Partnerschaft und Familie. Und manche packt der fragliche Drang, wie ein lange unterirdisch verlaufener Fluss, erst im Alter, dann aber umso heftiger: Einer von uns, ein Mann, beginnt zu sammeln!

Wer vom Sog des Sammeln-Wollens, des Sammeln-Müssens mitgerissen wird, spürt schnell, ob ihn die Strömung nach rechts oder links zieht. Rechts geht es zu den Dingen hinüber. In die Dinggefilde verschlagen, sammelt der kleine Junge schöne Steine, der Halbwüchsige stapelt Comic-Hefte zu bunten Säulen, und der erwachsene Mann füllt Regale mit den originalgetreuen Modellen legendärer Automobile oder reiht – so das Geld den nötigen Raum schafft – veritable Oldtimer Kühlergrill an Kühlergrill nebeneinander. Selbst wenn die gesammelten Objekte derart tonnenschwer sind, der Ding-Horter hat zweifellos den leichteren Weg genommen.

Denn in die andere mögliche Richtung, nach links, führt es den sammelnden Mann zu etwas Gefährlicherem hinüber – zu den Bildern nämlich.

Mit den Bildchen von Fußballspielern fängt es oft an, aber es kann nicht allzu lange bei den Aufnahmen unserer Sporthelden bleiben. Wem danach Familie und Freunde, Haus und Hof, Hund und Katz nicht als Gegenstand seiner Bildwut reichen, der wirft sich auf etwas Spezielles: auf die Aufnahmen seltener Käfer, auf die Blütenkelche von Orchideen oder auf die Deckengemälde barocker Kirchen. Dort sind er und sein Drang so sicher geborgen wie in einem Reservat und haben die größte Bild- und Sammelversuchung umgangen: das Abbild der Frau!

Hier wäre nämlich schnell das Ärgste, auf diesem Terrain ist zweifellos das Aller-Schlimmste möglich. Wir Männer wissen dies zur Genüge, und deshalb möchte ich auf jedes beschämende Beispiel, auf die Erörterung des Dummen, des Garstigen und des Niederträchtigen verzichten. Stattdessen sei auf einen Sammler hingewiesen, der auch linker Hand, auf dem heiklen Gelände des Frauenbilds, ein glückliches Geschick bewiesen hat. Seine Weise des Suchens und Findens ähnelt zunächst dem Vorgehen des Ding-Sammlers. Die Fotos, die er seiner Kollektion nach und nach einverleibt hat, fand er meist als Gegenstand unter Gegenständen, als Rechtecke aus festem Papier, gehäuft, geschichtet oder mit Fotoecken fixiert, an Orten, wo andere mehr oder minder gebrauchte Sachen, Briefmarken, Postkarten, Nippes oder Hausrat, preiswert zu haben sind.

Wahrscheinlich berührte er viele dieser Frauenbilder an einer ihrer Kanten, während er erwog, ob er das eine oder andere in seine Bestände aufnehmen sollte. So vereinigt er, zumindest im Augenblick der Aneignung, den Bild- und den Ding-Liebhaber in einer Person. Dennoch ist er kein Fetischist, denn hierzu fehlt seinem Vorgehen die Verengung auf das Spezielle, der zwanghafte Hang zum unverwechselbar Exquisiten. Unser Frauenbild-Liebhaber sammelt nichts Besonderes, im Gegenteil, er sammelt etwas Allgemeines. Über Jahrzehnte hinweg hat er Fotografien zusammengetragen, die man wohl in der Mehrzahl Schnappschüsse nennen kann. Der Schnappschuss ist, seit es billige Kameras gibt, das Kind von Gerät und Gelegenheit. Den zeugenden Vater gibt der Fotoapparat, die Mutter des Bildes aber ist die fruchtbare, die für den Verschlussklick empfängliche Gelegenheit: der fünfundsiebzigste Geburtstag der Oma, der Sonntagsausflug mit der Verlobten im neuen VW Käfer, die erste Pauschalreise eines Ehepaars an einen fernen Strand.

Tausend und eine derartige Gelegenheit ergeben sich, um die Kamera für einen schnellen Fingerdruck auf eine der Frauen unseres Lebens zu richten. Im Einzelfall und im Verlauf eines einzelnen Fotografen-Daseins scheint dies eine harmlose Sache – aber kann es gutgehen, vielhundertfach die Bilder meist namenloser Frauen, fotografiert von ebenso vielen namenlos und unsichtbar gewordenen Fotografen, zusammenzutragen? Muss das Ergebnis, die Sammlung, nicht zwangsläufig ein rechter Ort des Schreckens werden, eine Folterkammer der Beliebigkeit und der Vergänglichkeit, in der sich von Bild zu Bild die Schraube einer einzigen Einsicht in unser Auge dreht: Kein besonderer Moment des Lebens lässt sich im Lichtbild warm und lebendig erhalten. Wie der Schinken in die Sülze, wie der Hering in Aspik wären gerade unsere schönsten Tage, unsere Tage mit Frauen, unweigerlich in eine glasige Wehmutstarre gegossen.

Doch über die Fotografien des Frauenbild-Sammlers Christian Hansen gebeugt, widerfährt einem, zumindest als Mann, unerwartet etwas anderes. Beiläufig erkennen wir durchaus die Merkmale des Vergangenen: Ganz nahe an den Frauenkörper reicht diese Zeitverfallenheit heran. Noch der Schnitt des Kostüms und der frisurgebändigte Schwung des Haars scheinen uns unweigerlich auf bestimmte Jahrzehnte und deren Verlorenheit zu verweisen. Aber im Schweifen über die scheinbar zusammenhanglosen Bilder offenbart sich eine eigentümliche Gemeinsamkeit, die sich just diesem Starrkrampf der zeitgeschichtlichen Rückschau entzieht. Die fotografierten Frauen schweben, aus ihrem jeweiligen Leben gelöst, im Bildstrom der Sammlung durch ein Fluidum, das sich nicht mit schierer historischer Information, also durch sterilisiertes Wissen, fixieren lässt.

Erst in der vielfachen Reihung wird spürbar, wie diese Frauen Anteil an einer anderen Verlaufsform des Zeitlichen haben. Ihr eigentümliches Zeitgefühl, ihre besondere Zeitgewissheit, offenbart sich in Details der Pose, im Knick der Hüfte, in der Beugung des Handgelenks, in der Neigung des Nackens, vor allem aber im Gegenblick auf den Fotografierenden, der wohl meist ein Mann war.

Es ist etwas scheinbar Selbstverständliches, das damals nur sekundenbruchteilkurz in die Linse drang, nun aber mit einer merkwürdigen Muße in unsere männlichen Augen dringen darf. Eigentlich müssten auch wir, die nervösen Jäger und geschäftigen Sammler der Moderne, wissen: Es gibt nicht bloß die eine mörderisch lineare Zeit, die alles wie Müll und Tand, wie rostigen Schrott oder abgenagtes Gebein hinter sich wirft!

Es gibt stets auch eine Zeit, die sich anmutig oder drollig, liebreizend oder kokett, lebensklug oder so sexy wie eine Eiskunstläuferin auf dem Spiegel des Augenblicks dreht. Es ist jene Zeiterfahrung, um derentwillen vor vielen tausend Jahren das erste Porträt eines Menschen auf einen Felsen gemalt wurde. Es handelt sich um diejenige Bild-Zeit, die, gleich dem Lächeln einer unbekannten Frau, den geschichtlichen Zeitgang aufhebt und alles Verströmend-Zeitliche segnet. Mit Gedanken oder Worten oder mit der stillen Gewalt einer sehr langen Serie kann ein Mann ein solches Zeitglück bisweilen erzwingen – die Frauen dieser Bilder jedoch besitzen dieses Glück auf eine betörend zarte, auf eine hinreißend entwaffnende Weise wie von selbst.

(Geschrieben für die Berliner Morgenpost, *Oktober 2010)*

IN DEN GEHÄUSEN DER ZUKUNFT

Harry Harrisons Roman «Make Room! Make Room!»

Kann man von einem Einzelnen ernstlich verlangen, dass er sich mehr als um sein Glück um die Zukunft der Menschheit sorgt? Der Roman «Make Room! Make Room!» von Harry Harrison erschien 1969, drei Jahre nach der amerikanischen Originalausgabe, unter dem Titel «New York 1999» auf Deutsch. Das New York, das der Held, der Kriminalbeamte Andy Rush, durchstreift, beherbergt 35 Millionen Einwohner, die durch eine rigide Staatsmacht mit synthetischen Lebensmitteln obskurer Herkunft und knapp bemessenen Wasserrationen am Leben erhalten werden. Rush teilt sich ein Einzimmerappartement mit dem alten Solomon Kahn. Die extreme Wohnungsknappheit hat den Greis und den jungen Polizisten zusammengebracht, und im Kampf um die Bewältigung des von Mangel und Widrigkeiten bestimmten Daseins sind sie Freunde auf engstem Raum geworden. Das Buch hebt mit einer Morgenszene an: Andy hört durch die dünne Trennwand, die seine Zimmerhälfte abteilt, wie Solomon auf seinem Standfahrrad losstrampelt, um die Batterien aufzuladen, die den Fernseher und den winzigen Kühlschrank mit Strom versorgen.

Wer die Leinwand-Adaption mit Edward G. Robinson und Charlton Heston kennt, die unter dem Titel «Soylent Green» ein Klassiker des Science Fiction-Films geworden ist, weiß, wie die erbärmliche Bude der beiden zugleich ein schützendes Gehäuse, ja sogar eine Art Glückskammer darstellen kann. Im Buch wie im Film versammelt das Appartement auf rührend nostalgische Weise nicht nur ramponierte Überbleibsel der reichen früheren Jahrzehnte, sondern es ist dazu der Ort, wo Freundschaft, Vertrauen und Humor eine letzte Zuflucht gefunden haben.

Draußen aber tobt die neue Zeit. Als es am Rande einer Demonstration der verelendeten Alten zu Plünderung und Massenpanik kommt, wirft die New Yorker Polizei aus Helikoptern einen besonderen Stacheldraht ab. Platzt beim Aufprall dessen Kunststoffummantelung, schießen die Knäuel selbsttätig auseinander, und die sich windenden Stahlschlangen werden von Andy und den anderen Polizisten mit bloßen Händen so gelenkt, dass sich die nötigen Absperrungen fast selbsttätig errichten. Der «Wurfdraht» gehört zu den wenigen technologischen Neuerungen, die diese Zukunft ihren Bewohnern gebracht hat. Einen weiteren fragwürdigen Fortschritt stellen die riesigen atomgetriebenen Ernteschiffe dar, die Tang und Planton einbringen, um ein Grundnahrungsmittel, nach Fisch schmeckende Kekse, zu sichern. Davon abgesehen kennt der New Yorker das Meer gleich dem freien Land nur noch vom Hörensagen. Das kleine Gehäuse, in dem Andy und Solomon sich eingerichtet haben, ist von einem irrsinnigen Schachtelsystem aus verkommenen Massenbehausungen und von verwüsteten No-go-Areas umgeben. Manhattan, Brooklyn, ein schwimmender Stadtteil aus verrottenden Schiffen, alle Bezirke der Megalopolis sind ungute Riesenbehälter, die mit Gewalt daran gehindert werden, aus den Fugen zu gehen.

Allerdings reserviert auch dieses Regime den Reichen und Mächtigen streng bewachte Enklaven. Andy wird zu einem Mordfall in ein nobles Hochhaus auf dem ehemaligen Chelsea-Park gerufen. Die schöne Prostituierte, die mit dem Erschlagenen zusammengelebt hat, findet Gefallen an ihm, im Zug der Ermittlungen wird sie seine Geliebte. Solange die Miete bezahlt ist, kann Andy mit ihr die wohltemperierten Räume, das großzügige Bad, das breite Bett und den gutgefüllen Kühlschrank des Mordopfers nutzen. Wie in eine eigene Raumzeit verkapselt sind die beiden für den Rest des Monats den zügig schlimmer werdenden Weltverhältnissen enthoben. Terroranschläge auf die Wasserversorgung und eine Missernte in der hochindustrialisierten Landwirtschaft verschärfen die nach einer Hitzewelle bereits besonders angespannte Versorgungslage. Wer könnte es dem Kriminalbeamten und seiner Gelegenheitsgeliebten verdenken, dass sie sich bis in die allerletzte luxuriöse Minute, bis zur finalen gutgekühlten Flasche keinen Deut darum scheren, ob und wie New York im Weiteren vom Teufel geholt wird?

Als Harrisons Roman jung war, in den späten 60er Jahren des 20. Jahrhunderts, liebte es die Science Fiction-Literatur, ihren Lesern in grellen Farben auszumalen, wie schlimm die Menschheit in Bälde den Planeten zugerichtet haben würde. «Make Room! Make Room!» spart nicht mit drastischen Details und dramatischen Szenen, die zeigen sollen, wie sehr jeder einzelne Zeitgenosse durch blinden Konsum und verantwortungslose Verschwendung von Ressourcen zur Katastrophe beigetragen hat. Die Verfilmung durch Richard Fleischer aus dem Jahre 1973 überrascht sogar noch mit einem zusätzlichen Dreh, der die moralische Schraube endgültig tief ins schlechte Gewissen der aufgeklärten Zeitgenossen bohrt.

Auch uns malt man zurzeit den Himmel der Zukunft wieder einmal vorwurfsvoll schwarz. Und dennoch vermag die Lektüre dieses umweltkritischen Romans, gut vier Jahrzehnte nach seiner Entstehung, etwas zu bewirken, was seinem moralischen Impetus fast entgegengesetzt ist. Vertrieben aus dem Luxus-Tower, können die Liebenden nur ein Bettlaken und zwei Zigarren mitnehmen. Die Rauchwaren sollen den alten Solomon, der lange keinen Tabak mehr geschmeckt hat, für die neue Mitwohnerin einnehmen. Das Laken aber symbolisiert ohne Mühe, dass es sich in jeder Zeit und unter allen drohenden Vorzeichen lohnt, ohne Skrupel in das fragile Gehäuse inniger Zweisamkeit zu schlüpfen.

(Geschrieben für die Neue Zürcher Zeitung, *Februar 2007)*

3
DAS GROSSE GRÜNE GRAUEN

DAS GROSSE GRÜNE GRAUEN

John Wyndhams Roman
«Die Triffids»

Zu den Privilegien, die der Zukunftsroman seinem Autor gewährt, gehört es, neue Lebensformen erfinden zu dürfen. Und für den Genre-Konsumenten bedeutet es einen notorisch süßen Moment, wenn im Gang der Erzählung plötzlich eine Spezies auftritt, von der kein Lexikon seiner Zeit berichtet.

Im 1951 erschienenen Roman «Die Triffids» des Engländers John Wyndham ist William Masen, der Held und Ich-Erzähler, Biologe, und das für den Leser neue Lebewesen scheint zunächst nichts weiter als eine besonders ertragreiche Ölpflanze zu sein, die weltweit in großen Plantagen angebaut wird und wegen ihrer außergewöhnlichen Gestalt auch ein beliebtes Gartengewächs geworden ist. Auf dem Kompost hinter dem elterlichen Haus hat Masen einst als kleiner Junge seine erste, dort wild hochgesprießte Triffid entdeckt. «Heutzutage, da jeder weiß, wie eine Triffid aussieht, ist es schwierig, den fremdartig bizarren Eindruck zu beschreiben, den die ersten auf uns machten», heißt es im zweiten Kapitel beiläufig, nachdem die Handlung mit einer spektakulären Katastrophe begonnen hat.

Nach ungewöhnlichen nächtlichen Himmelserscheinungen – angeblich verglühte ein Kometenschwarm in der Atmosphäre – ist die große Mehrheit der Londoner Bevölkerung erblindet. Dass William Masen zu den wenigen gehört, die ihr Sehvermögen nicht eingebüßt haben, hat er seiner Arbeit mit den Triffids zu verdanken. Die ausgereifte Triffid verfügt über eine Art Giftpeitsche, die sie aus dem Blütenkelch schnellen lassen kann, und einen solchen Triffid-Hieb mitten ins Gesicht hat der Biologe nur dank schneller fachkundiger Hilfe überlebt. Er lag mit verbundenen Augen im Krankenhaus, als die meisten den Blick zum nächtlichen Firmament richteten.

Schnell wird klar, dass es sich bei der Massenerblindung um eine globale Katastrophe handelt. Und weltweit zieht das erste Unglück ein zweites nicht weniger fatales nach sich: Die Triffids brechen aus Plantagen, Parks und Gärten aus und beginnen systematisch Jagd auf die gehandicapten Menschen zu machen. Dass die Pflanze auswurzeln und sich auf ihren drei Strunkstummeln torkelnd vorwärtsbewegen kann, war bekannt. Wie weit ihre Wahrnehmungs- und Kommunikationsfähigkeit und vor allem ihre kollektive Intelligenz reichen, wird erst jetzt offenbar. Es ist, als hätte das skurrile Grünzeug insgeheim längst auf eine Gelegenheit zum Losschlagen gewartet. Die Blinden wie die Sehenden und damit die Menschheit samt ihrer stolzen Kultur drohen dem Vernichtungswillen einer gut mannshohen Staude zu erliegen, die, wenn sie ihresgleichen zum Angriff zusammenrufen will, mit kurzen Stielen gegen ihren Schaft trommelt.

Das Grauen, das aus der bloßen Beschreibung der Triffids erwächst, übersteigt dabei auf eine merkwürdige Weise das Entsetzen, das der elende Tod der Blinden beim Lesenden hervorrufen kann. Wenn eine der Pflanzen ihre Wurzeln in einen verwesenden Leichnam senkt, spürt man gleich dem

Helden des Romans, dass dieses Bild von noch etwas weit Schrecklicherem als von einer gefährlichen Spezies erzählt. Der Tiger oder der Grizzly, der irgendwo in Indien oder Nordamerika einen Menschen tötet, tut dies gewissermaßen auf Augenhöhe, von Individuum zu Individuum. Ein Ich fällt einem anderen Ich zum Opfer, und als letzter existenzieller Trost bleibt dem Unglücklichen zumindest die Einsicht, dass mit ihm ein sterbliches Wesen einem vergleichbaren Geschöpf unterliegt. Im Reich der Science Fiction gilt dieses paritätische Gegenüber sogar noch, wenn der Astronaut vom Planeten Erde mit einem mörderischen Mars-Monster aneinandergerät. In der gesichtslosen Menge der Triffids, die die Behausungen der verschanzten Menschen zu Tausenden bedrängen, offenbart sich jedoch eine andersartige Bedrohung. Diese Gefahr ist nicht neu, im Gegenteil, sie ist uralt. Dass sie unseren tapfer kämpfenden Artgenossen neuartig erscheint, liegt allein daran, dass unsere Grandiosität, dass das hypertrophe Selbstbewusstsein der Gattung Mensch sie für etwas Banales blind gemacht hat.

Im gleichmäßigen Grün der Pflanze, in der seriellen Vielheit ihrer Stängel und Blätter leuchtet die radikale Brutalität des Prinzips Leben selbst auf. Es, das Leben, will nichts als nur weitergehen. Fortzudauern ist sein einziges Ziel. Das Individuum ist ihm dabei bloß Mittel zum Zweck, nur einer von Abermillionen Fackelträgern, die die Flamme weiterreichen. Mit diesem schicksalhaften Ärgernis, mit diesem Skandal der Schöpfung scheint der Mensch, so er selbst Kinder zeugen darf, seinen Frieden machen zu können. Aber die Konfrontation mit den Triffids bedeutet eine Intensivierung der scheinbar geläufigen Ohnmacht: Auch die einzelne Spezies hat keinerlei Anspruch auf ewige Dauer. Das Leben braucht die Menschheit so viel oder so wenig, wie es einst die Saurier gebraucht hat. Der Fortgang des Lebendigen stünde keine Sekunde in Frage, wenn ein bestimmtes auf zwei Beinen schreitendes, übertrieben selbstgewisses Säugetier in Zukunft nur noch auf Versteinerungen zu sehen wäre.

Die Helden des Romans begreifen dies, und es stiftet wunderbare Momente heroischer Identifikation zu lesen, wie sie sich der gnadenlosen Allgemeinheit der Triffids entgegenstellen. Sogar den menschlichen Artefakten, unserer verdinglichten Kultur, wächst ein besonderes Pathos zu. Schon die Triffid-Schutzmaske, die sich einer der Erblindeten mühsam aus feinem Draht flicht, legt Zeugnis davon ab, wie unvergleichlich findig wir selbst dann noch sind, wenn es gilt, dem großen grünen Grauen zu trotzen.

(Geschrieben für die Neue Zürcher Zeitung, *Januar 2007)*

DIE TÜCKE DES GÄRTNERS

Über das Töten niederer Tiere

Aus einiger Entfernung betrachtet, sieht mein Gebaren zum Glück bloß komisch aus: Ein Mann, der langsam an Gemüse- und Blumenbeeten entlanggeht, eine Haushaltsschere in der Hand, und sich regelmäßig bückt, um sein Werkzeug in den Salat, zwischen die Spinatreihen und auf die Blätter der Stauden schnappen zu lassen. Wer mir allerdings über die Schulter sähe, würde mein Tun mit großer Wahrscheinlichkeit nicht lächerlich, sondern eher abstoßend finden. Denn jedes Schnippschnapp halbiert den langgestreckten Leib einer Nacktschnecke oder zertrümmert die spiralig gemusterte Kalkschale eines derjenigen Gastropoden, die ein Schutzgehäuse mit sich tragen.

Jetzt, im Mai, lohnt es sich bereits, dies zweimal am Tag, frühmorgens und in der Abenddämmerung, zu tun. Ein halbes Hundert Tiere wird pro Tag Opfer meiner Rundgänge, und im Sommer werden es, so dieser nur regnerisch genug ist, an manchen Tagen doppelt so viele sein. Denn unser Grundstück ist an drei Seiten von Entwässerungsgräben umgeben, an die sich Büsche und Bäume anschließen. Die sechs Meter, die diese Feuchtzone von den Blumenbeeten rund ums Haus trennen, durchkriecht eine große Wegschnecke, angezogen von den Duftstoffen der Kulturpflanzen, während einer

Nacht. Wenn ich allerdings für einen Kordon aus zerschnittenen Schneckenleibern sorge, bleiben viele der nachfolgenden Wanderer an ihnen hängen, um sich am ausgetretenen Leibbrei der Artgenossen zu laben, bis sie im Morgendämmer selbst Opfer meiner Schere werden.

Diese Überlegung gehört zu einer pragmatischen Theorie der Tücke, die ich, der spät berufene Gärtner, mir in den zurückliegenden fünfzehn Jahren nach und nach zurechtgelegt habe. Am Rand der Gemüsebeete liegen große Rindenstücke, unter denen die im ersten Licht abziehenden Schnecken Schutz suchen und, nichts ahnend, in die Falle gehen. Als ich die Beete vor dem ersten Aussäen frisch umgrub, tat ich dies mit der Lesebrille auf der Nase, um das eine oder andere ans Märzlicht geworfene Gelege zu erspähen und sofort, Ei für Ei, zwischen Daumen und Zeigefinger zerdrücken zu können. Ein befreundeter alter Mann, der dies zufällig mit ansah, schüttelte nur mitleidig den Kopf und wollte mir ein Kilo jenes Schneckengifts spendieren, mit dem er seit langem seine Kartoffeln und Bohnen zu schützen versteht. Falls mich ökologische Bedenken plagten, könne ich es ja nicht direkt zwischen die Pflanzen, sondern nur rund um die Beete streuen. Auf jeden Fall bleibe mir so dieses schrecklich umständliche und zudem wirklich eklige Handanlegen erspart. Aber ich rieb mir die klebrigen Fingerkuppen an der Arbeitshose trocken und lehnte sein Angebot ab.

Anders als die Schneckenkornstreuer habe ich die Wesen, die ich um ihr Leben bringe, inzwischen recht gut kennengelernt. Als wir aufs Land zogen, war es vor allem die schwarze und die ziegelrote Nacktschnecke, die unsere aufkeimenden Pflänzchen bis auf den Stängel abfraßen. Aber inzwischen sind diese Arten in unserem Garten recht selten geworden.

An ihre Stelle ist in den letzten Jahren die sogenannte Spanische Wegschnecke getreten. Vielleicht haben wir sogar selbst, über gekauftes Gemüse und unseren Komposter, zu ihrer Verbreitung beigetragen. Angeblich schmeckt ihr bitterer Schleim den Igeln, Kröten, Fröschen und einheimischen Vögeln nicht. Außerdem verträgt sie Hitze und Trockenheit offenbar besser als die althergebrachten Arten. Auch den strengen Frost des Winterendes überstanden nicht nur ihre Eier, sondern sogar einige vorjährige Exemplare, die sich offenbar gut genug verkrochen hatten, um im Frühjahr mit einer seltsam ledrigen, kältegebeizten Schleimhaut ihr individuelles Tun wiederaufnehmen zu können.

Ja, es sind Individuen, die ich gestern getötet habe, heute wiederum töte und morgen erneut töten werde. Es braucht nur wenige Sekunden Muße, also Anschauung und Bedenken, um die volle Gültigkeit ihrer Individualität anzuerkennen. Ein komplexer Körper bewegt sich durch eine Umwelt, die er sich mit Sinnesorganen, ähnlich den meinen, erschließt. Über ein feuchtes Atemloch versorgt sich dieser Organismus mit der gleichen Luft, der auch meine Lungen den Sauerstoff entziehen. Sogar die Absichten und Vorlieben dieser Wesen sind mir teilweise verständlich: das Bedürfnis nach Feuchtigkeit, das Vermeiden von starker Sonnenbestrahlung, die Vorliebe für bestimmte Aromen und für eine bestimmte Konsistenz der Nahrung. Welke Blütenblätter, vor allem von Bäumen oder von Rosen, fressen die meisten Schnecken offenbar am liebsten.

Bestürzend deutlich wird die Individualität dieser niederen Tiere in ihrem Schutzreflex. Sie reagieren sogleich auf meinen Zugriff, in gewisser Weise ahnen sie, dass ihnen Gefahr droht. Die Fühler, an deren Enden die einfachen Augen sitzen, ziehen sich zurück. Der Leib der Nacktschnecke ballt sich fast kugelförmig. Die Gehäuseschnecken versuchen mit erstaunlicher Schnelligkeit, den empfindlichen Körper ganz in ihre Kalkschale zu bergen. An frisch geschlüpften Hausschnecken, zu winzig für die Schere, an Tierchen, deren Schale noch gummiartig weich ist, ist dieses Sich-retten-Wollen besonders anrührend. Und die Überlebenden der vorjährigen Generation, die hinter einem selbsterzeugten Schutzdeckel die Wintermonate überstanden haben, kommen mir vor wie die Veteranen einer immerwährenden Schlacht, die lange beharrlich alles ihnen nur Mögliche gegen den täglich drohenden Tod aufgeboten haben, um nun doch noch der Hinterlist eines logistisch und technologisch weit überlegenen Gegners zu erliegen.

Es gibt weniger schändliche Schneckentöter als mich. Einmal habe ich einen schwarzen Laufkäfer gesehen, der seine Klauen in den Kopf einer mehr als doppelt so langen Wegschnecke verbissen hatte. Die beiden Tiere, das räuberische Insekt und das pflanzenfressende Weichtier, saßen sich bewegungslos gegenüber. Der Ausgang ihres Aufeinandertreffens schien noch unentschieden. Vielleicht würde der Käfer doch noch von seiner Beute ablassen, weil das elektrochemische Flackern seines Nervensystems irgendwann zu der Erkenntnis gelangte, dass er sich übernommen hatte. Noch gab es für die Schnecke die Möglichkeit, mit dem Leben davonzukommen. Keine einzige der vielen Artgenossinnen, über die ich mich mit meinem simplen Haushaltswerkzeug beugte, hat je auch nur den Hauch einer solchen Chance besessen.

Selbst die einzige Schonung, die ich den Schnecken und mir gönne, ist fragwürdig. Fast gleichzeitig mit der schmutzig braunen Spanischen Nacktschnecke tauchte der Tigerschnegel in unserem Garten auf. Das beeindruckend gefleckte Tier ist die größte und schönste der einheimischen Wegschnecken. In gewisser Weise rettete den Tigerschnegel seine Schönheit. Denn das auffällige Muster seiner Haut brachte mich dazu, im Internet zu recherchieren, um welche Schneckenart es sich handelt. Angeblich ist der Tigerschnegel kein Gartenschädling, weil er sich bei der Nahrungssuche auf welkendes und abgestorbenes Blattwerk, Pilze und faulendes Holz beschränkt. Tatsächlich habe ich noch nie ein Exemplar auf einem grünen Kohlrabiblatt oder einer blühenden Staude entdeckt. Aber auch die Schönheit des Tigerschnegels fiele meiner Schere zum Opfer, wenn ich ihn dabei ertappte, wie er sich die Schönheit einer Blüte nach und nach einverleibt.

Ich bin mir sicher, dass es weder für Schnecken noch für Menschen ein himmlisches Jenseits gibt. Aber eine Hölle für mich und meine Artgenossen kann ich mir sehr gut vorstellen. Wenn dieser Ort der Rache und Verdammnis in Abteilungen differenziert ist, müsste ich bei denjenigen landen, die niedere Tiere ohne Not massenhaft getötet haben. Denn das Gemüse, das wir essen, könnten wir billig in irgendeinem Großmarkt, ein wenig teurer im nächsten Bioladen, erwerben. Und der fragwürdigen Schönheit unserer hochgezüchteten Blütenpflanzen werde ich eines Tages die bewegte Schönheit von einigen tausend lebenshungrigen und schmerzempfänglichen Individuen geopfert haben.

In einem Höllentrakt, der meinem irdischen Handeln angemessen wäre, würde mich das Schicksal jener Katze erwarten, die ich vor einigen Tagen totgefahren am Straßenrand liegen sah. Ihr blutiges Fell war über und über von Schnecken bedeckt. Die Gastropoden, die so gerne hauchdünne Rosenblätter naschen, sind auch tüchtige Aasverwerter. Und zweifellos hätte ich wegen all der Schnecken, die ich bereits getötet habe und noch töten werde, verdient, dass sich im Jenseits jede einzelne von ihnen auf ihre Weise, mit genüsslich langsam schabender Raspelzunge, an meiner individuellen sterblichen Hülle gütlich tut.

(Geschrieben für die Süddeutsche Zeitung, *Mai 2012)*

GLIEDERFÜSSLER LÄCHELN UNS AN

Die Biene Maja wird hundert Jahre alt

Sogar im Winter sind sie da und näher, als uns recht ist: Zwischen Fenster und Fensterrahmen klemmt der kältestarre Marienkäfer. Über die mitternächtlichen Badezimmerfliesen huscht ein Silberfischchen. Und was zur selben Stunde die Spinne, die hinter dem Schrank wohnt, auf unserem Wollteppich an mikroskopisch winzigen Vielbeinern erbeutet, wollen wir uns lieber nicht ins Sichtbare vergrößert vorstellen. Man muss schon Imker oder Leser einer besonderen Art von Literatur sein, um sich in den kalten Monaten über das Dasein, die Eigenart und das Wohlergehen der Arthropoden Gedanken zu machen.

Kein Wunder, dass die Handlung von Waldemar Bonsels 1912 erschienenem Tierroman «Die Biene Maja und ihre Abenteuer» an einem sommerlich warmen Frühlingstag anhebt und eine blendend helle Naturlandschaft heraufbeschwört. Die junge Maja hat zum ersten Mal ihren Stock verlassen. In zügiger Folge kommt das kindlich neugierige Tier auf Halm und Blatt mit anderen Vielbeinern ins Gespräch. Sie trifft Rosen- und Mistkäfer, Heuschrecke und Tausendfüßler und eine Stubenfliege, die sich mit «Puck» vorstellt und «auf Sommerfrische» im freien Gelände unterwegs ist.

Der Zauber, mit dem eine gute Tiererzählung nicht nur die

lauschenden Kleinen, sondern auch die vorlesenden Großen in ihren Bann schlägt, beruht auf einer erzählerischen Balance: Die auftretenden Figuren sind interessant durch ihre leibliche Andersartigkeit und die Fremdheit ihres artspezifischen Verhaltens. Völlig fremd dürfen sie uns allerdings keine einzige Seite lang werden. Unter Fell oder Panzer müssen markante Elemente des Humanen stecken und sich im Lauf des Geschehens immer wieder in Wort und Tat offenbaren. Wie fragil das Gelingen dieses Spiels ist, zeigt die Mehrzahl der einschlägigen Kinderbücher und Animationsfilme. Das albern Menschelnde und das bemüht Zeitgemäße dominieren die Gestaltung der Figuren wie die Struktur der Handlung. Das Tierhafte und seine nie restlos auflösbare Fremdheit hingegen werden von Anfang an ins Verschwinden zurückgedrängt.

Die TV-Verfilmung von Bonsels Roman aus den 70er Jahren geht in dieser Richtung besonders weit. Der Zeichner Marty Murphy hat Maja nahezu restlos ihrer Insektenhaftigkeit beraubt. Die kleine Heldin hat Menschenärmchen und läuft auf Menschenfüßen. Der gegliederte Körperbau der Insekten wird nicht einmal angedeutet. Majas pummeliger Rumpf steckt in einem gelbschwarz geringelten Overall. Sie hat das stupsnasige Gesicht eines kleinen Mädchens. Nur wenig besser ergeht es der Fliege Puck. Auch sie darf nur vier Gliedmaßen haben, aber immerhin sind die Größe und die Form ihrer Augen denen der Fliegen nachempfunden. Unvollstellbar jedoch, dass sich aus diesem grinsenden Comic-Gesicht wie im Roman die Saugplatte eines behaarten Rüssels einem Blatt entgegensenken könnte.

Es überrascht zu erfahren, dass die frühe, erste Verfilmung des Buches, das schon bald nach seinem Erscheinen zu einem

Weltbestseller geworden war, einen entgegengesetzten Weg gegangen ist. 1926 kam ein damals sogenannter «Kulturfilm» in die Kinos, den der Biologe und Regisseur Wolfram Junghans und der Kameramann Adolf Otto Weitzenberg unter Mitarbeit des Autors mit lebenden Gliederfüßlern realisiert hatten. In aufwendig und einfallsreich arrangierten Szenen sind echte Bienen, Spinnen und Käfer zu sehen. Ihre Vermenschlichung, ihr Fühlen, Denken und das angeblich Absichtsvolle ihres Agierens, gewährleisten allein die zahlreichen Zwischentitel, die in den Stummfilm integrierten Texttafeln.

Wer der Literatur den Vortritt gelassen hat, bemerkt schnell, was bei beiden Vorgehensweisen, in der Trickfilmadaption wie in der scheinbar dokumentarischen Ablichtung, auf der Strecke bleibt: jene eigentümliche emotionale Ambivalenz, von der unser Verhältnis zu den Arthropoden zehrt. Weit schärfer als bei anderen Tieren kontrastieren in unserer Wahrnehmung der chitingepanzerten Vielbeiner Anziehung und Abstoßung, Grauen und ästhetische Faszination.

«Wie wunderschön! Wie wunderschön!», ruft Maja begeistert, als die Libelle Schnuck sich vor ihr in der Wasseroberfläche eines Teiches spiegelt. Es ist nicht die erste überschwängliche Schönheitsbekundung des Romans. Bereits der Rosenkäfer Peppi, mit dem Maja, kaum ausgeflogen, ins Gespräch kam, wurde von ihr für die Pracht seiner fächerartigen Fühler gepriesen. Und Peppi hat sich umgehend mit «Dafür haben Sie schöne Augen, und die goldene Färbung Ihres Körpers hat viel für sich» revanchiert.

Den Gipfel der Schönheitsbeschwörung erreicht die Erzählung, als Maja Gefangene der Hornissen wird. Durch einen Spalt ihres Kerkers beobachtet die junge Biene den Kriegsrat der Artverwandten: «Wenn nur diese glitzernden Ungeheuer nicht solch unsägliches Entsetzen eingeflößt hätten, sie würde sicher über die Kraft und Pracht in Entzücken geraten sein.» Und die emphatisch detaillierten Beschreibungen der Hornissenleiber, die der Szene bereits vorausgegangen sind und noch folgen werden, verstärken diese Ambivalenz aus ästhetischer Berauschung und einem Grauen, das sich gegen die Gestaltwerdung des Schönen in diesen großen Insekten, nicht selten binnen eines einzigen Satzes, auflehnt.

Auch der Kulturfilm von 1926 enthält eine Sequenz, die den Betrachter vergleichbar zwiespältig bewegen kann. Im Zeitraffer-Modus und grünlich viragiert sieht man, wie sich eine Libelle von ihrer Larvenhülle befreit. Ein großäugiges Wesen sprengt den eigenen Körperpanzer und windet sich feucht und weich aus der gespaltenen Rückenschale. Der bisherige, beißzangenbewehrte Schädel bleibt ausgehöhlt zurück. Vom Zeitraffer ruckartig beschleunigt, entfalten sich die Flügel, und schließlich erreicht die an der Luft trocknende Imago der Libelle jene glänzende Härte und perfekt ausgewogene Geformtheit, die sie unter den Insekten zum Inbild bewegter wie vibrierend stillstehender Grazie macht.

Gegen Ende des Romans ist es diese Libellen-Schönheit, die der gefangenen Maja die Flucht aus der Hornissenburg ermöglicht. Denn der Torwächter, im Mondlicht selbst bestechend golden funkelnd, ist von Schnucks andersartiger Gestalt besessen und lässt die Biene passieren, nachdem sie ihm im Tausch für ihre Freiheit verraten hat, wo sich die abgöttisch Angebetete zurzeit aufhält.

Und das Grauen? Das ekelnahe Entsetzen, das der Mensch, bei aller Bezauberung durch Libelle und Schmetterling, vor den Gliederfüßlern empfinden kann? Die schwarzbehaarte

Stubenfliege Puck ist die Menschenkennerin unter den auftretenden Vielbeinern. «Den kenne ich wie meine Hosentasche», erklärt sie Maja, als sich diese nach dem Menschen erkundigt, «ich sitze täglich darauf.» Und dann beklagt sie die törichten Nachstellungen dieser Wesen, auf deren Haut sie so gern die Saugplatte ihres Rüssels senkt. Schließlich sei sie mit ihnen groß geworden: «In ihre Stubenecke legte meine Mutter das Ei, aus dem ich gekrochen bin ...»

Dies, die feuchte, zuckende Made der Stubenfliege, wollen wir uns lieber nicht als häuslichen Mitwohner vorstellen. Und auch Maja, die doch selbst eine weiche weiße Larve gewesen ist, wird ihren Blick den ganzen Roman lang ausschließlich auf die gepanzerte Endgestalt der Arthropoden, die ihr begegnen, richten. Selbst als die Libelle Schnuck dem blauen Brummer Hans Christoph, vor Majas Augen und mitten in einem wunderbar witzigen und zugleich tiefsinnigen Dialog, den Schmeißfliegenkopf abreißt, dringt nichts von Hans Christophs Innerem nach außen.

«Wie schön! Wie wunderschön!», ruft Maja der gierig gefräßigen und zugleich nachdenklich lebensklugen Schnuck später begeistert zu. Der Autor lässt sie hierzu in Hände klatschen, die sie nicht hat, ähnlich wie sie in anderen Szenen errötet und lächelt, ohne ein Gesicht zu besitzen. So lässt sich die Schönheit der krabbelnden und fliegenden Vielbeiner lieben: als glänzende Panzerung, die das Sonnenlicht trügerisch schillernd zurückwirft und unsere Reflexion ablenkt von der grauenhaften, jede Form erfüllenden und wieder verlassenden Plastizität der belebten Natur, zu der auch wir uns, weichhäutig und auf zwei Beinen schreitend, zählen müssen.

(Geschrieben für die Neue Zürcher Zeitung, *Januar 2012)*

DER LUXUS DIESER WUNDERBAREN WANZENSACHE

Kafkas «Verwandlung», unserer Zeit gemäß ediert

Selbst die besten Bücher dürfen wir nach ihrer Lektüre vergessen. Ja, es liegt ein merkwürdig leichtfertiger Luxus, ein fahrlässiger Genuss gerade darin, die Einwirkungen, die bedeutende Werke auf uns hatten, zügig im Nebel des Halberinnerten und dann in der Finsternis des Unerinnerbaren versinken zu lassen. Allerdings ist dies ein relativ junges Privileg des lesenden Standes. Erst der zeitgenössische Leser guter Literatur braucht keinerlei Kenntnisprüfung mehr zu fürchten. Niemand wird Sie oder mich ernstlich fragen, was in einem großen Text eigentlich passiert und was Ihnen oder mir bei der Imagination dieses Geschehens innerlich zugestoßen ist. Mit dem Niedergang des literarischen Kanons verblasste auch die Pflicht des Bildungsbürgers, von seinem Lektüreerlebnis Zeugnis geben zu können. Kafkas «Verwandlung»? Ist das nicht diese etwas unappetitliche Käfergeschichte?

«Eine ausnehmend ekle Geschichte» nennt Franz Kafka im November 1912 seine unvollendete Erzählung in einem Brief an Felice Bauer. Und er steigert diese Einschätzung im folgenden Satz noch zu einem «ekelhaft ist sie grenzenlos». Aus heutiger Sicht könnte man die Art, wie der 29-Jährige hier als sein eigener Leser von der Ekelpotenz des Frischverfassten spricht, für kokett halten. Spielt dieser Autor sich nicht auf wie ein Horrorfilmregisseur, der, warnend und werbend zugleich, auf die besonders schockierenden Special Effects verweist, die sein kommender Streifen enthalten wird?

Gerade der Vergleich mit dem Film jedoch zeigt, warum man Kafka mit diesem Verdacht unrecht täte. Die Verwandlung eines Menschen in ein Insekt gehört in das szenische Arsenal des Horrorfilms, und in der Regel vertraut dieses Genre dabei nicht auf seine subtilen Techniken, sondern wählt den Frontalangriff. Der Gestaltwandel vollzieht sich in voller Leinwandbreite vor den Augen des Betrachters. Die Differenz zwischen dem humanen und dem insektoiden Körper, vor allem der Unterschied zwischen dem menschlichen Antlitz und dem erschreckend gesichtslosen Kopf des Kerbtiers wird brachial ausgespielt. Und je raffinierter die filmischen Hilfstechniken sind, je diffiziler die Maske, der Schnitt und der Trick diese Verwandlung in die Länge zu ziehen vermögen, umso drastischer die Wirkung. Ihren bisherigen Höhepunkt hat die filmische Verwandlungsillusion im Morphing erreicht, einer Computerbearbeitung, die einen trügerisch gleitenden Übergang zwischen Ausgangs- und Zielbild möglich macht.

Zum entwaffnenden Zauber von Kafkas Geschichte gehört aber, dass mit dem Eröffnungssatz aller Veränderungshorror bereits vorbei ist. Und der erste Blick auf den neuen Körper, der ein schockierter sein könnte, gehört nicht der liebenden Schwester oder der sorgenden Mutter, sondern dem betroffenen Textilwarenvertreter Gregor Samsa selbst. Sein Schauen geht nicht in den Spiegel, sondern nur auf die ungewohnt hoch gewölbte Bettdecke. Selbst das Entsetzen eines allmählichen Gewahrwerdens bleibt uns erspart. Der zum «Ungeziefer» gewordene junge Mann weiß sofort Bescheid, und mit verstörender Gefasstheit deutet er jede neue leibliche Empfindung sogleich richtig. Das erste Adjektiv, mit dem seine Gemütslage bezeichnet wird, lautet «melancholisch». Aber es ist das trübe Wetter, es sind die auf dem Fensterbrett aufschlagenden Regentropfen, die ihn melancholisch machen, nicht der Umstand, in ein riesiges Insekt verwandelt zu sein.

Haben Sie den Anhub der Geschichte in anderer Erinnerung? Ekliger? Irgendwie kakerlakenhafter? «Herr Franz Werfel hat mir so viel von Ihrer neuen Novelle – heißt sie die ‹Wanze› –? erzählt, dass ich sie gerne kennenlernen möchte.» So schreibt Kurt Wolff nach Prag. Wir können nicht wissen, welch garstige Details der Verleger erzählt bekommen hat. Das Wort «Wanze» taucht in der Erzählung jedenfalls nicht auf, und eigentlich deutet nichts an dem in einen mannsgroßen Vielfüßler verwandelten Samsa auf jene kleinen nachtaktiven Blutsauger, auf jene Bettwanzen, die auch Kafka bei seinen Reisen in Hotels angetroffen hat und die wie andere Parasiten im anbrechenden Ersten Weltkrieg das Blut von Millionen verwahrloster Soldaten trinken sollten.

Dennoch, in einem vergleichbaren Ekelbann war auch mir aus meiner letzten Lektüre das Bild eines besonders detailliert beschriebenen und daher außerordentlich abstoßenden Saugvorgangs zurückgeblieben. Die entsprechende Stelle suchend, fand ich nun, bei erneutem Lesen, folgende Passage: «Seine Wunden mussten übrigens auch schon vollständig geheilt sein, er fühlte keine Behinderung mehr, er staunte darüber und dachte daran, wie er vor mehr als einem Monat sich mit dem Messer ganz wenig in den Finger geschnitten, und wie ihm diese Wunde noch vorgestern genug weh getan hatte. ‹Sollte ich jetzt weniger Feingefühl haben?›, dachte er und saugte schon gierig an dem Käse, zu dem es ihn vor allen anderen Speisen sofort und nachdrücklich gezogen hatte. Rasch hintereinander und mit vor Befriedigung tränenden Augen verzehrte er den Käse, das Gemüse und die Sauce ...»

Kann es eine süßere Verlockung zum Mitempfinden geben? Der unglückselige Samsa, der sich seinen neuen, noch ungeschickten Körper blutig gerissen hat, als er sich hastig vor seiner Familie verbergen wollte, kann, halbwegs genesen, aber arg ausgehungert, zum ersten Mal wieder etwas zu sich nehmen. Seine Schwester hat dem Verwandelten, der bereits einen Napf Milch verschmäht hat, aus «Güte» und «Zartgefühl» eine kleine Auswahl von Esswaren und Speiseresten auf eine alte Zeitung gelegt. Wenn diese Szene Anlass zu Ekelphantasien gibt, können sie eigentlich nur in der Wendung «saugte gierig» einen Anhalt finden, alles andere ist von bestürzend anrührender Intimität.

Ekel ist kein Urgefühl. So heftig und scheinbar unmittelbar er uns als Affekt zu schütteln vermag, er gehört nicht zu den Empfindungen, die dem Menschen in die Wiege gelegt sind. Bei Vorschulkindern lässt sich ohne Mühe beobachten, wie diese den Ekel, vor Spinnen zum Beispiel, langsam erlernen und sich das Erworbene bald situativ zunutze machen. Mit einem gewissen Recht kann man den Ekel einen Distanz- oder Deckaffekt nennen, eine vorgeschobene Empfindungsmöglichkeit, die das langsamere Durchleiden oder die zeitraubende Wollust anderer Empfindungen durch eine jähe affektive Entladung verhindert. Und in dieser konsequenten Beschleunigung der Gefühlsabfuhr liegt auch die Modernität, die fast technologische Funktionalität des Ekelgefühls.

Kafkas Erzählung dagegen ist schmerzlich langsam, aber

auch umständlich wollüstig. Die wenigen Lebenswochen, die dem zuvor so pflichtbewussten Handelsvertreter als Tier vergönnt sind, könnte man das grandiose Hochplateau seiner ansonsten elend flachen Lebenslandschaft nennen. Jetzt erfährt Samsa nicht nur, was es heißt, mit unbeschränktem Genuss ein Stück Käse zu essen, sondern er lernt die kindlich radikalen Freuden extremer Selbstwahrnehmung kennen, den Rausch der Bewegung zum Beispiel, wenn er in «fast glücklicher Zerstreutheit» an der Zimmerdecke kriecht und sich «zu seiner eigenen Überraschung» immer wieder schadlos auf den Boden fallen lässt.

Aber auch den Gipfel der idealisierenden Liebe, die ja immer weit mehr einem Bild als einem wirklichen Menschen gilt, erreicht Samsa in seiner abschließenden Tiergestalt. Als Schwester und Mutter Gregors Zimmer leer räumen, krabbelt er, so schnell er kann, die Wand hinauf, um mit seinem Körper eine einzige Sache, das dort aufgehängte Illustriertenfoto, zu schützen: «... da sah er an der im Übrigen schon leeren Wand auffallend das Bild der in lauter Pelz gekleideten Dame hängen, kroch eilends hinauf und presste sich an das Glas, das ihn fast festhielt und seinem heißen Bauch wohltat.» Spätestens hier mag dem Leser dämmern, dass dieses Menschentier nicht nur Appetit auf Käse und schöne Fotos hätte, wenn ihm der Ausbruch aus seinem Zimmer gelänge.

So Sie nur wollen, können Sie mit eigenen Augen sehen, wie Franz Kafka das ekstatische «presste» in seinem Manuskript durchgestrichen hat, um die Ausstreichung dann doch durch fünf Punkte wieder aufzuheben. Sie brauchen dazu nur die gerade erschienene Faksimile-Edition der Erzählung aufzuschlagen. Außer der fotografischen Reproduktion der Handschrift, außer deren getreuer Transkription, neben einer CD, die beides auf den PC bringen kann, außer einem textkritischen Beiband enthält der weiße Schuber noch eine ganz besondere Gabe an den bibliophilen Leser: einen Nachdruck der Erstausgabe. Das schwarze Büchlein reproduziert die Gestalt, in der die Geschichte im Dezember 1915 im Kurt Wolff Verlag erschienen ist.

Gebeugt über diese Ausgabe konnte ich mir nur schwerlich eine luxuriösere Weise, Kafkas «Verwandlung» zu lesen, vorstellen. Jetzt darf man in Kafkas Handschrift oder in der wunderbar hochbrüstigen «Golden Type» von William Morris erfahren, wie durch das Tieropfer des Sohnes zumindest der Rest der Familie aus der Apathie bloßen Versorgtwerdens erwacht, wie vor allem die geliebte und kunstliebende Schwester in ein tätiges gesellschaftliches Leben findet.

Aber der Gipfel des Luxus, das köstlichste Lektüreprivileg liegt vielleicht doch darin, die mit der «Verwandlung» gemachten Erfahrungen dann allesamt erneut zu vergessen. Vielleicht gehört es zur Kunst modernen Lesens, den Rang, die Akutheit von Kafkas Prosa immer wieder radikal verdrängen zu können. Gerade in diesem Verlieren erneuern wir unsere Kräfte. Und wenn die rechte Zeit gekommen ist, schieben wir den dünnen Schutz des Wanzenekels wie eine lästige Bettdecke beiseite, um mit bang ahnendem Herzen das ungeheure utopische Potenzial dieses Textes zu entdecken.

(Geschrieben für die Süddeutsche Zeitung, *Oktober 2003)*

DER FEIND, DER EHRT

Daphne du Mauriers Erzählung «Die Vögel»

Was ist das, was da jeden Morgen im unendlich komplexen Kollektiv seines Körpers aufwacht, von sich und dem gewaltigen leiblichen Rest ganz simpel als «ich» spricht und dann auf die äußere Welt losgeht, als ob deren alle Namen überschreitende Vielfalt auf nichts anderes als auf ein ich-sagendes Tier gewartet hätte?

In Daphne du Mauriers Erzählung «Die Vögel» heißt diese selbstgewisse Monade Nat Hocken und lebt als Landarbeiter an der englischen Küste. Zum Zeitpunkt der Handlung, um 1950, ist Nat Hocken etwa vierzig Jahre alt, verheiratet und Vater zweier Kinder. Aus dem Zweiten Weltkrieg hat er eine nicht weiter beschriebene Behinderung davongetragen. Nat, der als einzelgängerisch und eingebildet gilt, weil er am liebsten alleine arbeitet und Bücher liest, bemerkt als Erster, dass etwas mit den See- und Landvögeln der Umgebung nicht in Ordnung ist. Und sogleich tut der eigenbrötlerische Kriegsinvalide das, was konventionelle Erzählliteratur von ihren Subjekten verlangt: Er beobachtet, urteilt, plant und handelt. In aller Eile beginnt Nat Hocken sein kleines Farmhaus zu befestigen, als Einziger in der Gegend bereitet er sich auf einen Angriff der Vögel vor.

Der Landarbeiter Nat ist Daphne du Mauriers Held; daran

kann bereits nach der ersten Seite kein Zweifel mehr bestehen. Und die erfahrene und erfolgreiche Erzählerin wusste gewiss, dass es die Lesenden rühren muss, wenn sich ein einfacher Familienvater mit dem, was ihm das Leben an Verstand gegeben und an Kraft gelassen hat, schützend vor Frau und Kinder stellt. Aber genauso sehr wie das Wofür macht das Wogegen die Eigenart eines heldenhaften Kampfes aus. Seit jenen Texten, in denen es noch gegen Drachen und Hunnenkönige gegangen ist, zehrt der heroische Glanz von der glimmenden Düsternis des besonderen Feindes. Und in diesem entscheidenden Punkt, in der Wahl des Feindes, bricht die routinierte Autorin mit der Konvention. Kein Räuber oder Mörder, kein gewinnsüchtiger oder mordlustiger Mensch, auch kein Vampir oder Monster, kein böses Individuum ist Nats übermächtiges Gegenüber, sondern ein Kollektiv: die Vögel. Auch ihre Namen, die der Text in großer Zahl nennt, vom Austernfischer bis zur Misteldrossel, bezeichnen in der Regel nie Einzeltiere, sondern Teilmengen der gewaltigen Masse, die das Helden-Ich, den Weltkriegsveteranen Nat Hocken, bedrohen.

In der Beschreibung der Vogelschwärme erweist sich Daphne du Mauriers erzählerische Meisterschaft. Und wer diese Autorin nur jener sogenannten gehobenen Unterhaltungsliteratur zurechnet, die die verhärteten Lebenslügen ihrer notorischen Leser als gefühlsselige Geschichten ins erlösende Fließen bringt, kennt diese Beschreibungen nicht. Statt des Ruhms, der ihr für «The Birds» zusteht, hat Daphne du Maurier bis jetzt nur die Krümel erhalten, die vom Tisch ihres Landsmanns Alfred Hitchcock fielen. Ein Glück für den stetig wachsenden Nachruhm dieses Regisseurs, dass auch zur Feier seines hundertsten Geburtstags anscheinend niemand auf die Idee gekommen ist, den Film «Die Vögel» ernstlich an seiner literarischen Vorlage zu messen! Denn im entscheidenden Punkt, in der Darstellung der Vögel, sticht sofort ins Auge, wie wenig der Altmeister der bewegten Bilder 1963 mit den Mitteln seines Mediums aus den Vögeln machen konnte. In ihrer Harmlosigkeit, ja Unbeholfenheit bleiben die bunten Schnappschüsse des zahmen oder für seinen Auftritt halbnarkotisierten Federviehs peinlich weit hinter den vergleichbaren Textstellen zurück. Hitchcocks Möwen und Krähen sind Komparsen, zu Kleindarstellern herabgewürdigte Individuen. Aus den Vogelschwärmen du Mauriers leuchten dagegen die grauenhafte Fremdheit und die bezwingende Magie dessen, was dem Ich vorausgeht und stets bereitsteht, die Stelle dieser fragilen Einheit – und sei es nur beim Einschlafen – zu übernehmen.

Nat Hocken kennt den Feind, der ihn zum Helden macht. Er, der grüblerische Einzelgänger, ist schon vor dem ersten Angriff der Vögel der geduldige Beobachter ihrer eigentümlichen Ruhelosigkeit und ihrer rätselhaften Selbstorganisation gewesen. Er begreift, dass das scheinbar irrsinnige Durcheinander der riesigen Schwärme kollektive Intelligenz bedeutet. Und wenn die Vögel das Wasser einer Bucht lückenlos bedecken und im Rhythmus des unsichtbar gewordenen Elements auf- und abwogen, wenn ihre Schwärme den Winterhimmel mit rasant wechselnden Zeichen beschriften, dann klingt an, dass dieses nervöse Gewimmel von für sich allein sinnlosen Elementen sogar das gültige Abbild von Intelligenz überhaupt sein könnte.

Mehrmals wünscht sich Nat in verzweifelter Wut, die englische Regierung möge Giftgas gegen die Vögel einsetzen. Und dieses Verlangen nach umfassender Ausrottung steigt so zwingend aus der klaustrophobischen Atmosphäre der Szenen auf, als läge es jedem in die Enge getriebenen modernen Ich nahe, mit derart endgültigen Mitteln reinen Tisch zu machen. Aber weder die «good old Navy» noch die ruhmreiche Royal Air Force, nicht einmal die verbündeten Amerikaner, von denen Nats Frau zuletzt noch Rettung erwartet, erscheinen, um den Ring der Belagerung zu durchbrechen. Auf der letzten Seite der Erzählung tüftelt Nat, im zähen Trott seiner bewussten Gedanken, an einem kleinen Plan, durch dessen Realisierung er die nächsten Tage zu überstehen hofft. Von der Nachbarfarm, deren Bewohner bereits tot sind, hat er eine große Rolle erstklassigen Stacheldraht herbeischaffen können. Damit will er in der nächsten Angriffspause die Fenster und Türen besser sichern.

Daphne du Mauriers knappe, in vieler Hinsicht bis in die Knochen konventionelle Spannungsgeschichte endet offen, und der letzte größere Absatz beschreibt noch einmal, in eisigkalter Grandiosität, die maschinenhafte Präzision und die kollektive Macht der zu Recht titelgebenden Vögel. Dann aber, in den allerletzten Sätzen, schlägt das Herz der Geschichte wieder in altmodischer Sentimentalität für den Helden Nat Hocken, für jenes Amalgam aus Erfahrung, Schmerzempfinden und Durchhaltevermögen, das Ich-Sagen gelernt hat. Dieses Ich will den nächsten Tag erleben. Und wenn es dessen Licht in der Phantasie des mitfühlenden Lesers erreicht, dann wird der Stacheldraht, mit dem es sich gegen das Größere und Allgemeinere zu schützen sucht, die Würde des vergänglichen Einzelnen angemessen krönen.

(Geschrieben für die Frankfurter Rundschau, *November 1999)*

DAS GROSSE MAMMUT IST TOT!

Zum Tod des Schriftstellers
Stanisław Lem

Die alten Mammuts waren, weil ihre Stoßzähne über Kreuz wuchsen, zu einem langsamen Hungertod verurteilt, doch konnte die Selektion gegen diese Erscheinung nichts ausrichten, weil sie erst nach der geschlechtlichen Aktivität auftrat.» Das alte Mammut ist tot! Stanisław Lem, aus dessen theoretischem Hauptwerk «Summa technologiae» der eingangs zitierte Satz stammt, ist im ehrwürdigen Alter von 84 Jahren gestorben.

Hätte er es für ungebührlich gehalten, dass man ihn in einem Nachruf mit den Mammuts, von deren fatalen Stoßzähnen er erzählt, vergleicht? Ich vermute, eher hätte er als Ergänzung folgendes Zitat verlangt: «Ein Organismus, auch wenn er individuell nicht altert (d. h. nicht kaputtgeht), altert im Rahmen der evoluierenden Population in dem Sinne, in dem ein ansonsten hervorragend erhaltenes Ford-Modell vom Jahre 1900 heute völlig überholt ist.»

Die beiden Textstellen stammen aus dem kurzen Kapitel «Konstruktion des Todes», und bereits dessen Titel zeigt, mit welch radikaler Lust Lem es liebt, zwei Welten in Vergleich zu setzen: die belebte Natur und das Reich der menschlichen Hervorbringungen. Beides scheint ihm ein exakt gleich großes Staunen zu evozieren. Das Wunder des Lebens besteht in der Finsternis seines Ursprungs und in der ungeheuren Entfaltung seiner Komplexität. Das Staunenswerte am Menschen ist all das, was er aus einem vergleichbar dunklen Anfang geschaffen hat und mit rasant wachsender Wirksamkeit weiter hervorbringt. Biologische und technologische Evolution sind für Lem auf gleich frappante Weise von Wandel und Ausdifferenzierung gekennzeichnet und fordern deshalb zu ähnlichen Spekulationen heraus. Was macht ein junger Mann, der von dieser doppelten Faszination ergriffen ist? Er sucht nach einer existenziellen Praxis, nach einem Beruf, in dem beides, das Phänomen Leben und der technologische Fortschritt, gleichermaßen präsent sind: Er wird Arzt.

Stanisław Lem wächst in einer polnisch-jüdischen Arztfamilie in Lemberg auf und beginnt dort 1940 unter sowjetrussischer Besatzung ein Medizinstudium. Dem setzt der Angriff der deutschen Wehrmacht ein Ende. Der hochbegabte und vielversprechende Jungmediziner muss Hörsaal, Bibliothek, Klinik und Labor verlassen und landet am anderen Ende der technologischen Fahnenstange. Er arbeitet den ganzen Krieg hindurch als Hilfsmechaniker und Schweißer für eine deutsche Firma, die alte Maschinen aufarbeitet. Wahrscheinlich wurzelt in dieser von den Zeitläufen erzwungenen Tätigkeit Lems späteres Interesse am Veralten von Technik, an Störungen von Gerätschaften und am völligen, ja katastrophalen Versagen von Maschinen. Als angelernter Schrottverwerter hatte der junge Lem im Rahmen einer Kriegswirtschaft hinreichend Gelegenheit, mit Händen und Augen zu studieren, welch böse Überraschungen, Demütigungen und tragikomische Niederlagen Wissen und Technik dem zufügen, der blind auf sie vertraut oder sich notgedrungen auf sie verlassen muss.

So überlebt er Nazi-Besatzung und Krieg. Und mit der Energie dessen, dem gegen die statistische Wahrscheinlichkeit eine Zukunft geschenkt worden ist, stürzt er sich noch zweimal, zunächst wieder in Lemberg, dann, nach der Annexion Ostpolens durch die Sowjetunion, in Krakau in ein Medizinstudium. Er schließt es sogar ab, verweigert allerdings ein allerletztes Examen, als er erfährt, dass sein kompletter Jahrgang zu Militärärzten gemacht werden soll.

Wäre Lem ein guter Arzt geworden? Fünfzehn Jahre nach Aufgabe seiner medizinischen Laufbahn wird er von sich sagen, dass er nur eine einzige Fähigkeit besitze, nämlich diejenige, über das Morgen zu schreiben. Das ist bescheiden und unbescheiden zugleich. Bescheiden schließt Lem damit aus, dass er, der vielseitig Talentierte, der von Wissenschaft und Technik Besessene, einen wirklich erstklassigen Naturwissenschaftler abgegeben hätte. Für Forschung und Lehre, für Institut und Universität war er sich nicht gut genug – aber zugleich auch zu gut. Irgendwann in seinen durchaus erfolgreichen Studienjahren muss ihm klargeworden sein, dass er noch besser zu etwas anderem taugte. Der Hochmut des jungen Lem liegt in der Sache, die er nun für die angemessene hält. Es ist die Zukunft, und er will sie nicht nur spekulativ bedenken, er will sie literarisch beschreiben.

Damit ist er allerdings nicht allein. Das Feld, das er betritt, ist bereits bestellt, und über das, was in der Regel auf den Äckern der Science Fiction sprießt, hat Lem oft gespottet. So wie der historische Roman in der Regel nur akute Befindlichkeiten in vergangene Verhältnisse rückspiegelt, bleibe auch der Zukunftsroman meist darin stecken, dass er das gegenwärtig Erkennbare plump maximiert, also nur eine verschlimmerte oder verbesserte Version gewohnter Weltschau an den Horizont der kommenden Zeit pinselt. Diese Science Fiction verdient für Lem ihren Namen nicht. Wissen ist für sie letztlich nur die tote Summe des gerade für wissenswert Gehaltenen und kein dynamisches System. Wissenschaft und Technologie kopieren und simplifizieren sich in dieser Literatur, erzeugen allenfalls Varianten und nicht selbsttätig das stupend Neue, so wie es die Natur, der einzig würdige Vergleichsgegenstand, es in ihrem Wandel stets zu produzieren vermocht hat.

Lems größter Romanerfolg, die Geschichte des Planeten Solaris, spielt diese Erfahrung des Neuen an einem klassischen Topos der Science Fiction-Literatur, an der Erkundung eines fremden Planeten, auf radikale Weise durch. Das Meer des Planeten ist selbst ein unbekanntes intelligentes Wesen. Die Forscher bringen ihren gesamten Wissensapparat und die damit verbundenen technologischen Mittel in Anschlag. Zwei vergleichbar komplexe, sich selbst regulierende Systeme stehen sich gegenüber. Der Mensch, Speerspitze der irdischen Bioevolution und Schöpfer der dortigen Technikentwicklung, greift an. Und das Fremde, das Neue, schlägt mit ungeahnten Waffen zurück.

Wie viel Lem hier mit literarischen Mitteln leistet, um diese Konfrontation anschaulich zu machen, begreift, wer den Roman mit seinen beiden Verfilmungen vergleicht. Andrei Tarkowski und Steven Soderbergh schaffen Kunstwerke von respektablem Rang. Aber sie versagen vor der Herausforderung, in ihrem Medium ein Bild des denkenden, phantasierenden Meeres, dieses Anders-Hirns, zu entwerfen. Lem jedoch gelingt dies auf doppelte Weise. Zum einen durch direkte Schilderung dessen, was das Meer aus sich hervorbringt. Noch intensiver und anrührender wirkt aber etwas vordergründig Prosaisch-Sprödes: die Zusammenfassung der wissenschaftlichen Literatur zu Solaris. Denn den Gelehrten und Forschern, die sich über mehrere Generationen dem Rätsel Solaris widmeten, ist mit dem unermüdlichen Wuchern ihrer Interpretationen zwar keine endgültige Erklärung, aber zuletzt doch ein großartiges, lebendig pulsierendes Bild ihres Gegenstands gelungen.

Das lässt sich nur lesend erleben. Und immer hat sich Lem nach dem intelligenten, nach dem unersättlich neugierigen Leser wie nach einer raren Spezies gesehnt. Manchmal hat er daran gezweifelt, dass es auf unserem Planeten beim gegenwärtigen Stand der Evolution viele davon gibt. Umfangreich wie die Bibliothek zum Planeten Solaris mag einem jungen Leser das erscheinen, was dieser Autor in über fünf Jahrzehnten an Text, an Romanen, Erzählungen und theoretischen Texten produziert hat. Fast alles ist klar und wunderbar zugänglich geschrieben. Und um einem Lem-Anfänger Mut und Lust zu machen, sollte man vielleicht dazusagen, dass es stets um das eine Meer geht, das in unseren Köpfen gegen seine Ufer schwappt. Das mentale System des Menschen ist der Drehpunkt, an dem Lem immer neu ansetzt, um die stupide Selbstverständlichkeit einer Zeit, die noch die unsere ist, spekulativ aus den Angeln zu heben. Stanisław, das große futurologische Mammut ist tot. Spielen wir mit seinen schönsten Knochen!

(Geschrieben für die Süddeutsche Zeitung, *März 2006)*

DER STAMM STIRBT NIE

Jack Londons Roman
«Jerry, der Insulaner»

Nehmen Sie Ihre ganze Tierliebe zusammen und stellen Sie sich einen prächtigen Hund vor: einen jungen, glatthaarigen goldbraunen Terrier, der Jerry gerufen wird. Jerry ist treu wie Gold, tapfer wie ein Löwe. Seine hündische Klugheit steht unserer menschlichen kaum nach, und weil wir in einer Tiergeschichte von Jack London sind, können wir Wort für Wort lesen, was sich Jerry über die Wesen denkt, denen er in seiner Welt, auf den Inseln der Südsee, begegnet: «Die Buschhunde waren zwar auch Hunde – er erkannte sie als seine Art an; aber sie unterschieden sich doch irgendwie von seiner eigenen stolzen Rasse, waren anders und geringer, gerade wie die Schwarzen sich von Herrn Haggin, Derby und Bob unterschieden.»

Ohne Zweifel, dieser Hund ist, obwohl er hier, am Anfang der Geschichte, erst zarte sechs Monate zählt, bereits ein ausgewachsener Rassist: «Ein Nigger war etwas, was man anknurrte. Ein Nigger, der nicht zum Haushalt gehörte, war etwas, was angefallen, gebissen und zerrissen werden musste, wenn es sich erfrechte, dem Haus zu nahe zu kommen.» In Jack Londons Südsee-Erzählung «Jerry, der Insulaner» geschieht dem vierbeinigen Titelhelden bald das Schlimmste, was einem rassestolzen Terrier passieren kann: Er fällt in schwarze Hände. Die Jacht seines Herrchens, eines Holländers, der mit Sklaven handelt, wird auf der Insel Somo von den Kriegern des gleichnamigen Stamms gestürmt. Und als sich am Abend der Kopf des weißen Kapitäns über dem Feuer dreht und im Rauch langsam zur Trophäe dunkelt, liegt das goldbraune Hundchen gefesselt im Kanuhaus unter den menschlichen Gefangenen, die nach und nach als sogenannte «Langschweine» aufgefressen werden sollen.

Jerry jedoch wird nicht in den Kochtopf wandern. Baschti, der greise Häuptling von Somo, hat etwas anderes mit dem Terrier vor: «Da alle Hunde von schwarzen Menschen Feiglinge waren, wurden weiter alle Hunde von schwarzen Menschen, so viele man ihrer auch heranzog, Feiglinge. Die Hunde weißer Menschen waren mutige Kämpfer. Wenn sie sich fortpflanzten, mussten sie ebenfalls mutige Kämpfer hervorbringen ... Das klügste war, ihn (Jerry) als Zuchthund zu betrachten und am Leben zu erhalten, sodass sein Mut in kommenden Generationen von Somo-Hunden immer wiederkehrte und sich verbreitete, bis alle Somo-Hunde stark und mutig waren.»

Man sieht, in Jack Londons Südseewelt sind selbst die Schwarzen gläubige und praktizierende Rassisten. Häuptling Baschti hat klare Vorstellungen von «Rassenverbesserung», und er schreitet nicht nur bei den Hunden zur Tat. Als ein alter, durch einen Unfall erblindeter Krieger mit großer Kaltblütigkeit und Klugheit den Mordanschlag einer feindlichen Sippe abwehrt, zwingt das Stammesoberhaupt den eingefleischten Junggesellen, zwei junge Frauen in seine Hütte aufzunehmen. Denn die Tugenden, die der Alte besitzt, sollen an Nachkommen weitergegeben werden: «Der Stamm lebt. Der Stamm stirbt nie. Und deshalb müssen wir, wenn unser Leben überhaupt einen Sinn haben soll, den Stamm stark machen.»

Man hat von Jack London gesagt, dass er der erste «rein» amerikanische Schriftsteller ist. Ohne sich auf einen europäischen Stammbaum stützen zu können, ohne die Rückendeckung literarischer Ahnen, allein von der enormen Beschleunigung, vom eisigen Fahrtwind der Neuen Welt getrieben, sei er vor die modernen Leser gekommen. Und wer so, ohne den Schutzmantel einer Tradition, aus der Kälte in die Kälte tritt, hat wohl ein besonderes Gespür für die existenzielle Wärme, die uns der Rassismus zu spenden vermag.

Was in unserer Erfahrung jeden sicheren Zusammenhalt verloren zu haben scheint, im rassistischen Denken hält es noch wie Pech und Schwefel zusammen: der Augenschein, die Historie und die Wissenschaft. Gleich den Cowboys in der legendären Marlboro-Werbung sitzen diese drei Gesellen bei Jack London ums Lagerfeuer, schlürfen heißen Kaffee und erklären sich die Welt. Der Augenschein sagt kurz und bündig, dass man die Menschen nach der Form ihrer Nasen beurteilen kann. Die Historie weiß betulich zu berichten, welchen Stammbäumen wir, nicht anders als die Terrier, unser Dasein verdanken. Und als Dritte im Bunde zieht schließlich die Wissenschaft die Gesetze aus dem Ärmel, nach denen die Nasenformen, die der Augenschein wahrnimmt, durch die historischen Stammtafeln zu wandern haben.

So gehört der Rassismus zu den großen theoretischen Erzählungen der Moderne, denen es gelingt, synthetisch und simpel zugleich zu sein. Aber Rassisten sind nicht zwangsläufig gute Erzähler. Jack London ist zweifellos beides, ein inniger Rassist und ein großartiger Erzähler. In «Jerry, der Insulaner» nimmt er die groben Fäden dieser modernen Rede auf und spinnt sie um Figuren und Szenen, die auch heute, nach über achtzig Jahren, nichts von ihrer Kraft verloren haben. Wenn der greise Häuptling Baschti sich den präparierten Kopf des weißen Sklavenhändlers auf die Knie legt und über das Schicksal seines Stammes sinniert, ist er nicht klüger, aber auch nicht wesentlich dümmer als wir, wenn wir versuchen, uns, über die *Frankfurter Rundschau* gebeugt, einen Reim auf die neuesten Meldungen aus den Gentechniklabors zu machen.

Wer Londons Tiergeschichten liest, ahnt, wie närrisch es ist, rassistisches Gedankengut ausrotten zu wollen. Überall, wo die komplexen Verhältnisse zwingen, kompliziert zu denken, wächst die Sehnsucht nach einfach strukturierten Erklärungsmodellen. Und welches Weltbild könnte den Rassismus in seiner Schlichtheit und Schlüssigkeit, in seiner blauäugigen Triftigkeit schlagen? So bleibt der moderne Rassismus, um der Bilderwelt von Jack Londons Erzählen eine letzte Reverenz zu erweisen, der treuherzige Hund, der neben uns am Lagerfeuer der Gegenwart liegt. Er döst, während wir ihm gedankenverloren das goldbraune Fell kraulen. Aber dann springt er plötzlich, knurrend und zähnefletschend, auf, weil ihm geträumt hat, wie entsetzlich groß und wirr und undurchschaubar dunkel die Welt ist.

(Geschrieben für Frankfurter Rundschau, *August 2000)*

EISKALTE AUSGEBURT DER MODERNE

Erstmals übersetzt: die Urfassung von
Mary Shelleys «Frankenstein»

Nichts und niemand vermag eine literarische Figur zu beschützen. Und so können einem, den Prosa geboren hat, in unserer Welt Dinge zustoßen, die noch ärger sind als das, was er in der Handlung des Romans an Schlimmem erleiden musste.

Mary Shelley, Autorin von «Frankenstein or The Modern Prometheus», hat miterlebt, wie ihr literarisches Kind malträtiert wurde. Ab 1823, kaum fünf Jahre nach dem Erscheinen des Buches, füllten verschiedene Dramatisierungen die Londoner, Pariser und New Yorker Theater. Weil es keinen Rechteschutz für dergleichen Bearbeitungen gab, erhielt sie nicht einmal Tantiemen als Schmerzensgeld dafür, dass das bei ihr anrührend eloquente Monster nun auf der Bühne der Sprache nicht mehr mächtig war und dass seine besondere Körperlichkeit durch knallblaue Schminke beglaubigt wurde. Bald beginnen auch erste parodistische Versionen ihren Zug durch eine nie abreißende Verwertungskette. Im 20. Jahrhundert verbindet der Film endgültig das Herabsetzende mit dem Lächerlichen. Das Gehirn des Monsters stammt nun oft aus dem Schädel eines hingerichteten Verbrechers. Und als staksendes Ungetüm kämpft Frankensteins Monster gegen andere verulkte Schreckensgestalten wie den Werwolf oder

Godzilla. Wenn es einen Tiefpunkt der ästhetischen Erniedrigung gibt, dann hatte Shelleys Figur ihn spätestens hiermit erreicht.

Dennoch kann dies alles wie ein alberner Spuk verlöschen, greift man zu der von Alexander Pechmann erstmals übersetzten Urfassung des Romans und liest, in welcher Textgestalt die Figur vor die Phantasie von Shelleys Zeitgenossen trat. Ein junger englischer Polarforscher beobachtet von seinem im Eis festsitzenden Schiff, wie ein riesenhafter Mann in heller Nacht auf einem Hundeschlitten Richtung Nordpol saust. Eine halbe Seite später erscheint Viktor Frankenstein, der zusammen mit seinem letzten Schlittenhund auf einer Eisscholle treibt, als der Verfolger dieses Geschöpfs in der bizarren Szenerie.

Was haben diese beiden, die heute oft im Namen Frankenstein zu einem vagen Doppelbild verschwimmen, in der Wirklichkeit des Romans miteinander zu tun? Viktor Frankenstein widerfährt in seinem Ingolstädter Labor ein grandioser Erfolg. Er produziert einen lebensfähigen Menschen, der nicht nur weit überdurchschnittliche Körperkräfte, sondern auch einen voll funktionsfähigen Verstand und ein empfängliches Gemüt besitzt. Wie hochgestochen utopisch Mary Shelleys Zeit von den Möglichkeiten der Naturwissenschaften träumte, erfasst man, wenn man dagegenhält, was uns diese knapp zweihundert Jahre später tatsächlich zu bieten haben: transplantierte Nieren und künstliche Hüftgelenke, also bestenfalls Teilprothesen und Transplantate mit begrenzter Haltbarkeit. Von der Erschaffung eines kompletten Lebewesen – und sei es nur die kleinste Mikrobe! – weiß sich unser biotechnisches Vermögen inzwischen Lichtjahre entfernt.

Der Triumph Frankensteins ist sogleich an ein grässliches Misslingen gekoppelt. Und nur wer das Buch zur Hand nimmt, kann lesend miterleben, wie dies den genialen Bastler in hysterische Panik versetzt. Sein Geschöpf ist weder stumm noch dumm und schon gar nicht erzböse, wie viele spätere Adaptionen bequemerweise behaupten. Seine Glieder sind kraftvoll und ebenmäßig. Aber es leidet dennoch an einem Makel, der den grandiosen Erfolg zunichtemacht. Der Seziervirtuose und Verwesungsexperte, dem es zuvor auf dem Friedhof und im Anatomiesaal vor rein gar nichts graute, vermag etwas an dem von ihm belebten Fleisch nicht zu ertragen. Das Gesicht, vor allem die Augen und der Blick, den sie entsenden, scheinen ihm plötzlich von entsetzlicher Hässlichkeit. Erst Monate später, beim Wiedersehen auf einem Schweizer Gletscher, wird er Anblick und Gegenblick mit größter Anstrengung aushalten.

Was ist so schlimm daran, von Frankensteins Werk angeschaut zu werden? Im Roman wird diese Frage nie durch eine endgültige Erklärung beantwortet. Mary Shelley verrät das große Geheimnis ihrer Geschichte nicht. Stattdessen legt sie es dem Lesenden in einer Serie von großartig beschriebenen Begegnungsszenen immer wieder intim ans Herz. Die letzte Konfrontation findet im Polarmeer am Totenbett von Viktor Frankenstein statt. Der junge Forscher, Erzähler der Rahmenhandlung und Überlieferer von Frankensteins Lebensgeschichte, überrascht das Monster dabei, wie es beim Leichnam seines Schöpfers trauert. Nach Frankenstein und einem blinden Greis ist dieser Engländer erst der Dritte, der ihm sein Ohr leiht.

Was verstand Mary Shelley, achtzehn Jahre jung, vom Leben, als sie die drei bewegenden Monologe des Monsters schrieb? Siebzehnjährig hatte sie sich vergeblich gemüht, ihr zu früh geborenes Töchterchen ins Leben hinüberzuretten. Während der Arbeit an Frankenstein war erneut ein Säugling, ihr halbjähriger Sohn William, zu versorgen, und sie wurde zum dritten Mal schwanger. Wieder erlitt sie eine Frühgeburt, und der Sohn wird ihr mit zweieinhalb Jahren sterben.

Die Entstehung ihres Romans geht parallel mit dem Sterben der Geschöpfe, die sie als Mutter aus ihrem Leib hervorgebracht hat. Vier Jahre nach dem Erscheinen des Buches wird man den Vater ihrer Kinder, den ertrunkenen Dichter Percy B. Shelley, an einem italienischen Strand verbrennen, ähnlich wie das Monster seinem Vater Frankenstein auf dem Eis des Nordmeers einen Scheiterhaufen errichtet. In der klugen, genauen und dezent empathischen Biographie von Alexander Pechmann, die nun zeitgleich mit seiner Übersetzung des Urtexts erschienen ist, lässt sich nachlesen, wie die Schriftstellerin als junge Frau dem Tod ins Gesicht zu sehen hatte.

Dabei muss ihr auch ein Auge für etwas am Leben aufgegangen sein. Bis heute erzählt ihr Roman auf eine zwingende Weise davon, wie die moderne Wissenschaft etwas Ungekanntes an den belebten Körpern aufdeckt und das Enthüllte sogleich auf eine eigentümliche Weise verunheimlicht. Denn das Geschaute ist so erschreckend neu, dass es Viktor Frankenstein nicht mit Räsonnement, sondern allein mit einem ästhetischen Reflex, mit Abscheu, in Bann zu legen vermag.

Vielleicht empfindet ein Neurologe, der embryonale Stammzellen in das Hirn eines Parkinson-Kranken spritzt, noch heute etwas Ähnliches – zumindest wenn er den Schädel wieder öffnet, um zu sehen, was aus seiner Saat geworden ist. Womöglich weht uns Laien eine vergleichbare Ahnung an, wenn wir lesen, wie Forscher die unendlich feingliedrigen

Abläufe bei der Einnistung der Eizelle in die Gebärmutter zu entschlüsseln versuchen. Das Leben verliert die Gnade seiner Selbstverständlichkeit, wenn man ihm derart ins Auge blickt.

Als Frankenstein versucht, dem jungen englischen Naturforscher die Unerhörtheit seiner Arbeit nahezubringen, legt ihm Mary Shelley ein verblüffend modern klingendes Wort in den Mund: «Complexity». Alexander Pechmann hat dies zu Recht mit dem hässlich modischen «Komplexität» übersetzt. Erst die Naturwissenschaft hat die ungeheure inwendige Vielheit des Organischen enthüllt. Und sobald ein Forscher seinen Blick in die Petrischale mit der Eizelle senkt, schaut ihm – wie aus dem Auge des Monsters! – die eiskalte Ausgeburt seiner Wissenschaft, die Komplexität des Belebten, entgegen.

(Geschrieben für die Frankfurter Rundschau, *September 2006)*

PANZERKREUZER KLONTECHNIK

Was uns wirklich droht

Scheinbar sind sich viele unserer Zeitgenossen darin einig, dass es momentan mit Karacho in die Zukunft geht. Selbst die Gegner der aktuellen Gentechnologie gebärden sich in der Regel wie panische Bremser, die darauf drängen, der rasenden Lokomotive im letzten Augenblick den Dampf zu drosseln, damit unser Fortschrittszug nur ja über die richtige Weiche abbiegt und nicht geradewegs ins Verderben rast.

Utopisches und apokalyptisches Denken sind wieder einmal Vorder- und Rückseite derselben Medaille und finden für ihre Himmels- wie Höllenversprechungen gleich glutäugige Gläubige. Ausgesprochen abkühlend wirkt es dagegen, sich im Augenblick solcher Hysterie an den Niedergang zurückliegender Wissenschaftsreligionen zu erinnern. Als ich vor fünf Jahrzehnten auf dem üblichen Weg gezeugt und geboren wurde, war es die technische Nutzung der Kernspaltung, die alle kollektiven Träume vom Sieg über den Krebs bis zum Billigflug Richtung Mars Wirklichkeit werden lassen sollte. Und drehte man damals die Münze, konnte man auf deren Kehrseite die Vernichtung der Menschheit, wenn nicht gar allen irdischen Lebens prophezeit finden. Heute genügt ein einziges der riesigen atomgetriebenen U-Boote, die in russischen Eismeerhäfen ihrer kostspieligen Verschrottung entgegendümpeln, um die Agonie dieser globalen Utopie wie den Niedergang der mit ihr verbundenen Weltangst in ein Bild zu fassen.

Ein halbes Jahrhundert Verfallszeit wird der Klon-Hysterie gewiss nicht vergönnt sein. Wahrscheinlich ist der Spuk in weniger als fünf Jahren vorüber. Das utopische Fernziel wird kläglich schnell verwelken, und den möglichen Schrecken könnten wir eigentlich schon jetzt zur Genüge kennen. Wer je in den einschlägigen Berufen des Gesundheitswesens gearbeitet hat, weiß, wie es aussieht, wenn die Natur wie der geistig verwirrte Nietzsche auf ihrem unendlich komplexen Klavier improvisiert hat. Und in früheren Zeiten, als es noch nicht den fragwürdigen Luxus der verbergenden Fürsorge gab, hatte jedes Dorf einige Geschöpfe in öffentlicher Obhut, deren Leib und Geist offenbarten, wie nahe die Anmut genialer Baukunst und das Ungeschick der Missbildung beieinanderliegen.

Worauf läuft es hinaus? Was bleibt uns, wenn der Panzerkreuzer Klontechnik manövrierunfähig ins Schifffahrtsmuseum der Wissenschaftsgeschichte geschleppt worden ist? Es sei eine Prognose gewagt: Die gegenwärtige Medizintechnologie versucht in der Tat, das Naturwunder Mensch nachzuahmen. Allerdings wird das Ergebnis weder der perfekte Klon noch irgendein anderer Homunkulus auf zwei Beinen sein. Das Kunstwesen, das uns ins Haus steht, ist vielleicht gar nicht auf den ersten Blick als Mimesis des Menschen zu erkennen. Denn es ist ein Klon, der eine eng umgrenzte Weise, den Menschen zu sehen, in soziale Institutionen einbaut.

Der naturwissenschaftlich-technologische Komplex implantiert seine Vorstellung vom menschlichen Wesen in unser Gesundheitssystem. An die Stelle von Pflege, Genesung,

Heilung und Sterbenlassen tritt ein immer aufwendigeres System von Defektdiagnose und Reparaturstrategie. Damit wächst in der Tat etwas Monströses heran. Wie viel dieses Bild vom Menschen als unbegrenzt reparaturfähige, aber auch endlos reparaturbedürftige Biomaschine ein- und was dieses Bild ausschließt, können wir als Patienten bereits in einem unserer Krankenhäuser am eigenen Leib und an der eigenen Seele erfahren. Die biotechnische Gesundheitsideolgie will uns das Antlitz unseres Mensch-Seins richten, und doch sehen wir in ihrem Spiegel stets nur aus wie nach einer halb missglückten Schönheitsoperation.

So wird uns der wuchernde Komplex aus Höchstpreismedikamenten, rasant veraltenden Apparaten und überforderten Superspezialisten zum Sehnsuchts- wie zum Schreckbild moderner Geistigkeit. Ein Gesundheitssystem, das den Menschen nur noch als Biomaschine begreifen kann, wird der blähsüchtige Homunkulus der näheren Zukunft sein. In blöder Gier verschlingt er Geld, Arbeitskraft, Phantasie und Hoffnungen. Dieser Klon ist unendlich gefräßig, ausgesprochen wachstumsgeil, unbegrenzt größenwahnsinnig, aber zum Glück ohne ein kompliziertes und labiles System von kurzfristigen Notfinanzierungen nicht überlebensfähig.

Erfindungsgeist und Wissenschaft finden ihr gesellschaftliches Abbild in den Service- und Reparaturagenturen eines stets potenziell defekten Körpers. Kalt besehen ist eine solche Mimesis weder grandios noch tragisch, sondern von absurder Komik. Für den, der den Abstand einer anderen Weltsicht einnehmen kann, wirkt der Fetisch Gesundheit samt seinem gewaltigen kulturellen Überbau vielleicht jetzt schon so albern wie das letzte gusseisern gepanzerte Riesenschlachtschiff.

Auch die aktuelle Biotechnik-Hysterie geht vorüber. Ihre Apparate wie ihr Menschenbild werden als rostige Anachronismen in der Landschaft der Zukunft stehen. Momentan müsste man allerdings gleichmütig wie ein kleiner chinesischer Glücksgott sein, um recht herzlich über diesen großen Unfug lachen zu können.

(Geschrieben für die Süddeutsche Zeitung, *August 2007)*

DIE VERGESSLICHKEIT DER WISSENSCHAFT

Jules Vernes Roman «Reise zum Mittelpunkt der Erde»

Der Grundeinfall dieses Buches scheint die Wissensgier der letzten hundertfünfzig Jahre und den wilden Galopp der Technikentwicklung schadlos überstanden zu haben: Ein Gelehrter entdeckt, wie man über einen isländischen Vulkan in ein natürliches Schachtsystem absteigen kann und wagt den Vorstoß in die Tiefe der Erde.

Schon zu Vernes Zeiten war dominante Lehrmeinung, dass es dort unten nur geschmolzenes Gestein und flüssiges Metall zu finden gebe. Aber bis in unsere Tage fehlt es an den technischen Möglichkeiten, der herrschenden Theorie über die «Eingeweide der Erdkugel» Evidenz zu verleihen. Ähnlich wie die Weiten des Weltalls bleibt uns die Mitte unseres Planeten unerreichbar. Diese Fallhöhe zwischen Wissensgewissheit und praktischer Ohnmacht bildet das energetische Potenzial, auf das Verne spekuliert. Wer das Unmögliche in die Tat umsetzt, muss, so will es die Logik des Abenteuers, Spektakuläres erleben. Und die Phantasie wird den gewagtesten Einfällen folgen, so sich der Lesende mit den Protagonisten der grandiosen Unternehmung identifizieren darf.

Die Figuren, die Verne hierzu anbietet, wirken, gemessen an der Kühnheit der Handlungsidee, auf eine fast drollige Art bieder. Die Expedition wird angeführt von Professor Lidenbrock, nicht nur ein führender Geologe, Mineraloge und Chemiker seiner Zeit, sondern auch umfassend historisch gebildet und ein veritables Sprachgenie. Er verkörpert den idealen Gelehrten des 19. Jahrhunderts, der ganz dem Fortschritt der Wissenschaft lebt und in allen anderen Belangen der Existenz einen rechten Kauz abgibt. Sein Neffe Axel, der Ich-Erzähler des Romans, ist sein braver Schüler, ohne jedoch über die gleichen Talente und Ambitionen zu verfügen. Axels Vorstellung von der Zukunft, seine utopische Potenz, erschöpft sich zunächst vollständig darin, sich eine Ehe mit Gudrun, dem Patenkind seines Onkels, auszumalen. Dem Abstieg zum Mittelpunkt der Erde sieht er mit Bangen entgegen, am liebsten würde er das Abenteuer verhindern, um seinen Traum von ehelicher Zweisamkeit und familiärer Häuslichkeit nicht zu gefährden.

Axels Ängstlichkeit, sein Hang, jeglichem Risiko aus dem Wege zu gehen, bildet einen reizvollen, oft tragikomisch zugespitzten Kontrast zum rücksichtslosen Wissenwollen seines Onkels. Professor Lidenbrock verschwendet keinen Funken Denkenergie auf den Umstand, dass man sich ohne einen Plan für den Rückweg in ein verwirrendes Labyrinth begibt. «Wir sind nicht hierhergekommen, um vorsichtig zu sein», meint sein Neffe verzweifelt, als sie auf einem unterirdischen Meer in Lebensgefahr geraten.

Dieser Ozean, den ein gewaltiges Firmament aus Granit überwölbt und dessen Atmosphäre elektrische Entladungen erhellen, ist vielleicht die schönste Erfindung des an Einfällen wahrlich nicht armen Romans. Das Lidenbrock-Meer, wie es sogleich getauft wird, bedeutet eine Welt in der Welt, einen Miniatur-Erdkreis, der alles, was unsere irdischen Gefilde an Reizen besitzen, in komprimierter Form vorweist: die Fülle der unbelebten Materie, eine komplexe Pflanzen- wie Tierwelt aus allen Epochen der Naturgeschichte und sogar einen riesenhaften Urmenschen als Krone der rundum verkapselten Schöpfung.

Allerdings enthält das phantastische Reich, so stupend für den Leser Szene auf Szene auch sein mag, nichts wirklich Neues. Es ähnelt eher einem gewaltigen Naturkundemuseum, in dem Verne uns von einem perfekt ausgeleuchteten Exponat zum nächsten führt. Alle Entdeckungsfahrten, von denen Verne in seinen Romanen erzählt, haben dieses unverhohlen archivarische Verhältnis zum Neuen. Im Arrangement wirken die Tableaus seiner Handlungen originell, aber stets sind sie aus Bekanntem, aus Bruchstücken des zeitgenössischen Wissens, zusammengebastelt. Die Verne-Forschung hat viele seiner Quellen ausfindig gemacht. Selbst der für das Handlungsjahr 1863 futuristisch anmutende «Ruhmkorffsche Apparat», eine batteriegespeiste Röhrenlampe, die den Forschern durch die Unterwelt leuchtet, war kurz vor der Niederschrift des Romans als Sicherheitsgrubenlicht konstruiert worden.

Also wäre «Reise zum Mittelpunkt der Erde» womöglich gar kein frühes Meisterwerk der Science Fiction, zu deren Wesen doch gehört, dass eine naturwissenschaftlich inspirierte, zumindest naturwissenschaftlich kostümierte Spekulation auf eine Zukunft gewagt wird, die unerhört Neues zu bieten hat?

«Ich vergaß die Vergangenheit, ich kümmerte mich nicht um die Zukunft», sagt Axel, kurz bevor er, berauscht von den bisherigen Entdeckungen, mit einer katastrophalen Idee das rücksichtslose Weiterwollen seines Onkels übertrumpft. Beim Versuch, sich den Weg freizusprengen, verursachen die

Abgestiegenen ein Erdbeben und zerstören die eben erst entdeckte unterirdische Welt.

In rasantem Tempo geht es daraufhin dem Happy End entgegen. Fast scheint es, der Autor möchte die Gewalttat seiner Helden umgehend vergessen machen. Im Schlot eines ausbrechenden Vulkans sausen wir mit ihnen nach oben. Kein Wort mehr über das, was man hinter sich lässt. Als Axel in den Armen seiner Gudrun liegt, ist ihm und seiner Wissenschaft glücklich entfallen, dass man eine lebende Vergangenheit unwiederbringlich dem Tod überantwortet hat. Der Wissenserwerb vernichtet die Lebendigkeit des Erkannten – für Jules Verne wie für uns eine alte und zugleich neue Einsicht, die selbst immer wieder zunichtewerden muss, damit wir unbekümmert an die Zukunft glauben können.

(Geschrieben für die Neue Zürcher Zeitung, *Januar 2007)*

DER GOTT DER HÜHNER

Am Vorabend des Abschlachtens

Gestern gab es Hühnersuppe. Ich weiß nicht, wie das Huhn aussah, bevor es Leben und Federn verlor, aber ich kenne den Hof, auf dem es vor kurzem noch jene ruckartigen Kopfbewegungen vollführte, mit denen diese Vögel die Sichtfelder ihrer Augen zu synchronisieren wissen. Das Exemplar, dessen Fleisch und Fett wir verzehren, war, wie es bei einem Suppenhuhn sein soll, zwei Jahre lang Legehenne. Die Schar, zu der es gehörte, ist zurzeit erneut eingesperrt. Der alten Bäuerin, die mit ihrem Mann nach Aufgabe der Milchwirtschaft noch eine bescheidene Eierproduktion unterhält, tut dies leid, da ihre Tiere sonst auch bei Kälte zwei, drei Stunden zum Scharren an die frische Luft gehen.

Ein anderer Hühnerhalter, einer unserer Nachbarn, lässt sein Geflügel dagegen weiterhin im Freien. Wenn die Polizei kommt, will er den Beamten erst einmal einen tierkundlichen Vortrag halten. Mir hat er bereits beschrieben, wie menschenähnlich ein Huhn hustet, wenn es Grippe hat, und wie ihm gleich uns Säugetieren der Rotz aus den Nasenlöchern tropft, bis es wieder gesund ist. Da unser Nachbar keine Hühnersuppe mag, schlachtet er sehr selten. Alte Hühner lässt er mitlaufen, bis sie «der Hühnergott» zu sich ruft. Falls ihn die Staatsmacht demnächst zwingt, seine Vögel zu töten, wird er mit jedem einzelnen auf die herkömmliche Weise verfahren: Das Huhn wird eingefangen, an Läufen und Flügeln hochgehalten, es erhält einen betäubenden Schlag auf den Kopf, dann wird ihm dieser zum Ausbluten abgehauen.

Im Fernsehen konnten wir während der letzten Wochen bereits sehen, wie vermummte Gestalten Vogelvieh in Plastiksäcke stopften, wie die zuckenden Säcke in eilends ausgeschachtete Löcher fielen oder auf mit Benzin entfachte Brandflächen flogen. Nur ein einziges Mal flatterte allerdings ein brennendes Huhn über meinen Bildschirm. Vermutlich hat uns die hiesige Bildselektion allzu Drastisches vorenthalten. Und was die Hilfskräfte, hinten in der Türkei und in Rumänien, durch ihre billigen Atemmasken riechen mussten, bleibt uns dank der weiterhin unvollkommenen Aufzeichnungstechnik eh erspart.

Man mag den dort eingesetzten Soldaten und Polizisten keinen Vorwurf machen. Sie hatten Anweisung, möglichst schnell und effizient zu handeln. Und wer dem Zwang zur Effektivität dienen muss, kommt wohl unweigerlich auf große Behälter, denkt an Ersticken, Verbrennen und Vergraben. Bereits auf diesem relativ primitiven, improvisierten Niveau überstieg die Logik der fix organisierten Auslöschung im Nu alles, was sich ein einfacher Hühnerhalter, der tausendundeinmal das Beilchen geschwungen hat, unter dem Abmurksen eines Federviehs vorstellen kann.

Südlich von uns, ein paar Kilometer die Ems hinunter, beginnt Deutschlands größtes Geflügelzuchtgebiet. Allenfalls Gott wäre in der Lage, treulich abzuzählen, wie viel Millionen Küken, Hühnchen und Hähnchen dort ihren starren Blick in einen langen Kunstlichttag schicken. Kein Verantwortlicher, kein Züchter, kein Veterinärmediziner und erst recht kein

Politiker kann exakt berechnen, wie viele Einzeltiere, falls es zum Ausbruch der Geflügelpest kommt, in welchem Zeitraum eliminiert werden müssen.

Weil es sich hierzulande so gehört, existiert ein Regelwerk aus Gesetzen, Verordnungen, innerbetrieblichen und behördeninternen Anweisungen. Und aus dem Nährboden dieser Rationalität erwächst sogar die lichte Traumvorstellung einer perfekten Vernichtung: Nichtsahnende Hühner flattern, behutsam losgelassen in den nicht allzu tiefen Spezialcontainer. Artgerecht findet eine begrenzte Anzahl nebeneinander Platz. Ein mit den Tierschutzbestimmungen bestens vertrauter Fachmensch setzt sie volle zehn Minuten dem allmählich betäubenden Kohlendioxid aus – plus zwei Sicherheitsminuten für jenes extra zähe Exemplar, das ein wenig länger braucht, um zu ersticken.

Die Praxis der millionenfachen Entsorgung wird von Anfang an aus dem Ruder dieser Illusion gehen. Überforderte Männer wie ich oder Sie machen sich ans Werk. Worin die Verantwortlichkeit für Tier oder Mensch im Handlungsdetail genau besteht, vermag, gehetzt von der Erwartung fixer Effektivität und mitten im hochtechnisierten Zwangssystem der Massentierhaltung, keiner von uns zu bestimmen. Wenn wir Glück haben, ist keine Kamera dabei. Erst im Nachhinein, nachdem auch unsere Einweganzüge und Atemfilter verbrannt sind, wird Zeit sein, darüber nachzudenken, was auf dem Weg von den riesigen Farmen zur Müllverbrennungsanlage besonders grauenhaft schiefgelaufen ist.

Ein Huhn ist kein Mensch. Seine Fruchtbarkeit und seine sprichwörtliche Dummheit haben dieses Tier vor viertausend Jahren zu unserem Vieh gemacht. Wir jedoch sind die Götter unserer Hühner. Unsere hohe Vernunft, unser überzüchtetes Netzwerk aus Zwecken, durchrationalisierten Abläufen und unsere hybrid geile Profitlogik haben eine Tierhaltung ersonnen, die uns regelmäßig zu panisch überforderten, zu hysterisch austickenden Fleischmassenvernichtern macht. Daran kann der große Hühnergott bis zum kommenden Geflügelmassaker nicht viel ändern. Seine Schande jedoch ist die unsre, und sie stinkt längst ärger als je ein Hühnerkot zum Himmel.

(Geschrieben für die Süddeutsche Zeitung, *Februar 2006)*

DER BÖSE CLOWN

Wider die Unsterblichkeit des Individuums

Fortwesen ohne Ende? Der niederen Pflanze, dem sich besinnungslos weiterteilenden Einzeller, mag dies noch gut zu Gesicht stehen – zumindest solange unsere besten Mikroskope an diesen Arten Leben kein Antlitz finden, aus dem die Erfahrung seiner selbst spricht. Aber bereits jener uralte Riesenpilz, den man in einem nordamerikanischen Urwald entdeckt hat, angeblich das größte Individuum unseres Planeten, würde mir unweigerlich zum finalen Grauen, falls ihm nie ein Tod vergönnt sein sollte.

Welcher Mann ahnte nicht, dass unbegrenzte Erfahrung, gerade die Erfahrung eigenen Fortdauerns, irgendwann erzböse machen muss? Es wird immer dieselben schlichten Gründe geben, den jungen Kerl und seine frischfröhliche Totschlaglust zu fürchten. Aber das greise Männerhirn, das in einem biotechnisch restaurierten Leib ewig fortwest, dies wäre der bösartige Superclown, die endgültig bestialische Travestie Gottes.

(Geschrieben für Dagegen! Der große Zitatenschatz des Abscheus, Widerwillens und Ekels, *Mai 2003)*

DAS FREMDE HIMMLISCHE KIND

Was uns das Windrad vom Wind
erzählt

Man müsste ein junges Tier sein: ein in diese Sommerwelt geworfenes Füchslein oder eine der Krähen, die während der kommenden Wochen flügge werden. Dann würde ein Blick, den kein Wissen schützt und schwächt, eines der fraglichen Gebilde, falls genug Wind geht, zweifellos für etwas Lebendiges halten. Gewiss duckt sich der unerfahrene Vierbeiner sogleich vorsichtig ins nachtgraue Gras, und wer sich fliegend genähert hat, dreht mit der instinktiven Jähheit zur Seite ab, die ihm für eine Begegnung mit unbekannter, bewegter Größe zu Gebote steht.

Selbst meine von Kenntnissen ummauerte Wahrnehmung ist nicht restlos frei davon, einer Windkraftanlage unwillkürlich Lebendigkeit zuzusprechen. Wir leben an der ostfriesischen Küste, in einer Region, in der es tausendundein Windrad gibt. Über den Deich, der als Horizontlinie Dienst tut, kann ich sie dreiarmig zu uns herüberwinken sehen. An fast allen Straßen, die ins Binnenland führen, kommt man irgendwann an einer ihrer Reihen vorbei. Und da ich mich ihnen zu Fuß bis auf den Mast genähert habe, weiß ich, wie man eines der in Beton verankerten Exemplare dazu bringt, sich einbeinig in Bewegung zu setzen. Es genügt, die Hände auf die Rundung des Rumpfs zu legen und dann, entlang an dem sich verjüngenden Mast, nach oben zu schauen. Der Rest geschieht von selbst. Schon hält der Himmel den Atem an. Die eben noch windgetriebenen Wolken stehen still. Denn unwillkürlich überträgt das Auge die Bewegung. Und schon fällt einem das anmutige Ungetüm, mit heftig rudernden Propellern, in einem endlos langen, in einem Furcht und Lust erregenden Riesenschritt entgegen.

Von solcher Angstlust, davon, wie sich Scheu und Bezauberung verquicken, ist nie die Rede, wenn man mich auf die hiesigen Windräder anspricht. Stattdessen kommt mir zu Ohren, wie zwangsläufig ein für Schönheit empfänglicher Mensch, sobald sein Blick über die Landschaft schweift, doch unter der Allgegenwart dieser gewaltigen weißen Kerle leiden müsse. Und ebenso regelmäßig muss ich dann den solidarischen Schulterschluss verweigern. Wahrscheinlich fehlt mir zum ästhetischen Mitleiden schlicht die rechte Gesinnung: der Glaube an die Natürlichkeit der örtlichen Natur. Was unser Haus umgibt und Touristen in Ferienwohnungen lockt, wurde vor gut zweihundert Jahren in mühevoller Landgewinnung einem Meerbusen abgerungen. Ein Blick von der Krone des Deiches genügt, um zu erfassen, wie weitgehend diese Landschaft Menschenwerk ist. Fast alle Wasserläufe sind schnurgerade gegraben, das monumental wogende Grün oder Gelb der riesigen Felder ist der industriellen Landwirtschaft und ihren Monokulturen geschuldet. Die Schafe stehen auf dem eingezäunten Deich, weil sie das Gras kurz halten und dessen Wurzelwerk verdichten sollen. Selbst das Vorland zum Meer hin und das bei Ebbe graublanke Watt sind als sogenanntes Naturschutzgebiet einer aufwendigen Pflege unterworfen.

Wäre dann wenigstens der Wind wahre Natur? Wenn der

Streit um den Sinn der Windanlagen oft einem Glaubenskrieg ähnelt, dann spielt der Wind dabei die Rolle eines Gottes, dessen Charakter unterschiedlich gedeutet wird. Für die Windrad-Befürworter überstrahlt seine Reinheit alle anderen Wesensmerkmale. Rein ist der Wind, weil er die Wolken, unabhängig von unseren zivilisatorischen Umtrieben, über den Himmel hetzt. Da wir selbst weiterhin keine Windmacher, ja nicht einmal Windbeeinflusser sind, sagen wir, romantisch menschelnd, der Wind wehe, wie er wolle, obwohl er doch nichts, zumindest nichts für uns erkennbar Willentliches, im Schilde führt.

Die Kraft eines solchen Gottes mit ausgetüftelten Apparaten anzuzapfen, zeugt von einer eher unromantischen Schläue. Das wegen seiner puren Naturhaftigkeit Verklärte soll wie ein arglos vor sich hin spielendes Riesenkind ins Nützliche eingebunden werden: Gerade diese naive und unbescholtene Naturgewalt warte doch nur darauf, sich mit technischen Maßnahmen – fast wie mit didaktischen Tricks – in unseren Dienst, in die weltlichen Unternehmungen seiner Verehrer, hineinverführen zu lassen.

Ungetüm und kindlich ungestüm ist merkwürdigerweise auch das Bild, das sich die Windrad-Gegner vom Wind machen. Allerdings begegnen sie den Möglichkeiten technisch-pädagogischer List mit Misstrauen und Pessimismus: Der Wind bleibe ein unheilbar launischer Kindskopf. Dass er wehe, wie er wolle, sei nicht Ausdruck seiner zweckfrei natürlichen Reinheit, sondern Menetekel seiner Unzuverlässigkeit. Wer mit einem derart schwer erziehbaren Riesenknaben umgehe, werde über kurz oder lang an seiner Unberechenbarkeit verzweifeln. Der Wind sei daher eine Naturgewalt, mit der wir uns ähnlich wie mit dem Vulkanismus oder dem

Blitz besser nicht auf ein allzu aufwendiges kultisch-energetisches Geschäft einlassen sollten.

Hiesigen Kindern verdanke ich es, dass ich diesen umstrittenen Windgott zumindest einmal gesehen habe. Ein Sommergewitter lag in der Luft. In der drückend gewordenen Hitze des Nachmittags fuhr ich mit dem Fahrrad die landwärts gewandte Seite des Deichs entlang. Erste Böen griffen mir in den Rücken und schoben mich spürbar an, als mir drei Kinder, sichtlich aufgeregt, von der Deichkuppe zuwinkten. Kaum dass ich bei ihnen war, sah ich, welchen Anblick sie mit einem Erwachsenen teilen wollten. Vielmehr als das Wort «Windhose» hatte ich ihnen dann allerdings nicht zu bieten. Ja, mir war bis dahin nicht einmal bekannt gewesen, dass in unseren Breiten eine derart imposante Verbindung zwischen Himmel und Erde entstehen kann.

Was sich da über dem Meer drehte, war alles andere als rein: Ein schmutzig grauer, schwefelgelb gemaserter Trichter eierte über die Bucht, als hätte ein hinter den Wolken verborgenes Raumschiff einen ungeheuren, hochelastischen Saugschlauch nach unten geworfen. Erschreckender als die Größe der Erscheinung war der unabweisbare Eindruck ihrer Fremdheit. Dieses Phänomen wirkte schlagend unnatürlich – falls wir Natur nennen wollen, was uns als sogenanntes Öko-System, als ein biologisches Bastelwerk aus vertrauten, unserer Erkenntnis und unserem Einfluss zugänglichen Elementen umgibt. Rechts, am Rand des bleiernen Horizonts, standen die weißen Masten des nächsten Windparks. An ihrer Zwergenhaftigkeit und an ihrer Zerbrechlichkeit war in diesem Augenblick nicht zu zweifeln.

Und die Schönheit? Ja, dieser Anblick war hinreißend schön. Aber der heftige ästhetische Eindruck ergab sich aus der Zusammenschau. Der Wind, das himmlische Kind, war mit brutaler Jähheit aus dem sacht Spürbaren ins überdeutlich Sichtbare gesprungen. Die Form, mit der er sich am Himmel drehte, wirkte so roh, so bizarr und überdimensional, als wären die Kräfte eines anderen Planeten über die wohlgeordnete ostfriesische Landschaft gekommen. Auch im Zeitalter der Ökologie weiß die Natur unsere Wahrnehmung zu düpieren und uns mit einer Scheu wie Abscheu erregenden Fremdheit zu bestürzen.

Und die Windräder? Mit dem torkelnden Schlauch des Tornados verband sie optisch-geometrisch die Kreisbewegung. Noch schien diese gemeinsame Form einen fragilen Einklang zu stiften. Falls es allerdings wirklich, rund um diese erstaunlichen Maschinen herum, losstürmen sollte, würde man ihre Propeller aus dem Wind drehen oder kippen müssen. Wenn sie sich dann, so widerstandslos wie möglich, in Untätigkeit ducken und die Naturgewalt bewegungslos über sich ergehen lassen, sind sie den vernünftigen Seiten unseres Naturells, auch unserer ökologischen Einsicht, wahrscheinlich am nächsten.

Am schönsten jedoch sind die Windräder kurz davor, in jener bestechenden Spanne, während der es bereits sehr stark, aber noch nicht allzu stark windet. Wirkliche Lebendigkeit und eine fast tierhafte Schönheit wächst ihnen zu, sobald ihre sausenden Libellenflügel im fortwährenden Krieg, den unsere Gattung mit der Fremdheit der Natur führt, dem anstürmenden Riesenkind Wind, mutig und anmutig zugleich, Paroli bieten.

(Geschrieben für die Neue Zürcher Zeitung, *Juni 2011)*

4
DIE EWIGE SCHWEIZ

WAS MAN ZUM LEBEN BRAUCHT

Über das friesische Rheiderland

Auch bei uns in Deutschland hat es Zeiten gegeben, in denen es bittere Not, Krieg oder eine nahezu heroische Abenteuerlust brauchte, damit einer seine sieben Sachen packte und seine angestammte Gegend verließ. Und der, den sein Schicksal so verzweifelt oder so verwegen hatte werden lassen, konnte dann binnen eines wacker durchmarschierten Tages an die Grenze jenes Bereichs gelangen, der, sobald er hinter einem zurückblieb, ohne jede Ironie, ja mit einem schmerzlich zagenden Unterton Heimat genannt wurde.

Das friesische Rheiderland ist ein Territorium, das sich einst auf diese Weise mit den Füßen und mit dem Herzen ausmessen ließ. Setzt man das Städtchen Weener als seinen geographischen Mittelpunkt, dann hat man es ungefähr gleich weit bis zur holländischen Grenze im Westen und bis zum breiten Mündungstrichter der Ems im Osten, der einmal eine ernst zu nehmende natürliche Barriere darstellte. Im Süden ist das katholisch fremde Papenburger Land ebenso weit entfernt wie im Norden der Dollart, eine Nordseebucht, die mittelalterliche Sturmfluten ins Mündungsgebiet der Ems gerissen haben.

Mir, dem Zugezogenen, haben alte Männer davon erzählt, wie der Volk-ohne-Raum-Angstwahn der Nazis dazu führte, dass sie als Jünglinge die weite Welt kennenlernten, wie es dazu kam, dass sie unter dem Himmel Frankreichs in einem Kriegsgefangenenlager hungern oder in der Tiefe eines russischen Kohlebergwerks schuften mussten. In einem Hochdeutsch, das den Rheiderländern dieser Jahrgänge noch hörbar als eine Fremdsprache von den Lippen geht, geben sie jedem Jüngeren, so er es hören mag, eine karge, aber klare Vorstellung davon, was es noch vor fünfzig Jahren geheißen hat, wirklich weggehen zu müssen, und welches Glück es bedeuten konnte, wirklich heimkommen zu dürfen.

Fern solcher Wirklichkeiten, ja manchmal wahrhaft tumbe Tröpfe des Unwirklichen sind im Rheiderland wie anderswo die Touristen. Unser Haus liegt am Ende einer dorfähnlichen Straßensiedlung knapp eineinhalb Kilometer vom schilfgesäumten Ufer des Dollarts entfernt. Letzten Sommer bremste ein mittelaltes Paar seine prächtigen Hochleistungsräder vor unserem Garten. Das Gesicht des Mannes war von der Hitze des Nachmittags, von flotter Fahrt und von Zorn gerötet. Von einem Einheimischen, von einem hinterhältigen Rheiderländer, sei man hereingelegt worden. Für ein Wochenende hätten sie ein Ferienhäuschen in Meeresnähe gemietet, seien heute in aller Frühe aus dem Ruhrgebiet angereist, nun aber führen sie schon seit Stunden die wenigen Straßen und Wege, die es hier gebe, auf und ab, aber von der Nordsee sei weit und breit nicht das Geringste zu entdecken.

Vielleicht hätte ich den kauzigen Eingeborenen mimen und dem aufgebrachten Touristen nur schweigend meinen Spaten in die Hand drücken sollen. Ein paar Spatenstiche in unserem Garten, und die seltsame Beschaffenheit des Bodens hätte ihm vielleicht schon zu denken gegeben. Und dann wäre ich ihm mit der landeskundlichen Erklärung beigestanden, dass diese an der Oberfläche steinhart getrocknete, darunter zähe schwarze Erde noch vor zweihundert Jahren Meeresboden gewesen sei, eine stark verdichtete Sedimentschicht aus abgestorbenen Kleinstlebewesen. Zusätzlich hätte ich dem Ruhrgebietler ein Foto aus dem letzten Prospekt des Heimatvereins vorlegen können. Magere Männer mit nackten Oberkörpern hätte er darauf gesehen, die Loren auf schmalen Geleisen über just die Straße schoben, an der wir gerade standen. Die eisernen Kippwägelchen enthielten denselben schweren Kleiboden, er wurde noch um die vorletzte Jahrhundertwende, als das Foto entstand, auf diese mühsame Weise zum Deichbau Richtung Wasser verfrachtet.

Aber es kam weder zu einem erkenntnisfördernden Spatenstich noch zu einer geschichtspädagogischen Belehrung. Einer unserer Söhne hatte bereits das Wort ergriffen und dem empörten Mann und seiner verzweifelten Gattin auf die Sprünge geholfen: Gleich da vorne, dort, wo der Himmel an diesem schnurgeraden Strich aufhöre, sei der neue Deich. Man müsse nur das Tor des niedrigeren alten Deiches durchfahren, um ihn zu erreichen. Das Wasser des Dollart sei allerdings auch von der Deichkrone wegen des Schilfs und wegen der Ebbe – ob sie wüssten, was Ebbe sei? – nicht unbedingt auf den ersten Blick zu erkennen.

Als Wahl-Rheiderländer sollte ich allerdings nicht zu sehr über diese Touristen spotten. Auch ich hätte vor zwanzig Jahren auf die Frage, wo oder was der Dollart sei, keine Antwort gewusst. Dieser merkwürdige Meerbusen, der halb zu den Niederlanden gehört, der sich an seinem Ausgang ins freie Meer noch einmal sackartig verengt und von der Ebbe weitgehend blankgezogen wird, war mir kein Begriff, geschweige denn eine Erfahrung. Wird man an sein Ufer geführt, genügt es nicht, bei Ebbe ein Weilchen am Rande der grauen Schlickfläche zu stehen oder mit hochgekrempelten Hosenbeinen ein paar Dutzend Schritte in die klebrige Pampe hineinzustapfen. Man muss schon so weit ins Watt hinaus, bis der moderne Deich, angeblich einer der höchsten und sichersten der Welt, hinter einem zu einer diffusen, mit etwas Phantasie natürlichen Horizontlinie zusammenschrumpft.

Erst dann geht der technologische Halt verloren, den dieses auf eine diskrete Weise mächtige Bauwerk der Wahrnehmung bietet. Die monochrom glänzende und monoton gluggernde Landschaft des fleischgrau entblößten und fischig duftenden Meeresbodens nimmt alle Sinne gefangen, und schweren Schritts nähert man sich einer unsichtbaren Zeitgrenze, jenem Küstenverlauf, wie er in der langen Niedrigwasser-Epoche um Christi Geburt geherrscht hat – damals, als sich im Jahre 12 vor der Zeitenwende die erste römische Flotte unter dem Kommando des Statthalters Nero Drusus Claudius, dem Schwiegersohn des großen Kaisers Augustus, der Emsmündung näherte.

Den begehrlichen Blicken der Eroberer präsentierte sich die Küste als ein unregelmäßig zerfranster Landsaum. So trügerisch flach, so verwirrend niedrige Inselchen und flache Land- und Wasserarme verschränkend, ging die grüne Marsch in die graue See über, so ungewohnt stark war der Wechsel der Gezeiten, so schwer erkennbar die Untiefen, dass die mediterranen Strategen bezweifelten, es überhaupt mit einem offenen Meer und mit einer richtigen Küste zu tun zu haben. Dreimal wagten es römische Schiffsverbände in den folgenden Jahrzehnten, über die Ems in das Kerngebiet des damaligen Germanien hineinzurudern. Ziel der Unternehmungen war die Region zwischen Lippe und mittlerer Weser, jener Bereich, in dem sich entscheiden sollte, ob sich das Imperium über den Rhein bis an die Elbe ausdehnen lassen würde, und wo die ruhmreichen Legionen schließlich am Kalkrieser Berg beim heutigen Bramsche eine furchtbare Niederlage erleiden sollten.

Vom ersten Vorstoß wird berichtet, wie die mit einigen tausend Mann und Gerät schwerbeladenen Schiffe des Drusus auf der Rückfahrt im Watt so gründlich aufliefen, dass sie sich nur mit der tatkräftigen Hilfe verbündeter Friesen in die offene Nordsee retten konnten. Ein römischer Chronist hielt den riesenhaften Wuchs der Eingeborenen fest und wunderte sich darüber, dass diese Halbwilden, die ihre Häuser auf Erdhügeln errichten müssten und nur getrocknete Moorerde zum Verbrennen hätten, die Mitgliedschaft im römischen Weltreich, die man ihnen generös anbot, als Sklaven-Dasein missverstünden.

Die Siedlungen dieser Eigensinnigen und die Reste des Militärlagers, das die Römer eine Zeitlang an der Emsmündung unterhielten, liegen längst unter dem Wasser und dem Schlick des heutigen Meerbusens begraben. Auf spätmittelalterlichen Karten sind zumindest die Namen jener Dörfer verzeichnet, die einer Serie von verheerenden Sturmfluten zum Opfer fielen. Bis heute, nach über fünfhundert Jahren mühsamer Landrückgewinnung, und auf unabsehbare Zeit sind sie weiter vor den Gelüsten und den Schippen unserer Archäologen sicher, einfach weil sie jenseits des Deiches liegen.

Dort draußen, wo sich vor siebenhundert Jahren die Backsteintürmchen der Kirchen in Richtung Himmel reckten, bohrte sich im Frühjahr 1945 eine brennende amerikanische B 17, eine sogenannte Fliegende Festung, in den Schlick. Eine der Flakstellungen rund um den Dollart hatte sie noch kurz vor Kriegsende aus den Wolken geholt, und von da an lag das gut erhaltene Wrack als ein blitzender Fremdkörper im Watt. Die Fischer, die auf ihren bootsähnlichen Schlitten, den sogenannten Kreiern, bei Ebbe hinausrutschten, um Reusen und Netze zu leeren, hatten noch ein gutes Dutzend Sommer Muße, das große Flugzeug um allerlei Buntmetall zu erleichtern, bis seine ausgeweidete Aluminiumhülle den versunkenen mittelalterlichen Dörfern entgegensackte.

Mit dem Wirtschaftswunder kam die Dollartfischerei nach und nach zum Erliegen, und wer heute bei Ebbe ins Watt hinausgeht, braucht schon Glück, um noch eine Reuse zu entdecken. Aber auf eine merkwürdige Weise ist der Meerbusen die Parallellandschaft des Rheiderlandes geblieben. Kurz nachdem wir hierhergezogen waren, schickte mir ein Freund eine kleine Serie Luftaufnahmen unserer Gegend, die er sich aus dem noch jungen Internet besorgt hatte. Ein russischer Spionagesatellit hatte verblüffend scharfe Schwarzweißaufnahmen geschossen, unser Haus und unser Garten waren deutlich zu erkennen. Aber nicht die Gebäude und die wenigen Straßen, sondern das feine Netz der Kanäle und der zahllosen Entwässerungsgräben schien aus der Wolkenschau das eigentliche Gesicht des Rheiderlandes zu bilden. Und weil die Satellitenbilder bei Ebbe entstanden waren, setzten sich die steifen Falten der geradlinigen Wasserwege jenseits des Deiches, auf der anderen Seite der Siele, in den gewundenen Prielen des Dollarts fort – so, als blickte das künstliche, dem Meer abgezwungene Land in einen Spiegel, der es leichthin verstünde, sein starres Mienenspiel wieder zu erweichen.

In der ersten Hälfte des vorigen Jahrhunderts, als die Winter noch härter und die meisten Rheiderländer noch abhängige, bitterarme Landarbeiter waren, die in den kalten Monaten keinem Broterwerb nachgehen konnten, nutzte man das Eis, das die Wasserwege und überfluteten Wiesen monatelang bedeckte, um entfernter wohnende Verwandte auf Schlittschuhen zu besuchen. Auf eisernen Kufen gleitend, konnte jeder, der noch gesunde Glieder besaß, die ganze Welt seiner Kindheit und seines Erwachsenenlebens durchstreifen und alle, die ihm lieb und teuer waren, binnen eines Tages aus eigener Kraft erreichen. So klein war damals das Rheiderland, und heute im Zeitalter globaler Entgrenzung muss es auf den ersten Blick noch enger erscheinen. Aber genau besehen ist es noch immer eine Gegend, wie man sie zum Leben braucht: Gerade groß genug, um an ihr zu begreifen, dass es sich für den Menschen lohnt, den Blick zwischen dem Klei seines Tages und dem Himmel seiner Zeit, zwischen Schwere und Weite, hin und her pendeln zu lassen.

(Geschrieben für die Süddeutsche Zeitung, *Mai 2002)*

DIE EWIGE SCHWEIZ

Friedrich Dürrenmatts Erzählung «Der Winterkrieg in Tibet»

Es gibt Autoren, von denen man nicht erwartet, dass sie einen Blick in die Zukunft unserer Welt wagen. Je stabiler ein Schriftsteller etabliert ist, desto selbstverständlicher wird stattdessen vorausgesetzt, dass sich sein Werk auf die Darstellung von Gegenwärtigem und Gewesenem konzentriert. Einen zu Lebzeiten Kanonisierten adelt die allgemeine Anerkennung auf verhängnisvolle Weise selbst zu einem Stück Vergangenheit. Wie ein Befreiungsschlag kann es deshalb wirken, wenn ein Autor aus diesem Zwangsverhältnis in eine phantasierte Zukunft ausbricht.

Friedrich Dürrenmatts große Zukunftserzählung «Der Winterkrieg in Tibet» findet sich in seinem Altersprojekt «Stoffe». Dort folgt nach einem konventionell autobiographischen Text fast unvermittelt der Sprung in eine grelle Fiktion, in die Zeit nach dem Dritten Weltkrieg. Der Ich-Erzähler ist Söldner und kämpft seit zwanzig oder dreißig Jahren – er weiß es nicht genauer – im tibetanischen Hochgebirge. So wenig, wie sich im ewig eisigen Himalaja die Jahre zählen lassen, so wenig ist dort das Kampfgebiet topographisch zu kontrollieren. Schächte führen hinab in ein vielgeschossiges Labyrinth, niemand kennt den Verlauf der Front, in jedem der zahllosen Stollen kann der Feind lauern. Auch die Unterscheidung zwischen verbündeten und gegnerischen Söldnertrupps wird immer schwieriger. Der Protagonist findet zunächst Anschluss an die Einheit seines Kommandanten aus dem Dritten Weltkrieg, wird, nachdem er ihn im Bordell erdolcht hat, sein Nachfolger, schießt schließlich als Einzelkämpfer wie in einem Computerspiel auf alles, was sich bewegt.

Der postapokalyptische Krieg ist ein Lieblingsszenario der Science Fiction. Die atomare Vernichtung, der Zusammenbruch der Staaten und ihrer komplexen Militärapparate schaffen ein wunderbar freies Aktionsfeld. Nun ist fast alles möglich, archaische Duelle Mann gegen Mann ebenso wie das Aufeinanderprallen von futuristisch mutierten Überbleibseln der einstigen Hightech-Systeme. Dürrenmatts einsamer Söldner ist im Verlauf des Winterkriegs zu einem sogenannten Cyborg, einem Mischwesen aus Mensch und Maschine, geworden. Beinamputiert sitzt er in einem motorisierten Rollstuhl. Sein linker Arm geht untrennbar in eine Maschinenpistole über. Seine rechte Hand ist «ein vielseitiges Instrumentarium: Zangen, Hammer, Schraubenzieher, Scheren, Griffel usw., alles aus Stahl». Mit dieser kleinen Beschreibung ist indirekt und doch eindeutig – tief im tibetanischen Fels der Zukunft – die alte Schweiz ins Spiel gekommen. Denn der rechte Arm dieses scheinbar jeder Herkunft und jeder Zugehörigkeit enthobenen Rumpfmenschen gleicht unverkennbar jenem Schweizer Armee-Messer, das vor dem atomaren Fiasko ein weltweit bekanntes Dingsymbol der Alpenrepublik war.

Unser Söldner, der in den immer länger werdenden Kampfpausen mit stählernem Griffel unermüdlich seine Reflexionen über Gott und die Welt in den unterirdischen Fels kratzt, beginnt sich schließlich auch seiner Schweizer Zeit zu entsinnen. Es ist ein Rückblick in den Dritten Weltkrieg, er berichtet von seinem langen Irrweg durch das radioaktiv verseuchte und in Anarchie versunkene Land und vom Wiedersehen mit den Ruinen seiner Heimatstadt Bern. Auch dies ist ein Topos des Genres: Die Heimkehr in einen vergangenheitgesättigten Raum, den endzeitliche Katastrophen schlimm versehrt haben, der sich aber gerade durch diese Verheerung noch einmal innig mit Bedeutung und Gefühl auflädt.

Die Schweiz der Erzählung war, nach Liechtenstein und allen afrikanischen Staaten, letzte Atommacht des Globus geworden, und durchlebt nun das Delirium ihres Untergangs. Das meiste, worauf man stolz war, ist ebenso zerstört, wie das, wofür das Land einst von seinen Schriftstellern verspottet wurde. Die Regierung ist samt Parlament und Beamtenapparat für alle Zukunft in einem Bunkersystem unter der Blümlisalp im Gestein gefangen. Vom Penthouse eines Hochhauses im Berner Stadtteil Bethlehem sieht der Held das schwer bombardierte Gebirgsmassiv am nächtlichen Horizont radioaktiv phosphoreszieren. Die Zeit, die er vor seinem Aufbruch nach Tibet noch in Bern verbringt, bildet das emotionale Hochplateau der Handlung. In einer ganzen Serie bittersüßer Szenen erweist der Autor Dürrenmatt seiner Heimatstadt ein groteskes und zugleich sentimentales Gedenken. Ohne Zweifel liebt er dieses Bern, auch wenn er seine Universität verbrennen und sein berühmtes Münster in Schutt und Asche fallen lässt.

Wer eine zukünftige Welt gestalten will, muss die Heimat, dieses Zentralmassiv der biographischen Vergangenheit, hinter sich lassen können. Dies gilt vielleicht nicht für alle Lebensläufe, aber doch für bestimmte Formen der Literatur.

Der durch fremden Fels rollende Schweizer Söldner glaubt, dass sein Abschied von allem Herkommen endgültig ist und höchstens noch Außerirdische seine Aufzeichnungen entdecken könnten. Und denen wäre allenfalls verständlich, was er über das Sonnensystem aufgeschrieben hat. Seine Schweiz scheint ihm unerinnerbar mit dem Rest der Menschheit untergegangen. Aber nachdem der Plot einen letzten überraschenden Haken geschlagen hat, erweist sich, dass er irrt. Wie so manche Zukunftserzählung ist auch der «Winterkrieg in Tibet» insgeheim chronisch heimwehkrank. Heimat will ewig sein. Und so erlauscht im Schlusssatz der Geschichte ein postapokalyptischer Radiobastler aus dem Rauschen der Kurzwelle das Zirpen der Schweizer Nationalhymne.

(Geschrieben für die Neue Zürcher Zeitung, *Februar 2007)*

DIE SEHNSUCHT DER ANDEREN

«Die Stimme der Heimat» wird
siebzig

Seine Stimme ist stets da gewesen. Wann immer wir in den letzten vier Jahrzehnten den traditionellen Freuden der Hochkultur frönten oder dem jeweils modischen Pop unsere Reverenz erwiesen, war zugleich Heino-Zeit. Sein unverkennbarer Bariton erklang schon in unseren Gaststätten, als man diese noch mit Musikboxen beschallte, und der blonde Schopf des in jungen Jahren noch brillenlosen Sängers leuchtete zunächst kalkig weiß von den bundesdeutschen Mattscheiben, da die Röhren noch nicht das nötige Gelb hergaben.

Vierzig Jahre Heino, das bedeutet für den, der glaubt, dass diese Welt eine bessere Musik für ihn bereithält, auch das stete Bemühen, dieser Stimme, diesem Liedgut und seinen charakteristischen Arrangements aus dem Wege zu gehen. Aber Heinos Präsenz narrt weiterhin alle, die sie restlos vermeiden möchten. «So blau, blau, blau blüht der Enzian!», ertönt es aus dem Taxi, das wir uns herangewunken haben. «Karamba, karacho, ein Whisky!», schallt es durch den Kiosk, in dem wir bloß schnell eine Zeitung holen wollen. Und wer einen ganz normalen Onkel und eine prima Tante sein Eigen nennt, weiß, dass es ihnen Freude macht, auf Sport- oder Heimatfesten, im Partykeller oder im Bierzelt ein Gläschen voll Kirschlikör oder den schaumgekrönten Bierseidel zu schwenken, sobald Heino, begleitet von den Westfälischen Nachtigallen «Schwarzbraun ist die Haselnuss!» anstimmt.

Allein schon weil Menschen, die wir brauchen und schätzen, Heino lieben, wäre es allzu billig, diesen Künstler zu verachten. Aber das heißt nicht, dass die Differenz, die er uns spüren macht, ein Abstand ist, über den es nicht nachzudenken lohnt. Die Figur, die uns Heinz Georg Kramm alias Heino schenkt, ist von einer merkwürdig fragilen Festigkeit. Auf den ersten Blick scheinen die helmartige Frisur, die markanten Züge, die holzschnittartige Mimik und das steife Schreiten mit der fast kommandohaften Intonation und dem ungebrochen Sonoren der Stimme zu einem Bild von maschinenhafter Solidität verdichtet. Dieser Musikant wäre eine singende Miele-Waschmaschine, gäbe es nicht zugleich Elemente von verhaltender Weichheit und spröder Zerbrechlichkeit in seinem Habitus wie in seinem Singen.

Allein schon die Sonnenbrille, ein in der Welt der populären Musik viel verwendetes und vieldeutiges Accessoire, steht in Widerspruch zur Geradlinigkeit, zur schlichten Biederkeit der Lieder. Das Augenleiden, das sie einst nötig machte, ist, das wissen seine Fans, längst glücklich besiegt. Dennoch hält der Auftretende an den stark getönten, kantig gerahmten Gläsern fest und signalisiert damit, dass es, bei aller Herzensoffenheit, etwas in ihrem Dunkel zu bergen gilt.

Das so Verhohlene kann jeder, der mit Gefühl und Verstand zuhört, ohne Mühe erkennen. Ja, sogar der kalte Hörer, der den intellektuellen Abstand vorzieht, kann begreifen, worum dieser Sänger weint, auch wenn auf der Bühne in der Regel keine Tränen fließen: «Holde Heimat! Nach dir geht mein Sehnen! Nur für dich glänzt im Auge die Träne!», heißt es in Heinos Adaption des berühmten Gefangenenchors aus

Verdis Oper «Nabucco». Man muss nur die österreichisch schmelzende, die im direkten Vergleich fast lässig wirkende Interpretation derselben Nummer von Peter Alexander hören, um den schnarrenden Ernst, die knirschende Gefasstheit von Heinos Heimatsehnsucht zu ermessen.

Dies ist zweifellos deutsch. Hier spricht ein Ich, das bis ins Mark damit hadert, von den Zeitläuften zu blanker Individualität, zu gehetztem Erwerb, zu einer kalten Welt ohne warmen Winkel gezwungen worden zu sein. Die provinzielle, die im Guten überschaubare Heimat ist perdu! Wer sogleich den Drang fühlt, sich hierüber lustig zu machen, scheut die schmerzhafte Einsicht, dass selbst er, der souverän Individuelle, Anteil an diesen Verlustgefühlen, an diesem nationalen Phantomschmerz und an seinem preußisch trockenen Schluchzen hat.

An Weihnachten wird unser Heino wieder einmal vor den einschlägigen Fernsehkulissen zum Playback seiner Hits die Lippen bewegen. Und kommenden Sommer sollen die Fans, die er weiterhin in allen Altersgruppen findet, seinen kaum brüchig gewordenen Bariton wieder über Funk-Mikro und PA durch eine Ruhrgebietshalle dröhnen hören. Das Fernsehen wie die Mehrzweckhalle gehören zu den Orten, an denen die Heimatverlorenheit der Moderne nicht nur in unserem Deutschland, sondern weltweit, fröstelnd und blinzelnd, wie aus einem Rausch gestürzt, zu sich kommt. Eigentlich gäbe es gute Gründe, auf beiden Seiten der Mattscheibe, sowohl vor als auch auf der Bühne, eine starke Sonnenbrille zu tragen.

Heute feiert Heino, der nicht ganz zu Unrecht den Beinamen «Stimme der Heimat» trägt, seinen siebzigsten Geburtstag. «O mia patria, sì bella e perduta!», singt man in

Verdis Italien, ohne sich dafür zu genieren. Ach, die «schöne, verlorene Heimat»! Wenig kann so verlegen machen wie die Sehnsucht derjenigen, die wir, autonom verblendet, für die Anderen halten.

(Geschrieben für die Süddeutsche Zeitung, *Dezember 2008)*

DIE BLANKEN AUGEN

Hermann Löns' Roman
«Der Wehrwolf»

Es gibt Bücher, in denen uns ein einziges Ding mehr über uns sagt, als uns lieb sein kann. Ein solches Ding-Buch der argen Art ist Hermann Löns' Bauernroman aus dem Dreißigjährigen Krieg «Der Wehrwolf». Und wenn dieser schlimme Text auf seiner letzten Seite plötzlich in die Gegenwart des Autors, ins junge 20. Jahrhundert, findet, dann geschieht dies mit Hilfe des Gegenstandes, der den Lesenden zuvor durch drei Jahrzehnte historisch gewordenen Blutvergießens geführt hat: «In der besten Stube des Wolfshofes zu Ödringen hängt noch heute der Bleiknüppel an der Sofawand unter dem kleinen Bilde mit dem alten Goldrahmen. Ein Museum hat sich viel Mühe um den Knüppel gegeben, aber der Vorsteher und Landtagsabgeordnete Hermann Wulf gab ihn nicht um Geld noch um gute Worte her.»

«Der Wehrwolf» ist ein Buch vom Totschlagen, und der Bleiknüppel, den Harm Wulf, der Held des Romans, im Verlauf von dessen Seiten auf viele Schädel sausen lässt, ist das Ding, unter dessen Zeichen Handlung und Figuren bis zum Ende stehen. Geführt von Harm Wulf haben sich die Bauern der Lüneburger Heide zum Geheimbund der Wehrwölfe zusammengeschlossen, und als es am Ende des Buches noch gegen eine Übermacht schwedischer Landsknechte geht, feuert Wulf seine Männer folgendermaßen an: «Slah doot, slah doot, all doot, all doot, all doot, all dooot!»

Es lohnt sich, einen Blick auf die zu werfen, die da alle nach und nach totgeschlagen werden. Zunächst sind es Söldner aus ganz Europa. Der erste Landsknecht, mit dem Harm Wulf es zu tun bekommt, ruft seine Kameraden mit «Ferdl, Tonio, Pitter, Wladslaw, daher daher!» zu Hilfe. Außerdem müssen die Heidebauern noch zahllose Flüchtlinge umbringen, meist selbst ehemalige Bauern, die der Krieg von ihrem Land vertrieben hat. Als dritte, von Löns mit besonderem Abscheu beschriebene Gruppe kommen die «Tatern» hinzu, Zigeuner, die sich auf ihrem Weg durch das verwüstete Europa in die Lüneburger Heide verirrt haben und nun von Wulf und seinen Männern «beigerodet» werden.

Im Text verschmelzen diese Gruppen in den Worten der Bauern, aber auch in der Rede des Erzählers zu «Gesindel», «Marodebrüdern», zu «Ungeziefer» oder schlicht zum «fremden Volk». Die Verbrechen, die die Soldateska an den Bauernfamilien verübt, sind in der Tat von zeitloser Grausamkeit. Und Löns versteht es, die Beschreibung exemplarischer Gräuel so in die Handlung zu integrieren, dass das Totschlagen der Fremden als Vergeltung und als Vorbeugung gegen weiteres Unheil gerechtfertigt erscheint. Wer als Leser das Herz auf dem rechten Fleck hat, soll fast zwangsläufig verstehen, dass man Haus und Hof, Frau, Säugling und die greisen Eltern vor Brandschatzern, Vergewaltigern und Folterknechten schützen muss.

Aber das erzählerische Vermögen von Hermann Löns, das die Gewalt der Wehrwölfe so schlagend gerechtfertigt erscheinen lässt, wirft auch den entscheidenden Schatten auf diese Gerechtigkeit. «Kinder war das ein Spaß!», ist das letzte

Wort des Heidebauern Schütte, der tödlich getroffen wird, als die Wehrwölfe einen größeren Trupp Söldner bis auf den letzten Mann niedermetzeln. Und sogar als endlich Friede ist, bekommen die einstigen Wehrwölfe doch in bestimmten Momenten «blanke Augen» und denken «an die schrecklichen und doch so schönen Tage, die sie einen Tag um den anderen den Bleiknüppel über der Hand hängen hatten».

Das Blutvergießen macht diesen gerechten Männern ganz offensichtlich nicht weniger Spaß als den Bösewichtern. Und am schönsten ist das Umbringen unbezweifelbar, wenn man dabei ganz nah an den Gegner herankommt, wenn der kurze Bleiknüppel aus dem Ärmel in die Hand schlenzt und das Blut vom Kopf des Feindes spritzen lässt. Das hat nicht nur mit dem Stand der Waffentechnik zu tun. Auch der Dreißigjährige Krieg kennt bereits den Schuss aus sicherer Distanz. Aber die Wehrwölfe schätzen diese kalte Art des Totmachens nicht. Und wer heute die Gräuelberichte der jüngsten Kriege unter diesem Aspekt liest, kann das Gleiche feststellen: Wenn es sich einrichten lässt, legt auch der moderne Krieger die empfindliche automatische Waffe sacht beiseite und macht sich mit dem Knüppel über seinen Gegner her.

Als der Erste Weltkrieg ausbricht, meldet sich der achtundvierzigjährige Hermann Löns freiwillig. Das letzte schriftliche Zeugnis des Schriftstellers ist eine Feldpostkarte vom 20.9.1914 an einen befreundeten Hannoveraner Tierarzt: «Lieber Doktor, hier fiebert die Luft von Granaten und Schrapnells. Ich bin über 4 Tage im Schützengraben diesen üblen Gewittern ausgesetzt gewesen. Wir hatten trotzdem nur 2 Tote und 2 Verwundete. Schönen Gruß Euch und Gattin Euer Löns.»

Sechs Tage später ist der kriegsbegeisterte Schriftsteller

tot. Er fällt bei Reims, wo er, der reichsdeutsche Infanterist, genauso wenig verloren hat wie einst ein schwedischer Söldner in der Lüneburger Heide. Dreißig Jahre nach Löns' Tod, am Ende des Zweiten Weltkriegs, wird man sein Buch dem letzten Aufgebot des Hitlerreiches, den Flak-Helfern und Hitlerjungen, zur Lektüre verordnen. Und die Zensur der siegreichen Alliierten setzt den «Wehrwolf» deshalb auf den Index. Das längst wieder frei erhältliche Buch wurde mir zu meinem zehnten Geburtstag geschenkt, und ich habe es in den folgenden Jahren mit nicht nachlassender Begeisterung immer wieder aufs Neue gelesen.

Von Löns' Tod wird berichtet, dass ihn eine feindliche Kugel nachts auf freiem Felde mitten ins Herz getroffen habe. Mir, seinem einst heißen und nun erkalteten alten Leser, sei ein unfrommer Wunsch erlaubt: Ich wünschte mir, Kollege Löns wäre auf nächtlichem Felde einem französischen Bauern und dessen Bleiknüppel gegenübergestanden. Wenn es eine ästhetische Gerechtigkeit gibt, wenn Stil und Moral wie an einer untrennbaren Nabelschnur zusammenhängen, dann hätte der Autor des «Wehrwolf» es wohl verdient gehabt, die Wollust des Totschlagens auch im Auge seines Feindes leuchten zu sehen.

(Geschrieben für die Frankfurter Rundschau, *Dezember 1999)*

BLUMEN FÜR HITLER

Gerupft am Wegrand des Erinnerns

Erstes Blümchen: Hitler lebt!

Meine Eltern, in allen tausend Angelegenheiten des Alltags rettungslos zerstritten, waren sich dennoch seltsam einig, wenn es um wichtige Dinge des Daseins ging. Vermutlich habe ich als Abc-Schütze die wirklich interessanten Fragen aus Vergangenheit, Gegenwart und Zukunft sogar an dem Umstand erkannt, dass meine Eltern darauf verzichteten, über sie zu zanken. Ich warf den Satz «Hitler lebt! In Kanada!» im Jahre 1960 beim Abendessen auf unseren Küchentisch. Er stammte von der Rückwand unserer Bushaltestelle. Dort war auf einer Fläche von zwei mal sechs Meter all das eingekratzt und aufgeschrieben, was die Bewohner unseres 50er-Jahre-Neubauviertels minimal knapp, ungefähr zwei Zentimeter hinter dem Rücken der Öffentlichkeit, kundtun wollten.

Dort lebte Hitler! Ich hatte mir die Neuigkeit mit der Schriftgläubigkeit des Zweitklässlers zusammenbuchstabiert und musste nun sehen, wie mein Vater mit der schweren Hand des Maurergesellen und ehemaligen Amateurboxers abwinkte, wie meine Mutter in ihrer großartig hochmütigen Art die Augen nach oben rollte. Beides bedeutete: Nein, Hitler lebt nicht mehr!

Hatte ich nicht insgeheim gewusst, dass die Inschrift log?

Nein, ich hatte es nicht gewusst. Im Gegenteil, ich hatte mich herzlich darüber gefreut, wie da der angeblich mausetote Tyrann, kriegstot wie meine Großeltern väterlicherseits, kriegstot wie der Lieblingsbruder meiner Mutter, zum Überlebenden ausgerufen wurde. Und nun tat mir der Bösewicht Hitler heftig leid, weil ihn die Götter der Wohnküche so grausam wortlos für endgültig vergangen erklärt hatten. Ich begann von Hitler zu träumen.

Zweites Blümchen: Ein Hitlertraum
Der letzte Hitlertraum, an den ich mich erinnern kann, stammt aus dem Frühsommer dieses Jahres. Er ist nicht schwarzweiß wie die meisten meiner Nazi-Träume, sondern er leuchtet in den feinen Tönen jener frühen deutschen Amateur-Farbfilme, die man vor einiger Zeit mit großem Brimborium wiederentdeckt und im Fernsehen gezeigt hat. Hitler hat Geburtstag, und ich bin zur Feier desselben eingeladen. Der Kreis der Gäste ist nicht groß. Die unvermeidlichen Parteibonzen, wenige Weggefährten aus der Frühzeit der Bewegung, dazu eine ganze Reihe Kulturschaffender. Denn der Führer liebt die Kunst über alles. Trotzdem ist die Sache heikel. Denn von den Geladenen wird ein persönliches Mitbringsel erwartet. Und im Traum ist mir klar, dass ich, der hinzubestellte Schriftsteller, schnurstracks in einem von Hitlers lebensgefährlichen Lagern landen werde, falls ich mich bei der Wahl dieses Geschenks vertue.

Ich zergrüble mir den Kopf und finde eine Lösung: Der Diktator soll eine Briefmarke zum Geburtstag bekommen. Die Marke, die mir aus der Zwickmühle helfen soll, gibt es auch außerhalb des Traums. Sie fand sich in der chaotischen Briefmarkensammlung meiner Knabenzeit. Wenn ich mich recht erinnere, ist sie zu Hitlers 55. Geburtstag gedruckt worden und zeigt den Führer in noblem Dunkelgrau vor dem fast weißen Granit seiner gigantomanischen Zukunftsbauten.

Es ist so weit. Zagenden Herzens und mit fühlbar weichen Knien trete ich vor Adolf Hitler, um ihm mein Präsent zu überreichen. Im Traum ist die Briefmarke so groß wie ein DIN-A4-Blatt. Denn ich habe ihr Abbild im Internet gefunden, groß auf Glanzkarton ausgedruckt, säuberlich aufgerollt und mit einer Schleife geschmückt, deren Knallrosa mir nun bei der Übergabe doch etwas peinlich ist. Hitler entrollt das Blatt und betrachtet sein Konterfei ganz lange mit unbewegtem Gesicht. Schlagartig wird mir klar, dass der Führer sehr wohl durchschaut, wie ich mein Geschenk mit der modernen Technik späterer Jahrzehnte hergestellt habe. Und weil er ja im Augenblick tatsächlich seinen 55. Geburtstag begeht, muss diese Form der Bildgabe die Gegenwart seiner Feier auf eine zwiespältige Weise in die Vergangenheit transponieren.

Hitler blickt auf, sieht mich sehr ernst, fast schmerzlich an und sagt dann leise, aber scharf: «Ich hoffe sehr, Sie meinen das nicht ironisch?» Ich weiß, die Situation steht auf der Kippe, jetzt geht es wirklich um meinen Kopf. Und die rettende Antwort kommt mir, ohne dass ich überlegen muss, ganz wie von selbst über die Lippen: «Ironisch? Gott bewahre, ich bin doch kein Historiker!»

Drittes Blümchen: Hitleranekdote
Vielleicht ist es einfach noch viel zu früh, um unsere sogenannten Zeitzeugen, so freimütig und großherzig, wie sie es verdient hätten, nach ihren Begegnungen mit Hitler zu befragen. Warten wir sicherheitshalber noch einmal 50 Jahre! Denn zurzeit könnten unseren Fernsehhistorikern mit et-

was Pech ja noch ein Greis und eine Greisin vor die Kamera geraten, die mit der Unbefangenheit der Todesnähe ehrlich erzählen, was sie damals – erwachsen fühlend und erwachsen bedenkend! – für Hitler empfunden haben. Warten wir also noch einmal ein halbes Jahrhundert. Erst im Jahre 2054 lässt sich vollends scheinheilig der Kopf über jene verzückt jubelnden Massen schütteln. Erst dann wird man sich – mit der gebotenen historischen Kühle und breiter kritischer Brust – auch den Empfindungen der Toten zuwenden.

Vor fünfzehn Jahren, im Sommer 1989, kurz vor dem Fall der Berliner Mauer, saß ich mit einem jungen US-amerikanischen Missionar an einem Schreibtisch. Seine Kirche hatte ihn nach West-Berlin geschickt, um dort eine Türkenmission aufzubauen. Die Bekehrung aller Berliner Türken zum Christentum! So etwas gehört zu den Dingen, die man sich in Seattle oder Salt Lake City ohne weiteres zutraut. Vormittags büffelte der entsandte Missionar Türkisch, und nachmittags ließ er sich von mir beibringen, was ihm im Deutschen noch an letzten Finessen fehlte. Wir waren beide Mitte dreißig, der Unterricht machte Freude, wir mochten uns leiden.

«Georg!», sagte er eines Tages, von einem Übungsblatt zur indirekten Rede aufblickend, «Georg, was ich dich schon lange einmal fragen wollte: Wie hat eigentlich Hitler, als er noch lebte, auf dich gewirkt? Er muss eine starke Persönlichkeit gewesen sein. Hat er deine Heimatstadt besucht? Hast du ihn damals immer nur im Fernsehen oder auch einmal wirklich gesehen?»

So rief mich ausgerechnet 1989, im Jahr der Wende, ein amerikanischer Gottesmann als Zeitzeugen in Sachen Hitler auf. Und er tat dies mit der wunderbaren Unbefangenheit, mit der pauschalen Generosität, die seine Kultur auszeichnet.

Alles Erlebte, alles Empfundene schien nun beiläufig sagbar. Ach, alles hätte ich an den Himmel dieses Augenblicks pinseln können – wenn mein historischer Mut damals auf der Höhe meiner historischen Phantasie gewesen wäre. Aber die erste dieser alteuropäischen Tugenden versagte. Obwohl mir sofort rasend viel zu meiner ganz persönlichen Begegnung mit Hitler einfiel, obwohl ich einem lächelnden Hitler als Knäblein entgegengereicht wurde und fast zeitgleich in der berühmtesten und schändlichsten aller Uniformen recht zackig vor ihn hintrat, ich verstockte. In mein Geburtsdatum, in die nackte Jahreszahl 1953, verbiss ich mich wie in einen Knebel, und voller Missgunst blickte ich in die Unschuld der amerikanischen Augen. Der Neid auf die unbezweifelbare Überlegenheit dieser amerikanischen Vergangenheitskultur, noch heute flackert er gelegentlich auf und bereitet mir unnützes Kopfzerbrechen.

Viertes Blümchen: Amerikanischer Hitler
Angeblich ist es schwierig, Hitler im Film Gestalt werden zu lassen. Zumindest in München hielt man dies neulich für eine Aufgabe, die erst gelingen konnte, als man all unsere historischen und künstlerischen Kräfte bündelte und dann unser ganzes Vertrauen wie einen Laserstrahl auf einen genialen Deutschschweizer als Hitler-Darsteller lenkte.

In Hollywood sieht man dies anders. Im letzten Teil der Indiana-Jones-Trilogie, der 1990 auch in die deutschen Kinos kam, trifft der Titelheld im Berlin der Vorkriegsjahre bei einer festlichen Bücherverbrennung auf den Führer. Auge in Auge stehen sich das junge, ungemein virile Amerika und ein weichgesichtiges, aber keine Miene verziehendes Hitler-Deutschland gegenüber. Der Ami trägt eine frisch erbeutete

Wehrmachtskluft, Hitler eine Phantasie-Uniform in SA-Ocker. Man schaut sich schweigend an. Dann rettet der Ami die Situation und reicht dem Führer ein Büchlein. Es ist das Notizbuch des Vaters von Indiana Jones. Beide sind Frühgeschichtler und Archäologen. Hitler zögert kurz. Aber dann krakelt er – ohne ein deutsches Wort zu sagen – sein Autogramm auf eine Seite quer über die archäologischen Notizen. Dieser amerikanische Hitler akzeptiert seinen Platz. Er weiß, schon vor dem großen Krieg gegen Amerika, dass er einer untergehenden, einer eigentlich schon untergegangenen Epoche angehört. Ach, auch wenn wir uns den großen amerikanischen Hitler-Film sehnlichst wünschen, um endgültig aus unserer Vergangenheit erlöst zu werden – ich fürchte, den vielen fähigen Führerdarstellern in Los Angeles werden wohl bloß wenige, gleich stumme Nebenrollen angeboten werden.

Fünftes Blümchen: Hitler im Lexikon

Meyers Hand-Enzyklopädie, das Wissen der modernen Welt in einem Band, Jubiläumsausgabe 3004: *Hitler, Adolf*, geb. 1889, gest. 1945 (Selbstmord), alteuropäischer Diktator, Begründer des III. Deutschen Reiches, das mit seinem Tod zu Ende ging. Symbolfigur der Schwellenkrise zwischen dem historischen und dem technologischen Zeitalter.

Und als eine letzte Blume: Mein liebster Hitlervers

«flowers for hitler the summer yawned»
«Blumen für Hitler gähnte der Sommer»

Dies ist die erste Zeile des Gedichts «Folk» aus dem gleichnamigen Gedichtband des kanadischen Lyrikers Leonard

Cohen. Das Buch erschien im Sommer 1964, also genau vor vierzig Jahren, in Toronto. Nach sieben ähnlich zarten Zeilen endet das Gedicht mit dem Vers, der es eingeleitet hat:

«flowers for hitler the summer yawned»

Meine Eltern irrten. Hitler hat wohl noch zwanzig Sommer in Kanada gelebt und ist dort unter kanadischem Gras begraben.

(Geschrieben für die Süddeutsche Zeitung, *August 2004)*

DER POMP DES LABILEN

Poes Prosa, zeitgemäß inszeniert

Wenn es beim Lesen eine Liebe auf den ersten Blick gibt, dann macht die Prosa von Edgar Allan Poe sie möglich. So wie die Gestalt der begehrten Person unter vielen aufleuchtet und diese zu gleichermaßen beliebigen macht, so kann eine Geschichte Poes die Texte, die sie zufällig umgeben, schlagartig verblassen lassen. Wie irgendwelche Gruselgeschichten geraten die Meistererzählungen des Amerikaners in allerlei Anthologien, die das Grauen, die Spannung oder das Phantastische im Titel führen, und sie sind dort nicht einmal fehl am Platz. Im Zoo der Literatur werden die Tiere nach hervorstechenden Merkmalen sortiert, und so müssen Poes Geschichten oft in den Gehegen und Gehäusen der dunklen Genres darauf warten, dass einer kommt, der mit suchendem Blick überfliegt, was da so kreucht und fleucht, um sich schließlich von der Pracht der großen nordamerikanischen Klapperschlange hypnotisieren zu lassen.

Solchermaßen gebannt habe ich als Halbwüchsiger den «Fall Valdemar» zum ersten Mal gelesen, eine wahrlich schauerliche Magnetiseur- und Hypnosegeschichte. Die Erstübersetzung Hedda Eulenbergs war für mich die Stimme des Autors, und wie tief sich der Rhythmus ihres eleganten, lang ausschwingenden Deutsch dabei in meine jugendliche Wahrnehmung prägen konnte, begriff ich, als ich mich Jahre später durch die Neuübersetzung von Arno Schmidt und Hans Wollschläger zu arbeiten begann. Plötzlich war bewusste Anstrengung vonnöten, denn der Fluss des Lesens hatte sich in ein neues, oft überraschend verengtes und kuriose Wendungen nehmendes Bett zu kämpfen.

«Er hatte ein ausgeprägt nervöses Naturell, was ihn zu einer trefflichen Versuchsperson für mesmerische Experimente machte», heißt es über den Helden Valdemar in der nun vorliegenden neusten Übersetzung von Rainer G. Schmidt. Poe liebt es, seine Figuren so einzuführen. Und es wäre wohl der kausalen Kontrollgier unserer Gegenwart geschuldet, wenn wir diese Beschreibung des Protagonisten als Begründung der darauffolgenden grauenhaften Ereignisse verstünden. Poes Gestalten erleben nichts Schreckliches, weil sie verrückt sind. Ihre seelische Disposition ist nicht die einer Wurzel, aus der das Wahnwitzige wächst, sondern eher ein hochempfindliches Musikinstrument, das von einem Lufthauch, den andere allenfalls vage verspüren, zu einem heftigen spontanen Erklingen, ja sogar zu einem unheimlich kohärenten Spiel angeregt wird.

Wo Rainer G. Schmidt mit glücklicher Hand das überraschend exquisite Fremdwort «Naturell» wählt, um dieses sensible Saitenwerk zu benennen, habe ich bei Hedda Eulenberg «ausgesprochen nervöses Temperament» gelesen und dann bei Schmidt/Wollschläger das etwas ungeschickte «Seine Gemütsart war ausgesprochen nervös» gefunden. Poes Art, von der labilen seelischen Verfassung seiner Protagonisten zu erzählen, hat wenig mit dem zu tun, was die Kritik heutzutage gerne mit der Therapievokabel «psychologische Einfühlung» meint loben zu müssen oder mit der

Prägung «Psychogramm» als eine technische Messleistung der Literatur rühmen will. Poe, dem es wahrlich nicht an logischem Instinkt und analytischem Talent gemangelt hat, wusste immer, dass die Seele größer ist als jedes theoretische Modell, das man sich von ihr machen kann. Der Übersetzer, der mit Poe von diesem Territorium erzählen will, muss sich daher auf die Weite und den Reichtum seiner muttersprachlichen Möglichkeiten besinnen.

Auf die Schatztruhe des Deutschen ist er schon allein dadurch verwiesen, dass Poe sich aus allen Regalen des gewaltigen englischen Wortarsenals bedient. Wer die Erzählungen im amerikanischen Original zu lesen versucht, dem wird ein Taschenwörterbuch nicht zum Nachschlagen reichen. Und auf eine ausgesprochen unselige Weise ist jenen deutschen Oberstufenschülern geholfen, die im Englischunterricht eine vereinfachte Fassung aufgetischt bekommen. Sie werden um etwas Wesentliches betrogen, um den Pomp, den Poes Sprache annehmen kann: «… acting upon this idea I reined my horse to the precipitous brink of a black and lurid tarn that lay in unruffled lustre by the dwelling …» Es ist wahrlich nicht schlecht, wie die beiden älteren Übertragungen diese Beschreibung aus «The Fall of the House Usher» im Deutschen neu entstehen lassen. Wenn es jedoch eine Siegespalme des Pompösen gäbe, sollte sie Rainer G. Schmidt für seine Neuübersetzung überreicht werden: «Dieser Idee folgend, lenkte ich mein Pferd zu dem jäh abfallenden Rand eines maarartigen Pfuhls, der, schwarz, unheimlich und in ungekräuseltem Glanz nahe des Anwesens lag.»

Spricht hier wirklich die damals noch blutjunge Kultur der USA zu uns? Wer ohne literaturgeschichtliche Vorkenntnisse, also im Stand unschuldiger Leserschaft, zu dieser neuen

Auswahl von Erzählungen greift, könnte bis zum Schluss nicht darauf kommen, dass er einen amerikanischen Autor vor sich hat. Die meisten Erzählungen spielen in Europa. Ein seltsam verdunkeltes spätes 18. oder frühes 19. Jahrhundert, aber auch die Renaissance oder das Zeitalter der Inquisition werden in Szenerien heraufbeschworen, die heutige Leser an den Plunder aufwendiger Opernbühnenbilder oder an die Kostümfilme der Schwarzweiß-Ära und deren seltsam dunklen Überfluss erinnern mögen. Poes Blick ist nicht historisch in dem Sinne, dass er um ein an Quellen orientiertes getreues Verständnis von Vergangenem bemüht wäre. Die Macht seiner sprachlichen Vergegenwärtigung gilt immer einer Welt, die gestern noch gelebt zu haben scheint, die er mit Mitteln einer okkulten Inszenierung fast unmittelbar erreichen kann und die gerade wegen dieser Beschwörbarkeit auf besonders unheimliche Weise jenseitig ist.

Poes europäische Phantasien, die vielleicht ersten starken Imaginationen, die die amerikanische Literatur von ihrem Herkommen bildet, verschmelzen, versteht man sie als ein figürliches Ganzes, mit den untoten und wiedergängerischen Frauen seiner Geschichten. Poes Europa ist eine zunächst schwindsüchtig hinfällige, dann scheintote Frau, eine aufgebahrte Angebetete, deren Auferstehung der romantische Amerikaner schaudernd befürchtet und zugleich lüstern herbeisehnt.

Ähnlich seltsam wirkt es heute auf uns, wenn die jungen USA selbst in den Blickwinkel einer Geschichte geraten: «Während der furchtbaren Herrschaft der Cholera in New York hatte ich die Einladung eines Verwandten angenommen, vierzehn Tage bei ihm in der Zurückgezogenheit seiner kleinen Landvilla an den Ufern des Hudson zu verbringen ...

mit Waldwanderungen, mit Skizzenmachen, Bootfahren, Angeln, Baden und Büchern hätten wir uns die Zeit schon angenehm vertreiben können, hätten uns nicht jeden Morgen neue Schreckensnachrichten aus der dicht bevölkerten Stadt erreicht.» 1846, als die Erzählung «The Sphinx» erscheint, hat es noch Sinn, New York ausdrücklich eine «populated city» zu nennen. Ein gutes halbes Jahrhundert später wird Hedda Eulenberg dies bereits frei als «nahe Riesenstadt» in das Deutsch ihrer Zeit übertragen. Der Versuch, sich mit «volkreiche Stadt» ins 19. Jahrhundert der eigenen Sprache rückzuversetzen, den die Gesamtausgabe von Schmidt / Wollschläger dann um 1960 unternimmt, wirkt dagegen ungeschickt, fast komisch.

In «Die Sphinx» befindet sich Poes Ich-Erzähler auf dem Land, in einer Gegend, die sich die nordamerikanische Metropole inzwischen gewiss längst vereinnahmt hat, die damals jedoch noch Distanz garantierte zu jenen «substances of terror», die alle, die in New York verblieben sind, erdulden müssen. Die Erzählung braucht diesen Abstand, denn es geht in ihr, wie so oft bei Poe, nicht um das blitzartige Zuschlagen todbringender Gewalt, nicht um den zentralen Kahlschlag des Terrors, sondern um die Peripherie, um die Ahnungen, die den Gewaltakten vorausgehen, und um deren Nachschwingen in den seelischen Systemen.

So steht im Mittelpunkt der Geschichte eine seltsame Distanzerfahrung, eine Beobachtung, die der Erzähler über mehrere hundert Meter hinweg zu machen glaubt: Er sieht ein riesiges, monströs eigentümliches Wesen, jenseits des Hudson, einen Hügel ins Tal hinunterkriechen. Das Ungeheuer, größer als ein amerikanisches Kriegsschiff der damaligen Zeit, bedroht ihn nicht direkt, aber allein es durch das Medium der Fensterscheibe zu beobachten, ist schrecklich genug. Es wird ihm zum unabweisbaren Omen nahen Unheils.

Nach wenigen Seiten, die Geschichte gehört zu den kurzen Prosastücken Poes, wird der Freund und Gastgeber des Erzählers das Rätsel dieser unheimlichen Erscheinung lösen. Das große Unglück in New York, mit dessen Nennung der Text begonnen hat, und die Erscheinung des Monsters hinter dem Fensterglas, der Höhepunkt des vermittelten Entsetzens, sind dann wieder klar voneinander geschieden. So könnte man als Leser die Erzählung in einem Moment der Ernüchterung zu den schwächeren Arbeiten Poes rechnen, in denen um einer billigen Pointe willen das kunstvoll aufgebaute Rätsel wie eine aufgeblasene Papiertüte zerschlagen wird: Das angebliche Monster war nur ein Nachtfalter, eine Totenkopfsphinx, die an einem nicht erkennbaren Spinnwebfaden hinabkletterte und so scheinbar ihren Weg über den fernen Hügel nahm.

Aber genau besehen inszeniert Poe, der stets auch die Erwartungen des zeitgenössischen Zeitungs- und Zeitschriftenpublikums bedenken musste, keinen Triumph der Besserwisserei. Ein «richly philosophical intellect» wird dem schließlich hilfreich aufklärenden Freund des Erzählers bereits im ersten Absatz zugesprochen. Und Rainer G. Schmidt nennt dies in der nun vorliegenden Neuübersetzung «seinen reichlich philosophischen Verstand» und lässt so Kritik an der Geistigkeit der Figur mitschwingen, während Hedda Eulenberg am Anfang des vorigen Jahrhunderts mit einem «sein scharfer, philosophisch geschulter Verstand» noch voller Enthusiasmus für die Vernunft ins Horn stieß.

Die jüngere Übertragung scheint mir dem Geist Poes näher, denn am Ende der Erzählung muss der Vertreter des analytischen Verstandes seinem furchtsamen Gast ausdrücklich zugestehen, dass allein dessen vom Terror stimulierte Beobachtungskraft und dessen Beschreibungsfähigkeit die Lösung des Rätsels ermöglicht haben. Der kaltblütige Amerikaner darf seinen phobischen Landsmann nicht restlos der Lächerlichkeit preisgeben, da erst dessen in die Irre gehende Übersensibilität ihn zwang, die entscheidende Einsicht zu formulieren: «... die Hauptquelle des Irrtums bei allem menschlichen Forschen sei die Neigung des Verstandes, die Bedeutung eines Gegenstandes allein dadurch zu unterschätzen oder überzubewerten, dass man seine Nähe falsch abmesse.»

Vielleicht sind auch wir den USA längst zu nah, um das, was jenseits des Atlantiks geschieht, noch kaltblütig beurteilen zu können. Und wie Poes Helden drohen uns im Augenblick jähen Erschreckens die verrücktesten Fehleinschätzungen. Wenn dem so ist, kommt uns diese zeitgenössische Übersetzung der Erzählungen des frühen Amerikaners Edgar Allan Poe gerade recht! Sie hilft uns, zumindest im Weltreich der Literatur, mit der Kraft unserer Muttersprache, die richtige Distanz zu Amerikas pompöser Stärke wie zum Beben seiner Labilität einzunehmen.

(Geschrieben für die Frankfurter Allgemeine Zeitung, *September 2001)*

NUR QUAKENDE STIMMEN IM NICHTS

Stephen King als bekennender
Amerikaner

Mit etwas Glück lässt sich irgendwo noch ein Lesender finden, der schlichtweg nicht weiß, wer Stephen King ist. Aber selbst dieser mediale Hinterwäldler bliebe, über Kings neuestes Buch gebeugt, nicht lange im Stand der Unschuld. In «Das Leben und das Schreiben» erführe er bald, mit welchem Kaliber von Autor er es zu tun hat: «Ungefähr drei Millionen Menschen haben ‹Sara› gelesen, ich habe mindestens viertausend Briefe zu diesem Buch bekommen.»

Jene Millionen sind es, von denen wir wissen, wenn wir den neuen King zur Hand nehmen. Wir reihen uns bei diesen Zahllosen ein, denn wir können davon ausgehen, dass erneut Hunderttausende dieses Buch kaufen und lesen werden, obwohl es sich weder um einen Horror- noch um einen Fantasy-Roman, sondern, wie es in fairer Warnung auf Stephen Kings Website heißt, um «non-fiction» handelt.

«Das Leben und das Schreiben» scheint auf den ersten Blick ein Bastard, denn die drei Hauptteile, in die es zerfällt, gehören zwei verschiedenen literarischen Welten an. Das erste Stück «Lebenslauf» und der schmale Schlussteil «Über das Leben: ein Nachtrag» sind autobiographische Versuche, in denen King, geboren 1947, zunächst aus seiner Kindheit und Jugend, von seinem literarischen Werdegang bis 1985 und zuletzt von seinem schweren Autounfall im Jahr 1999 erzählt. Das Mittelstück «Was Schreiben ist» kann man mit Stephen King ironisch eine «Ars poetica» nennen. Auf gut hundertfünfzig Seiten versucht er an seinen Erfahrungen und an eigenen Textbeispielen zu demonstrieren, wie man das Prosa-Schreiben seiner Meinung nach am besten anpackt und vorantreibt.

Die King-Fans allerdings werden sich nicht um die weißen Seiten zwischen den autobiographischen Teilen und dem poetologischen Stück scheren, sondern das Buch als einen Happen verschlingen. Und ihr Gespür, die gute Nase des blinden Verehrers, hat recht: «On Writing», wie das Buch auf Amerikanisch kurz und bündig heißt, ist, von vorne bis hinten, vom selben Fleisch: Es ist eine Konfession. Und es lohnt sich, genau anzuschauen, wozu King sich bekennt, wem er sein Bekenntnis zu Gehör bringen will, und was seine Beteuerungen als ihren unausgesprochenen Kern umreißen.

Ein Mann war zwölf Jahre Alkoholiker, er war von Medikamenten und Kokain abhängig, aber hat es mit Hilfe seiner Familie, mit Hilfe einiger guter Freunde und aus eigener Willenskraft geschafft, den Suff und das Koksen aufzugeben. Dieser Mann liebt seine Frau und seine Kinder, er glaubt an Gott, und er sagt uns am Ende seines Buches, nachdem er das alles und noch ein bisschen mehr bekannt hat: «Es geht darum, glücklich zu werden, okay?» Unser Mann hat sein Glück mit der Schriftstellerei gemacht, und deshalb ruft er all denen, die ihm auf diesem Weg nachfolgen wollen, zu: «Sie können es, Sie dürfen es, und wenn Sie genug Mut für den Anfang aufbringen, dann *schaffen Sie es auch*. Schreiben ist Magie, ist das Wasser des Lebens, genau wie jede andere kreative Kunst auch. Es ist umsonst. Trinket also.»

Dieser Brustton, diese Missionarsrhetorik kommen uns noch nicht restlos amerikanisierten Alteuropäern doch verdächtig vor. Es scheint ratsam, vorsichtig an dem zu nippen, was uns ein bekehrter Trinker als das Gratis-Wasser des Lebens anbietet. «Umsonst» ist in den USA wahrlich wenig, vielleicht nichts, das kann man in Kings «Lebenslauf» aus manchem Detail lernen. So erzählt King, wie er als junger, noch erfolgloser Autor mit seiner Frau und den beiden kleinen Kindern von einem Besuch bei seiner krebskranken Mutter nach Hause kommt. Das Töchterchen Naomi hat plötzlich hohes Fieber bekommen, eine Mittelohrentzündung, und die Eltern wissen, dass sie den «Rosa Saft», das nötige flüssige Antibiotikum nicht kaufen können, weil sie pleite sind.

Das ist anrührend und glaubwürdig erzählt, aber in ihrer Pointe enthüllt die Familienanekdote ihren ideologischen Zweck: Zu Hause angekommen, entnimmt der verzweifelte Vater dem Briefkasten einen Umschlag, findet darin nicht, wie befürchtet, eine weitere Rechnung, sondern einen Scheck des Herrenmagazins «Cavalier» über fünfhundert Dollar, das erste größere Honorar, das King erhält.

So geht es in der Welt dieses Buches regelmäßig zu: Sein Held, der Autor King, kommt aus schwierigen Verhältnissen und hat mit den Schlägen des Lebens zu kämpfen. Aber weil er an das Recht auf Glück, weil er an seinen amerikanischen Gott glaubt und weiß, dass dieser Gott den bedingungslosen Kampf ums Glück erwartet, gibt er nicht auf, um schließlich belohnt zu werden.

Wer sind wir, dass Stephen King meint, uns den amerikanischen Bären aufbinden zu müssen? Wir sind seine Leser, und in «Das Leben und das Schreiben» ist oft von uns Lesern die Rede: «Ohne den treuen Leser sind wir nur quakende Stimmen im Nichts.» Dies ist vielleicht die schönste Stelle, denn sie ist frei von der devoten Anbiederei, mit der in anderen Passagen um die Gunst der Leserschaft gebuhlt wird, und sie hat auch nichts von der dreisten Dominanz, mit der uns der Schreibschulmeister King seine meist dürftigen Ratschläge auftischt. In der schaurig-komischen Vision vom Autor als einsam quakendem Frosch bleibt der Leser, genauer gesagt, die Fähigkeit des Autors, die Existenz seiner Leser zu phantasieren, die einzige Rettung aus Einsamkeit und Angst.

Stephen Kings neues Buch macht keine Angst, es hat Angst. Ich kann mich an kein zweites nicht-fiktionales Buch erinnern, in dem so oft das Normal-Sein, der «klare Kopf» und der «gesunde Verstand» beschworen würden. King lässt keine Gelegenheit aus zu beteuern, dass es in seinem Dachstübchen wie bei uns, bei seinen Lesern, mit rechten Dingen zugehe.

«Wenn Sie allerdings meinen, ich ticke nicht richtig, auch gut.» Mit dieser vorauseilenden Schutzgeste schließt King einen Absatz, in dem er die Planbarkeit literarischer Handlungen, das kontrollierte Ausdenken von Geschichten bezweifelt hat. Und in der Tat, hier liegt der Hund begraben: King weiß nicht, woher das kommt, was ihm beim Schreiben einfällt.

Rätselhaft sind ihm jene schrecklichen Einfälle, jene Ketten aberwitziger Handlungsideen, die seinen Erfolg ausmachen und um derentwegen man ihn, der in Sachen Beschreibung, Figurenzeichnung, Dialog, Reflexion und Stil das amerikanische Mittelmaß selten überschreitet, einen Großmeister des Plots nennen muss. Das gibt er offen zu, und wie er seinen Arbeitsalltag beschreibt, spricht Bände. Sein Verhältnis zur eigenen Kreativität ist ein magisches, er ist ein moderner Primitiver. Mit Ritualen, mit Beschwörungen und Dankopfern versucht er jenes Etwas in Arbeit, in Textproduktion, zu bannen, das er weder kontrollieren noch verstehen kann.

Es rührt an, wie ungeschickt und stockend der manische Schreiber vom Werben um seine Muse, die zweifellos ein Dämon ist, zu erzählen versucht. Mit Sympathie sehe ich diesen einsamen Mann mit Bier und Kokain und schließlich mit Pepsi-Cola seine Privat-Riten an Schreibmaschine und PC verrichten. Aber zugleich bestürzt mich der verzweifelte Größenwahn, mit dem er in seinem neuen Buch den Fans das Schreiben beibringen will. Die Absicht ist klar: Wir sollen ihm nachfolgen. Denn wenn alle so würden wie er, wenn ihn Millionen kleiner Stephen Kings umwimmelten, könnte er endlich seiner Normalität sicher sein.

Vom Umschlag des Buches blickt uns der Autor King gütig lächelnd entgegen. Ohne Zweifel: Er ist der gute Amerikaner, der das Beste für seine Familie, für «God's own country», ja für die ganze Welt will. Aber irgendwo in diesen Augen, und hinter jeder Zeile dieses Buches lauert ein bösartiger Uncle Sam, der uns mit irrem Blick anstarrt, weil er uns alle, mit Haut und Haaren, haben will.

Das wäre der Amerikaner, den King in seinen besten Horror-Romanen zur Tat schreiten lässt und dessen schreckliche Gestalt wir dort genießen, weil sie in Kings Plot wie durch ein Korsett perfekt geformt und zugleich wie in einer Zwangsjacke fixiert ist. Wer die ganze flackernde Blauäugigkeit von Kings erstem nicht-fiktionalen Buch ermessen will, wer in den amerikanischen Abgrund hinter dreihundert Seiten amerikanischer Flachheit blicken möchte, sollte sich vorher eine Nacht mit einem King-Roman, mit «Friedhof der Kuscheltiere», mit «Shining» oder «Stark», um die europäischen Ohren schlagen.

(Geschrieben für die Frankfurter Allgemeine Zeitung, *August 2000)*

BANG AM HERZEN DES GROSSEN BRUDERS

Der 11. September als Gedenktag unserer
amerikanischen Teilhabe

Ist dies eines jener raren großen Geschehnisse gewesen, von denen wir, hier in Deutschland, künftig Kindern und Enkeln erzählen werden? Wenn ja, dann würden unsere jüngsten Zeitgenossen, die in den Buddelkästen des zurückliegenden Sommers ihre ersten Sandburgen errichteten, zu denen gehören, denen man in den kommenden Jahren vom 11. September 2001 berichten wird. Und wir, die wir es mit unserem zur Einordnung verurteilten Erwachsenenverstand mehr oder minder live mitbekommen haben, stünden vor diesen Heranwachsenden in einer eigentümlich modernen Chronistenpflicht, in der des medialen Augenzeugen.

So dieser Fall eintritt, mag sich zeigen, ob uns der Mund wie von selbst übergeht, weil unser Herz mit dem Niederschlag der Erfahrung, mit der Erinnerung an unkontrolliertes Empfinden und schockartige Erkenntnis, randvoll ist. Aber noch scheint mir nicht entschieden, ob uns der 11. September auf diesen Prüfstand bringt. Ein Jahr nach dem Anschlag ist ebenso möglich, dass dieses nicht leicht vergleichbare Ereignis, der Angriff eines transnationalen Untergrundnetzwerks auf die architektonischen Symbole der führenden Industrie- und Militärmacht bloß als einmalige Katastrophe im Register der einmaligen Katastrophen verzeichnet wird.

Für uns, die medialen Zeitzeugen, käme der Terrorakt dann beim Reaktor-GAU von Tschernobyl, bei der Giftgas-Havarie von Bophal, beim Tschetschenienkrieg, beim Völkermord in Ruanda und zusammen mit fernen Naturkatastrophen in einer unsystematisch gefüllten Schublade zu liegen – eben dort, wo die Mechanik unseres Merkens und Vergessens all das Unglück hinschafft, das, während wir, global geschieden, an ihm vorbeileben dürfen, vielen Menschen das Leben kostet, dem Fernsehen eine Berichterstattung wert ist und in uns eine Zeitlang das halb beklommene, halb wohlige Staunen des Nichtgetroffenen aufsteigen lässt.

Noch könnte der 11. September 2001 diesen Weg gehen, noch hängt in einer merkwürdigen Schwebe, inwieweit er uns, über ein mit bewegten Bildern gesättigtes Hörensagen hinaus, angehen wird. Diese Unentschiedenheit liegt daran, dass all das, was dem Einsturz der Türme bis jetzt folgte, in seiner Wirkung auf unser Gemüt deutlich hinter dem Initialereignis zurückgeblieben ist. Der Krieg gegen das Taliban-Regime in Afghanistan war, so scheint es, unerwartet schnell abgeschlossen. Die Teilnahme deutscher Soldaten, abseits der kämpfenden Afghanen und im Windschatten der US-Militärmaschine, ging bislang ohne spektakuläre Verluste ab. Die Organisation des Gegners ist wohl so geschwächt, dass sie vorerst nicht zu neuen großen Schlägen ausholen kann, auch die Magie des Unsichtbaren, die al-Qaida kurze Zeit besaß, scheint gebrochen. Selbst dem drohenden amerikanischen Militärschlag gegen den Irak blicken wir mit jenem mäßig neugierigen Unbehagen entgegen, das verrät, wie sicher wir uns fern der Gefahr fühlen.

Aber vielleicht übersehen wir etwas. Es könnte sein, dass wir eine tief beunruhigende Folge des 11. Septembers bereits aus dem Auge verloren haben, nicht nur, aber auch weil sie sehr nahe am Ereignis lag. Unmittelbar nach der Zerstörung des World Trade Centers kam es in den USA zu einer Reihe von Anschlägen mit einem bakteriologischen Kampfstoff, den Sporen des Milzbranderregers. Der Verdacht, dass ausländische Terroristen dahinterstecken könnten, erhärtete sich nicht. Die hochwirksame biologische Waffe scheint aus den Labors der US-Rüstung zu stammen. Keine kleine Sache, sollte man meinen. Immerhin wird die amerikanische Außenpolitik zurzeit nicht müde zu predigen, wie gefährlich es ist, wenn moderne Massenvernichtungsmittel in verantwortungslose Hände geraten. Aber genau das, was die USA andernorts angeblich um jeden Preis verhindern wollen, ist ihnen nahezu beiläufig im eigenen Land geschehen.

Und, ehrlich gesagt, wir wundern uns nicht darüber. Und es wird uns ebenso wenig ein Erstaunen wert sein, wenn die Nachforschungen der US-amerikanischen Bundespolizei und der diversen konkurrierenden Geheimdienste kein überzeugendes Ergebnis erbringen würden oder wenn der Hauptverdächtige kurz vor seinem Prozess einem geistesverwirrten Attentäter zum Opfer fallen sollte. Auch wer fast nichts über die amerikanische Geschichte weiß, hat zumindest mitbekommen, dass die USA jener moderne Staat sind, der nicht klären kann, in welchem Auftrag seine Präsidenten, seine Präsidentschaftskandidaten oder die Mörder derselben niedergeschossen werden.

Aber auch ohne dass der Anthrax-Attentäter in Handschellen vor die Kameras geführt wird, können wir ihn uns vorstellen. Damals, als die Meldung in die Welt hinausging, dass es sich wohl um einen US-Bürger handeln müsse, hat sich blitzlichtartig ein Bild von ihm in uns gebildet. Eine

Vorstellung, so einleuchtend und tief beunruhigend, dass wir sie ebenso schnell wieder beiseitegeschoben haben. Vielleicht haben wir vor den USA das Wundern verlernt, weil wir es uns schlicht nicht leisten können. Es scheint bekömmlicher, vieles, was uns aus den USA erreicht, wie sanften Regen oder harschen Hagel, wie etwas, das unbeeinflussbar vom Himmel fällt, fraglos hinzunehmen.

«Dich macht, ich seh', dein Römerhaß ganz blind. Weil als dämonenartig dir das Ganz' erscheint, so kannst du dir als sittlich nicht den einzelnen gedenken.» Diese Ermahnung bekommt Hermann der Cherusker von seiner Frau Thusnelda im zweiten Akt von Kleists Drama «Die Hermannsschlacht» zu hören. Wir heutigen Deutschen könnten uns diesen Ratschlag der hellsichtigen Stammesfürstin gleich doppelt zu Herzen nehmen. Zum einen, sobald uns Distanzgefühle wie Hass, Angst oder Neid dazu verführen, die USA, wie man es einst mit den übermächtigen Römern zu tun pflegte, zu verteufeln. Andererseits stiftet Thusneldas Rede auch Sinn, wenn wir Hass durch ein Wort ersetzen, das Nähe suggeriert, durch Liebe, Freundschaft oder Solidarität, durch Vokabeln, die zur identifikatorischen Verschmelzung mit dem Dominanten verlocken.

Die USA sind im zurückliegenden Jahr oft mit dem römischen Imperium verglichen worden, nicht nur von ihren auswärtigen Kritikern, auch die amerikanische Öffentlichkeit spielt auf allen intellektuellen Niveaus mit dieser historischen Spiegelung. Kleists Cheruskerfürst steckt, als ihm seine Frau die dämonischen Flausen austreiben will, in einer komplexen Zwangslage. Die Großmacht Rom ist dabei, Germanien nach und nach unter ihre Kontrolle zu bringen. Hermann selbst treibt ein kompliziertes falsches Spiel, er paktiert mit den Vertretern des Gegners und organisiert gleichzeitig in einer ausgefuchsten Geheimdiplomatie ein Bündnis der chronisch uneinigen germanischen Stämme gegen die Besatzer. Es gilt, zumindest in Kleists Drama, die entscheidende Niederlage gegen die Römer und die Unterjochung durch das Imperium zu verhindern.

Das haben wir, wenn der Vergleich erlaubt ist, zum Glück bereits hinter uns. Unter den vielen Gegnern, die die Vereinigten Staaten von Amerika in ihrer kurzen Geschichte militärisch, ökonomisch und politisch gedemütigt haben, nimmt Deutschland eine nicht unwichtige Stellung ein. In den zwei Weltkriegen des 20. Jahrhunderts wurden die Großmachtansprüche des Deutschen Reiches Makulatur. Ähnliche Erfahrungen hatten im vorausgehenden Jahrhundert bereits die schwächelnden Kolonialmächte Großbritannien und Spanien mit den aufstrebenden Nordamerikanern gemacht.

Tiefer noch als die militärische Niederlage wirkte auf Deutschland die kulturelle Bemächtigung. Ihren Anfang bildete bereits der Bombenkrieg der letzten beiden Kriegsjahre, der die architektonische Eigenständigkeit der deutschen Städte auslöschte. Es folgte die totale Besetzung, die politische Bekehrung und, fast ohne Übergang, die sanfte Gewalt einer Freundschaft, zu der es keine Alternative gab. Die USA wissen, wie man die Unterworfenen zum Bruderkuss zwingt, weit härter noch als die Deutschen haben dies die Japaner erfahren. Und fast jede Nation, der eine Amerikanisierung widerfahren ist, hat bis heute die Zähne aufeinanderzubeißen, um sich zumindest die Zunge, die eigene Sprache, und damit die Chance eines eigenständigen Sprechens zu erhalten.

Aber ich will den Ratschlag der Germanin Thusnelda

nicht vergessen: Ein Staat ist kein Dämon. Sogar das Kalkül der nackten Macht muss in modernen Zeiten immer häufiger komplizierte Nebenrechnungen eingehen. Und so bekommt auch das Wohlmeinen von Einzelnen, von Parteien, Organisationen und Institutionen seine Chance, etwas in die Bilanz einzubringen. Dergestalt hat auch das gedemütigte und geschrumpfte Westdeutschland der Nachkriegszeit jenen Amerikanern, die es gut mit den am Boden liegenden Feinden meinen, einiges zu verdanken. Die USA haben eine Auswahl unserer politischen und militärischen Nationalverbrecher exemplarisch gerichtet, der am Gängelband geführten BRD wurde eine komfortable Nische in der Weltwirtschaftsordnung eingeräumt, und vor nicht allzu langer Zeit hat Hollywood das an Grauen reichste Kapitel der deutschen Geschichte mit «Schindlers Liste» auf den Nenner eines Western-Duells gebracht, in dem ein teuflischer KZ-Kommandant gegen einen zwar etwas schlitzohrigen, aber doch im Kern braven Teutonen antritt.

Eigentlich können wir, fast mit gelassener Neugier, dem geplanten Monumentalfilm über Hitlers Leben entgegensehen. Wenn auch noch die Amerikanisierung dieser größten Schreckfigur unserer jüngeren Geschichte gelingt, wenn im Kino und dann regelmäßig auf deutschen Fernsehkanälen zu sehen ist, wie die Comic-Figur Captain America in ihren unterschiedlichen Inkarnationen blöd-böse Nazi-Schergen vermöbelt, dann hat uns die Geschichtsschreibung der amerikanischen Kulturindustrie, nicht sehr behutsam, aber doch auf Dauer behütend, in ihre Superhelden-Sagas eingebunden. Und die imperialen Träume unserer jüngeren Ahnen hätten in einer weltumspannenden US-Mythologie eine letzte Heimstatt, Spiel- und Ruhestätte zugleich, gefunden.

Dennoch blicken wir unruhig nach Amerika. Wer ist derjenige, der einen Terroranschlag mit Tausenden von Toten zum Anlass nimmt, um den Tod in seiner elementaren Form, nämlich als tötendes Leben, per Post an seine Landsleute zu verschicken? Nach einem halben Jahrhundert Amerikanismus, nach über fünfzig Jahren Teilhabe, sind wir hellsichtig genug, uns diesen Sohn der Neuen Welt vorstellen zu können. Vielleicht kommt er aus dem Mittleren Westen der USA, wo sich so viele Verwandte unserer Vorfahren niedergelassen haben. Gut möglich, dass er gläubig ist, womöglich haben zwei Jahrhunderte christlicher Sektiererei in seiner Seele ein bösartiges religiöses Sediment gebildet. Aus diesem Schlamm steigen wie Blasen immer dieselben Vernichtungs- und Errettungsphantasien auf: Die USA sind stets die Zuflucht und das Gelobte Land der Gerechten und Rechtgläubigen gewesen. Aber das Böse bedroht dieses Reich von außen und immer mehr auch von innen. Mit Stumpf und Stiel muss es ausgemerzt werden, und auch vor den eigenen Gliedern darf dabei nicht haltgemacht werden. Der große Kreuzzug gegen die äußeren Teufel und ihre lauen Wegbereiter im Inneren ist nah. Dem Reich Gottes muss das Feld bestellt werden – mit der Pumpgun, die man im Schrank hängen hat, aber auch mit Anthrax, notfalls mit allem, was die apokalyptischen Arsenale der amerikanischen Angst an Herbiziden und Insektiziden bereithalten.

Aber ich bin dabei, arg gegen den Ratschlag unserer Ahnmutter Thusnelda zu verstoßen! Jene phobische und zugleich aggressiv bekehrungswütige Gestalt, jener Erz-Amerikaner, den ich aus dem diffusen Schatten des Anthrax-Attentäters heraufbeschoren habe, hat kein Gran mehr von der sittlichen Substanz des verantwortungsbewussten Einzelnen, den die kluge Germanin sogar im angreifenden Römer noch zu erkennen vermochte. Ich bin, nicht unähnlich ihrem Gatten Hermann, der lange im Dienst des Imperiums stand und das übermächtige Gegenüber auch kennen und lieben lernte, einem Fluch der Teilhabe erlegen. Denn auch die besten modernen Romane und Filme, die ich rezipieren durfte, stammen zum großen Teil aus dem Reich dieses Dämons. Die Wucht der amerikanischen Kunst und der Glanz amerikanischen Geistes, nicht das Donnern amerikanischer Waffen, haben mir, wie den meisten nach dem Zweiten Weltkrieg geborenen Intellektuellen, die Phobien Amerikas vor Augen geführt und mir den Text der amerikanischen Angst ins Gemüt geschrieben.

Noch ist dies eine Zweitschrift. Jeder Abstand, den wir zu den USA noch einnehmen können, jedwede ästhetische Distanz, die unsere Erfahrung mit einer Welt, die uns die US-Kultur deutend vor Augen führt, noch zu synchronisieren, zu mildern oder zu ironisieren vermag, kann unsere Teilhabe fruchtbar, unter Umständen sogar zu einem Segen machen. Diejenigen, die im zurückliegenden Sommer ihre ersten Sandburgen bauten und zerstörten, diejenigen, denen wir vielleicht in den kommenden Jahren vom 11. September berichten werden, sind schon ein Stück mehr Kinder der amerikanischen Welt. Es wäre ein Glück, wenn auch ihre Teilhabe noch keine totale wäre. Nahe am Herzen des Großen Bruders werden sie sicherlich sein, aber hoffentlich weit genug von ihm entfernt, um sein Gesicht noch erkennen zu können, weit genug, um die Grimassen seiner Angst von der Souveränität seines Lächelns zu unterscheiden.

«Ihr lächelt? Glaubt mir, Rom altert wie sein Gottesdienst.» Dies sagt der sterbende Kaiser Augustus am Ende eines anderen deutschen Römer-Dramas, in Christian Dietrich Grabbes «Hermannsschlacht», und gemessen am blutrünstigen Vorlauf des Bühnengeschehens ist diese Schlussszene im kaiserlichen Palast, im Herzen der Weltmacht, von erstaunlicher Milde. Fast gelassen spricht Augustus vom künftigen Niedergang des Römischen Imperiums. Unsere Weltmacht, an deren Brust wir in banger Teilhabe horchen, wird gewiss nicht im Ansturm barbarischer Schurken und Schurkenstaaten zugrunde gehen. Aber eine entsetzliche Implosion, einen katastrophalen Kollaps ihrer pseudoreligiösen Hybris, traut den USA unsere Angst zu. Was könnten wir diesem Amerika also, mit unseren Dichtern, Besseres wünschen als ein gemächliches Altern, ein gelindes Schwinden seiner Macht wie seines Sendungsglaubens?

(Geschrieben für die Berliner Zeitung, *August 2002)*

DAS ENGLISCHE EXIL

Der Raum der deutschen Sprache

Heimat ist einmal ein großes Wort gewesen. Es gehörte zu jenen magischen Wörtern, denen, im rechten Moment gesprochen oder gar gesungen, unwiderstehliche Wucht zuwächst. Seine beiden Silben konnten den zungenflinken Ironiker stammeln machen, die starre Abwehrgrimasse des Zynikers erweichen und ließen, so die Stunde günstig war, fast jeden Kehlkopf unwillkürlich schlucken. Denn Heimat war etwas, was man unter Schmerzen verlieren konnte.

Am Strand von Fuerteventura, der spanischen Wüsteninsel vor der afrikanischen Westküste, haben meine Frau, unsere Söhne und ich letztes Weihnachten deutsche Heimatvertriebene kennengelernt: ein kinderloses Ehepaar Mitte sechzig, beide Zahnärzte im Ruhestand, die fast das ganze Jahr auf den Kanaren verbringen. Das große Haus in Stuttgart ist dauerhaft vermietet. Als Schwaben hätten sie sich, trotz dreißig Jahren Berufstätigkeit im Stuttgarter Bereich, nie so recht gefühlt. Im Gegenteil, gerade gegen die Mundart, jenes Spätzle-Schwäbisch, habe sich bei ihnen immer eine gewisse Reserve erhalten. Sie seien beide als Kinder mit demselben Treck aus Ostpreußen geflohen. Die Erinnerungen an ihre Geburtsstadt Königsberg sei nur schwach, umso deutlicher aber habe sich die Abneigung, ja Feindseligkeit eingeprägt, mit der die süddeutschen Einheimischen die Flüchtlingsfamilien aufgenommen hätten. Die ersten Nachkriegsjahre seien, auch für sie als Kinder, kein Zuckerlecken gewesen.

Überhaupt weinten sie beide dem engstirnigen Stuttgart, wo sich immer nur alles ums Geld drehe, keine Träne nach. Dennoch habe man letztes Jahr ausgerechnet mit einem anderen Stuttgarter Paar, das nur den Winter auf Fuerteventura verbringe, einen deutschen Sing- und Lesekreis gegründet. Man treffe sich einmal pro Woche, um sich etwas vorzulesen und einfache Lieder einstimmig zu singen. Dabei schrecke man selbst vor modernen Romanen nicht zurück und lasse zwischen den gängigen Volksliedern gern auch einen klassisch gewordenen Schlager erklingen. Aber deutsch müsse es schon sein.

Wir Kurzzeiturlauber waren uns nicht ganz sicher, wieso diese beiden schwäbischen Ostpreußen, warum diese deutschen Zahnärzte im Exil so beklemmend rührend auf uns wirkten. Meine Frau meinte, es seien die goldfarbenen Trainingsanzüge mit dem Zeichen eines amerikanischen Sportartikelherstellers gewesen, in denen die beiden über den abendlichen Strand joggten. Mir hat eher das fast indianisch Bronzene ihrer alten Gesichter bleibenden Eindruck gemacht. Wie traurige, in ein Wüstenreservat abgedrängte Komantschen kamen sie mir vor. Und als ich die beiden, an unserem Abreisetag, noch einmal im Kreis von Landsleuten in einem Café sitzen sah und laut Deutsch sprechen hörte, kam mir plötzlich die alte angstschwangere Nazi-Phrase vom «Volk ohne Raum» in den Sinn.

Wie viele moderne Völker und Völkchen sind wir Deutsche dabei, ein Volk ohne Raum zu werden. Immer mehr Menschen bedeutet es wenig, wo sie ihre Mutter geboren hat, wohin sie die Wechselfälle der Ausbildung und des Erwerbslebens bis jetzt geführt haben und noch führen werden. Landes- und Kontinentalgrenzen werden, nicht nur im Urlaub, immer leichtfüßiger überschritten. Der Anteil derer, die auf ihre Weltläufigkeit stolz sind, wächst. Und in den Zirkeln der sogenannten Berufseliten gehört Heimweh zu den Gefühlen, die man sich besser nicht ans emotionale Revers heftet. Gut zwanzig Jahre ist es schon her, dass ich zuletzt einen Deutschen die Sorge äußern hörte, er könnte in der Fremde sterben und nicht in der Heimat bestattet werden.

Welchen Raum kann ein Heimatverlorener noch verlieren? Was fehlt dem touristischen Globetrotter, dem weltgewandten Geschäftsmann, dem multikulturellen Tausendsassa, wenn er sich noch spätnachts in seinem Hotelzimmer durch die Fernsehprogramme zappt? Wo will er zur Ruhe kommen? Er sucht, ob er es sich eingesteht oder nicht, einen TV-Kanal, auf dem Deutsch gesprochen wird. Gern darf es der Singsang eines Nachrichtensprechers sein, auch das Geplapper der Moderatoren und Talkshowgäste ist dann nicht zu verachten. Und wenn ein deutscher Schriftsteller spätnachts in dem Hotelzimmer, das ein Goethe-Institut für ihn gebucht hat, über Satellit sieht, wie einer unserer Fußballnationalspieler stockend, aber wacker mehrfach ansetzend, um den richtigen Satz ringt, kann dies dem Autor, dem hartgesottenen Wortkünstler, die Tränen in die Augen treiben.

Heimat hat heute, wer noch eine Sprache sein Eigen nennt, die eine ganze Welt fassen kann. Heimatlos sind wir, wo wir radebrechend ins Leere tasten. Englisch mag die Weltsprache sein, aber noch greifen andere Sprachen mit gleich starken Händen nach den Dingen. Wer Sprachraum aufgibt, wer eine Tür seiner Muttersprache nach der anderen zuwirft, als wollte er bestimmte Zimmer nie mehr betreten, der treibt sich selbst ins Exil. Dann kann man ihm nur noch das Schicksal jener einfältigen Toren wünschen, die die Märchen früherer Zeiten lange in die weite Welt hinausschickten und erst auf schmerzlichen Irrwegen in die Heimat zurückfinden ließen.

(Geschrieben für die Frankfurter Rundschau, *Februar 2001)*

EIGENTÜMER EINES FREIEN HERZENS

Ursula K. Le Guins Zwei-Planeten-Roman
«Die Enteigneten»

Schön, wenn es nahezu allen gutgeht! Die Frage nach dem Wohl der meisten kann die maßgebliche Elle sein, die man an eine Gesellschaftsordnung anlegt. Jedoch ließe sich ein Gemeinwesen auch an dem messen, was es seiner vielleicht kleinsten Minderheit zugesteht: Wie sieht es mit der Freiheit und der Würde derer aus, die durch übergroße Begabung zu unübersehbarem Anders-Sein, zu schicksalshafter Ungleichheit verurteilt sind? Wie ergeht es dem vergesellschafteten Genie?

In Ursula Le Guins Roman «Die Enteigneten» erhebt ein frühreifes Knäblein, gerade der ersten Worte mächtig, die Hände zum lichtdurchfluteten Fenster und ruft: «Meins! Sonne meins!» Die beanspruchte Sonne erhellt den Planeten Anarres. Anarchistische Exilanten, vertrieben vom Mutterplaneten Urras, haben auf Anarres eine Kultur begründet, die seit mittlerweile hundertsiebzig Jahren ohne Privateigentum und staatliche Herrschaft, ohne Polizei, ohne die Institution Ehe, ohne Geld und ohne Profitstreben auskommt. Der kleine Shevek, der Junge, der das Lichtgestirn zu besitzen begehrt, wird deshalb sogleich im Geiste solidarischer Ordnung aufgeklärt: «Nichts gehört dir. Man benutzt es. Man teilt es.»

Die Szene ist eine Rückblende in die Kindheit des Helden.

Shevek, der seinen Namen wie alle auf Anarres aus Gründen der Gleichbehandlung von einem Computer zugeteilt bekommen hat, ist ein hochfähiger Physiker geworden. Seine mathematischen Spekulationen zum Wesen der Zeit sprengen das, was auf Anarres als wissenschaftliche Wahrheit gilt. Da ihn die mittelmäßigen Koryphäen der Zunft nicht mehr verstehen, gerät er in den Verdacht zu «egoisieren». Unverständnis hervorzurufen gilt auf dem Planeten der Brüderlichkeit als Vergehen gegen den Gemeinsinn. Bald wird Shevek so subtil tückisch gemobbt, wie es vielleicht nur in Gemeinschaften möglich ist, deren Ideologie jede offene Gewaltausübung ächtet.

Shevek flieht mit einem Raumfrachter auf den verrufenen Herkunftsplaneten seiner Zivilisation. Auf dem kapitalistischen Urras bereitet man ihm einen großen Empfang. Denn dort hat das wissenschaftliche Establishment die Zukunftsträchtigkeit seiner Arbeiten erkannt. Man umfängt Shevek mit den Privilegien, die wie bei uns die Stufung der sozialen Pyramide kennzeichnen: Luxus, Anerkennung und Verfügungsgewalt über die Produktionskraft jener Mitmenschen, die dem komplexen System der ökonomischen Ausbeutung nicht so kostbare Ressourcen zu bieten haben wie ein genialer Naturwissenschaftler.

In einem ekstatischen Schnelldurchgang lernt Shevek die Gesellschaftsordnung verstehen, die seine Ahnen auf den kargen Nachbarplaneten Anarres vertrieben hat. Urras ist klimatisch begünstigt. Die Schönheit und Vielfalt seiner Natur verschränken sich auf verführerische Weise mit der exquisiten Beherbergung, die Shevek als Gast einer bedeutenden Universität genießt. In Rückblenden kontrastiert der Roman dieses verwöhnte Dasein mit Sheveks früherem

Leben auf Anarres. Dort haben die anarchistischen Siedler der widrigen Umwelt ein Lebensniveau abgerungen, das kein materielles Elend, aber auch keinen Luxus kennt. Zum dramatischen Höhepunkt des kollektiven Kampfes mit der Natur wird eine Dürreperiode mit Hungersnot, in der sich die simplen basisdemokratischen Strukturen des Anarchismus auf eine anrührende Art bewähren: Man teilt Brot und Leid.

Auf Urras beschleunigt sich Sheveks Forschung unter den besonderen Bedingungen seiner neuen Existenz. Zugleich begreift er, was sich die Mächtigen seines Gastlands von seiner Arbeit erhoffen. Seine mathematisch-physikalischen Theorien versprechen, die Grundlage einer neuen Technologie zu liefern. Erstmals wären gewaltige Raumsprünge ohne Zeitverlust, ein freies Reisen im Weltall möglich. Die Zivilisation, die als erste in den Besitz dieser Möglichkeit käme, besäße einen unschätzbaren ökonomischen und militärischen Vorsprung.

Als ein innerplanetarischer Krieg droht, als Unruhen in der Unterschicht ausbrechen, flieht Shevek aus seinem goldenen Käfig. Er taucht in den Slums von Urras unter und findet Anschluss an eine illegale Opposition, deren Mitglieder die Verhältnisse seines Heimatsterns in verklärter Fernsicht idealisieren. Es ergibt sich eine paradoxe Situation: Shevek, dessen Begabung auf Anarres beinahe am Nivellierungsdruck des Kollektivs zerbrochen wäre, wird bei den Unterdrückten von Urras zur heroischen Lichtgestalt, «zur fleischgewordenen Idee des Anarchismus».

Ursula Le Guins Roman stammt aus den frühen Siebzigern des vorigen Jahrhunderts, aus einer Zeit, in der sich das Denken der Intellektuellen noch einmal wie in einem letzten dogmatischen Karneval an den Ideologien des alten Europa berauschte. Eine der großen Stärken von «The Dispossessed» liegt darin, dass sich der Roman nie auf die Seite totalitärer Gewissheit schlägt und weder der Freiheit noch dem Gemeinwohl den Rang eines Fetisches einräumt, vor dem das Erkennen, das Beschreiben und das Erzählen in Ehrfurcht zu erstarren hätten.

Zuletzt hat Shevek seine «Allgemeine Feldtheorie der Temporalphysik» mit Hilfe der Botschafterin des Planeten Terra interstellar bekanntgemacht und damit für jede Nutzung, auch für möglichen Missbrauch freigegeben. Ohne Eigentum kehrt er auf sein armes Heimatgestirn zurück. Es erwarten ihn der Gemeinsinn, die Versagungen und die Schikanen, aus denen auf rätselhafte Weise der Reichtum seines Genies entstanden ist. Für die inzwischen 78-jährige Science Fiction-Autorin Ursula K. Le Guin wird, was wir nicht ohne Stolz «Individualität» nennen, stets aus der Erfahrung von Schmerz und Mangel geboren, so wie wir sie mit anderen und durch andere erleiden. Und der steilste Luxus, den die Kultur bislang nicht nur den Staubstürmen des Planeten Anarres, sondern dem Sandsturm jedweder Zeit abtrotzen konnte, ist die uns allen zugängliche Gewissheit, alleiniger Eigentümer eines freien Herzens zu sein.

(Geschrieben für die Neue Zürcher Zeitung, *November 2007)*

5
GIPSTROMMEL UND BLECHORAKEL

DIE STIMMEN DER FERNEN TOTEN

Umberto Eco souffliert dem
Mittelalter

Es gehört nicht viel dazu, pauschal an das Mittelalter zu glauben. Diese fernen Jahrhunderte und die Menschen, die sie erlitten haben, wird es wohl gegeben haben. Irgendwo müssen die schmucken Ruinen rechts und links des Rheins ja herkommen. Sogar in unseren Städten, deren historischer Text vom großen Radiergummi der angloamerikanischen Bomberflotten auf Reader's-Digest-Format zusammengekürzt wurde, steht noch das eine oder andere mittelalterliche Bauwerk. Und die Magazine unserer Museen sind reich genug an vorneuzeitlichem Kleinkram, um landauf, landab in den Vitrinen von Dauer- und Sonderausstellungen, mit verblichenen Messgewändern, dünngegriffenen Münzen und dem einen oder anderen gelben Mönchsschädel ein hübsches Sammelsurium mittelalterlicher Dinglichkeit anzurichten.

Aber wer reichlich Gerümpel präsentieren kann, hat nicht zwangsläufig viel zu erzählen. Dort wo uns das Mittelalter noch in Artefakten entgegentritt, sind seine Überbleibsel zunächst nichts weiter als alt, schön alt bis schäbig alt, aber nicht unbedingt vielsagend alt. Man muss nur eine Runde durch den Kölner Dom drehen und nicht auf die Altäre, sondern in die Gesichter der Anwesenden sehen, dann erkennt man, wie wenig den meisten Besuchern der abgekratzte Stein und das bemalte Holz zu sagen vermögen.

Überhaupt scheint es nicht gut um unsere historische Kultur zu stehen. Wenig von der Vergangenheit zu wissen ist längst keine Schande mehr, allenfalls in speziellen Situationen ein wenig peinlich. Und falls einer im Kölner Dom unangenehm davon berührt ist, wie stumm das ganze Drumherum bleibt, kann er einen der ausliegenden Kirchenführer erwerben. Diese Broschüre zeigt ihm dann, welchen Grad mutloser Erschöpfung das Erklären und Erzählen in der zuständigen akademischen Zunft erreicht hat. Gebetsmühlenartig drehen sich die Namen der Heiligen, der Bischöfe und der Kaiser vor den Augen des Lesers. Der historiographische Text, einst Hörrohr am Leib des Vergangenen und Megaphon des bürgerlichen Selbstverständnisses, er hilft nicht weiter, er scheint selbst Beistand nötig zu haben.

Geholfen wird denen, die nach den Stimmen des Mittelalters suchen, nicht im Dämmer der Kirchen oder auf den Katalogtischen der Ausstellungen, sondern im lichten Eingangsbereich der großen Buchhandlungen. Dort, wo die aktuellen Paperbacks, die Bestseller und die Bestseller-Aspiranten unsere frische Aufmerksamkeit abgreifen. Hier heißt das Mittelalterbuch «Die Heilerin von Canterbury», «Des Kaisers Frauen» oder «Die Kinder des Gral». Es sind populäre Biographien, kulturgeschichtliche Schmöker und Spannungsromane, nicht wenige davon sogenannte Mittelalter-Krimis.

Hier liegt ab sofort auch die deutsche Übersetzung von Umberto Ecos letztem Werk. Im Gegensatz zu den meisten anderen Neuerscheinungen braucht dieses Buch kein Mittelalter-Signal im Titel. Der Name des Verfassers, das Markenzeichen «Umberto Eco», steht bereits für die Beschäftigung mit dem Mittelalter und zugleich für den Erfolg, den man damit haben kann.

«Baudolino» heißt der Roman, in dem das Leben des gleichnamigen Helden erzählt wird. Ein italienischer Bauernjunge trifft im heimatlichen Wald den deutschen Kaiser Friedrich Barbarossa, wird sein Pflegesohn und bleibt kaiserlicher Dienstmann bis zu Barbarossas Tod. Damit ist der epische Pflug in fruchtbaren Boden gestoßen. Denn Barbarossa ist nicht irgendein mittelalterlicher Regent, sondern der Lieblingskaiser der Deutschen, sein Leben ist reich an großen Taten und abenteuerlichen Wechselfällen, und sein Ertrinken im Fluss Saleph umwogt die Aura des Geheimnisses. Barbarossa ist keine Figur, deren Form unter der Kruste der sogenannten Fakten erstarrt ist, sondern er gehört zu den wenigen Gestalten des Mittelalters, deren Bedeutung sich in sagenhaften und mit Heilserwartung aufgeladenen Geschichten bis in unsere Gegenwart weiter umgewandelt hat.

Daraus lässt sich etwas machen, wenn man es mit dem Erzählen ernst meint. Bei Eco spricht auf einem knappen Dutzend Eröffnungsseiten zunächst Baudolino selbst. Schon als Halbwüchsiger hat er in seiner Regionalsprache begonnen, seine Erlebnisse auf Pergament festzuhalten. Von diesem Manuskript haben sich die Anfangsblätter erhalten, den Rest lässt Eco in den Unglücksfällen der Handlung verlorengehen. Das setzt einen originellen pseudodokumentarischen Auftakt, für den der Übersetzer Burkhart Kroeber ein gewagt gut verständliches Mittelhochdeutsch erfunden hat. Dann hebt im Tonfall eines allwissenden Erzählers die Rahmenhandlung des Romans an.

Im Jahre 1204 wird Konstantinopel, die Hauptstadt des

oströmischen Reiches, von einem Kreuzfahrerheer erobert und geplündert. Der ungefähr 60-jährige Baudolino ist just zu diesem Zeitpunkt von einer langen Irrfahrt durch den Orient an den Rand Europas zurückgekehrt. In der brennenden Metropole am Bosporus rettet er einem alten byzantinischen Würdenträger das Leben. Dieser Niketas Choniates, Kanzler des Kaisers von Byzanz, ist Historiker, und er verspricht seinem Helfer, zum Dank dessen Geschichte aufzuschreiben und damit den Verlust von Baudolinos autobiographischem Manuskript wettzumachen. Die Erzählsituation, an der die Leser vordergründig teilhaben, ist also das Gespräch dieser beiden alten Männer. Rückblickend berichtet Baudolino dem nachfragenden Zuhörer Niketas fünfzig Jahre seines Lebens.

In dieser regelmäßig eingeschobenen Rahmenhandlung hören wir Baudolino in direkter Rede sprechen. Der Großteil der berichteten Ereignisse steht aber unter dem Diktat des auktorialen Erzählers, der Baudolinos Abenteuer vom Feldherrnhügel des Bescheidwissens überschaut und dirigiert. Baudolino rückt dann in die dritte Person. Aber er bleibt meist Hauptfigur des Geschehens, seine Sicht auf die Welt ist die bevorzugte, und er kommt auch in den zahlreichen Gesprächen der Handlung als Ich zu Wort.

Das ist ein bewährtes Verfahren, und was es für den historischen Roman leisten kann, ist unbestreitbar: Der Lesende darf sich mit der historischen Gestalt identifizieren und ist doch nicht völlig in sie eingeschlossen. Einerseits genießt er die Freuden der intimen Anteilnahme und erlebt, dass man auch im Mittelalter ein Mensch wie Du und Ich war. Andererseits verspürt er die wohligen Schauder des Befremdens, sobald der Erzähler die Linse auf Weitwinkel stellt, damit

Ritterheere eisern aufeinanderkrachen, Henkersknechte auf Marktplätzen foltern und Gläubige vor Reliquienschreinen in religiöse Verzückung fallen können.

Der historische Roman ist, wenn sein Verfasser Maß hält und eine überzeugende Auswahl aus der überbordenden Fülle des Überlieferten zu treffen weiß, ein raffiniert ausgewogenes Gericht, opulent und diätetisch zugleich. Im besten Fall bleibt dann der auktoriale Erzähler, dessen Stimme uns das Donnern weltbewegender Schlachten ebenso wie das Seufzen auf königlichen Liebeslagern zu Ohr bringt, auf eine elegante Weise unsichtbar. Wir müssen nicht an den Autor denken, obwohl erst er, seine Komposition und sein Stil, das wirre Rauschen der historischen Quellen zur gleichmäßigen Schwingung der Romanhandlung moduliert.

Der ideale Verfasser eines großen historischen Schmökers ist also ein diskreter Diktator, der seine Werkzeuge zu verbergen weiß. Zu diesen gehört auch sein theoretisches Wissen, die Kenntnis der Methoden, mit denen man Informationen aus anderen Zeiten sammelt, ordnet und deutet, und die Kritik, der man diese Methoden unterwerfen kann. Die ganze Wissenschaft vom Vergangenen hält sich am besten im Abseits oder zumindest ganz am Rande eines historischen Romans auf. Der Verfasser, der immer Nutznießer historischer Arbeit, wenn nicht selbst Amateur- oder sogar Berufshistoriker ist, hütet sich in der Regel, den theoretischen Werzeugkasten mitten in der Handlung aufzuklappen. Ecos neues Buch jedoch schlägt den entgegengesetzten Weg ein, es redet im Übermaß von der Historie.

Schon die ersten Seiten, der Anfang von Baudolinos verlorenem Manuskript, sind ein Geschichtswerk, das sein Entstehen reflektiert. Der junge Baudolino versteht sich als Historiker und plant seine «Gesta Baudolini» im Geist der mittelalterlichen Lebenschroniken. Das Pergament, das Ecos Held beschriftet, war ursprünglich mit einem anderen historischen Werk beschrieben, mit der ersten Fassung der «Chronica sive Historica de duabus civitatibus». Ihr Autor ist Bischof Otto von Freising, als Figur des Romans der erste Lehrer des jungen Baudolino. Dieser Mann ist aber auch Onkel Friedrich Barbarossas und hat die «Gesta Friderici», den wichtigsten zeitgenössischen Text zum Leben des Kaisers, begonnen. Das Werk wurde von seinem Sekretär Rahewin vollendet, auch er eine Gestalt des Buchs. Es wimmelt also in diesem Roman nur so von Geschichtsschreibern und ihren Werken.

Schon die Rahmenhandlung, das Gespräch mit dem byzantinischen Historiker bietet folglich Gelegenheit, in allgemein verständlicher Form auf Fragen der historischen Methode zu sprechen zu kommen. «Auch ich beschäftige mich beim Schreiben der Chroniken meines Reiches besonders mit den kleinen Neidereien, den Hass- und Eifersuchtsgefühlen, die sowohl die Familien der Mächtigen als auch die großen öffentlichen Unternehmungen erschüttern. Auch Kaiser sind Menschen, und die Geschichte ist auch Geschichte ihrer Schwächen», gibt Niketas Baudolino uns über knapp tausend Jahre hinweg zu bedenken. Wer würde dem widersprechen wollen. Und der Gestus des Belehrens passt gut zur Figur des alten byzantinischen Würdenträgers. Aber leider sind wir fast nirgends in Ecos Roman vor Belehrung sicher.

Die Historie selbst, ihr Umgang mit der Vergangenheit, ist sein Thema, und dieses Thema lauert regelrecht auf den Leser. Immer muss er damit rechnen, dass ein Gespräch erzwungen zwanglos in geschichtskritische Stellungnahmen mündet, dass sich eine Figur oder der Erzähler mit einer entsprechenden Sentenz zu Wort meldet. «Ja, ich weiß, es ist nicht die Wahrheit, aber in einer großen Geschichte kann man kleine Wahrheiten ändern, damit die größere Wahrheit vortritt», heißt es apodiktisch auf der vorletzten Seite des Buches. So lässt sich zweifellos auf das von Baudolino Berichtete zurückblicken. Aber muss sich damit auch noch der Byzantiner Paphnutios, eine Nebenfigur der Rahmenhandlung, als eine weitere geschichtsphilosophische Sprechpuppe des Autors zu erkennen geben?

Der Schaden, den diese kluge Geschwätzigkeit anrichtet, ist dort besonders auffällig, wo Eco eine vielsagende Handlung zu bieten hat. Im letzten Drittel des Romans bricht Baudolino zu einer Orientfahrt auf, um das sagenhafte Reich des Priesters Johannes zu finden. Die Reisenden treffen auf Basilisken, Chimären und andere Ungeheuer, mit denen sie sich leibhaftig herumschlagen müssen. Aber das Erscheinen der Fabelwesen als handelnde Figuren leidet darunter, dass der Leser sie bereits auf ungut papierene Weise kennt. Sie kamen schon vor, als erzählt wurde, dass antike und mittelalterliche Reiseberichte während Baudolinos Pariser Studiums zu seiner Lieblingslektüre gehörten. Und diese Lesefrüchte mussten in seinen Briefen an die Kaiserin Beatrix und in einem von ihm gefälschten Schreiben des Priesters Johannes an Barbarossa erneut Effekt machen. Selbst als die schon arg strapazierten Monster dann wirkliche Körper bekommen, kann der Erzähler nicht darauf verzichten, auf den Überlieferungszusammenhang der sagenhaften Wesen zu verweisen. «Er trat aus einem Felsblock, indem er den Stein aufsprengte, wie schon Plinius berichtet», heißt es über den Basilisken.

Man hat solche Verfahren eine Zeitlang postmodern oder

gar posthistorisch genannt. Zu Unrecht, denn ihr Verhältnis zur Historie ist nicht spielerisch oder gar poetisch souverän, sondern nur auf eine kecke Art parasitär. Auch die Ironie, die immer wieder anklingt, zehrt ganz unverhohlen weiter vom Glanz der geschichtlichen Bildung: Es ist die Überhebung des belesenen Bescheidwissers, desjenigen, der überzeugt ist, sich so gut auszukennen, dass er gelegentlich auch einen faden Jux aus dem Gewussten machen darf. Wenn man überhaupt von einem erzählerischen Spiel sprechen kann, dann ist es eine jener schlauen Veranstaltungen, bei denen ein ausgebuffter Routinier kein Risiko eingehen will.

Aber wer erzählerisch nichts riskiert, verliert unter Umständen alles. Vielleicht wäre die blasierte Großspurigkeit des Textes leichter zu ertragen, wenn sein Held Baudolino auf etwas kleinerem und unsicherem Fuße leben würde. Aber auch der ist von der ersten Seite an als Oberschlaumeier, wenn nicht gleich als Genie ausgewiesen. Und seine Geniestreiche haben fast immer direkt mit den großen geschichtlichen Ereignissen seiner Zeit zu tun. Als betrügerischer Visionär, als Textfälscher, als Ghostwriter und als genialer Einflüsterer des Kaisers ist Ecos Emporkömmling, trotz Liebesunglück und einiger anderer allzu menschlicher Pannen, stets die geschichtsmächtige Gestalt der Handlung. Und natürlich redet er auch noch davon: «Es macht mir Vergnügen, Dinge geschehen zu lassen und der Einzige zu sein, der weiß, dass sie mein Werk sind.»

Das könnte als größenwahnsinnige Spitze auch in einem gelungenen Schelmenroman stehen. Für einen Schelm jedoch, für einen leichtfertigen Lügner und Tunichtgut, ist diese Figur durchweg zu geltungshungrig. Und je hemmungsloser der Erzähler mit Baudolinos Talenten kokettiert, ihn als Sprachgenie und als perfekten Erzähler rühmt, umso zudringlicher beschleicht einen der Verdacht, dass sich Eco in diesem Baudolino ein Alter Ego erschaffen hat. Des auffälligen Hinweises, dass der Autor und sein Held aus demselben Winkel Italiens stammen, hätte es nicht bedurft.

«Du hältst dich wohl für allmächtig. Das ist eine Sünde des Hochmuts», wirft Niketas am Anfang des Romans seinem Gesprächspartner vor. Aber wer Baudolino über fast sechshundert Seiten treu bleibt, wird nicht von der großen noblen Todsünde des Hochmuts, sondern eher vom kleinen Laster der professionellen Eitelkeit sprechen. Baudolinos Profession ist eine Mischung aus Schriftstellerei, Geschichtsforschung und politischem Ränkespiel. «Die Leute glauben an alles, sofern man zu ihnen nur von den Toten spricht», sagt Baudolino einmal, als er von einer betrügerischen Totenbeschwörung erzählt, die er durchschaut, während der Kaiser von Byzanz darauf hereinfällt.

Was hier, als Mischung aus Weltklugheit und Herablassung anklingt, kann man an vielen Stellen des Romans heraushören. Dumm sind die vielen, die schlichtweg an die Vergangenheit, an ihre Überbleibsel und an die damit verbundenen Geschichten glauben. Klug sind dagegen die, zu denen Baudolino gehört, die Reliquienbastler, die Fälscher historischer Urkunden, die tonangebenden Geschichtsschreiber aller Zeiten und wohl auch die Verfasser von Mittelalter-Romanen.

Mag man sich als Leser auf die Seite dieser schlauen Strippenzieher schlagen? Allzu sehr gleichen sie jenen Historikern, die heute lautstark und larmoyant mit der erzählerischen Vergegenwärtigung des Vergangenen hadern, weil sie den Scheincharakter dieses ehrwürdigen Unternehmens entdeckt haben. Damit sind sie zwar aus dem Himmel der alten Grandiosität gepurzelt, aber indem sie ihre frischen Skrupel, ihre professionelle Misere, zum Grundproblem unserer Kultur stilisieren, haben sie eine neue Form von Überhebung gefunden. Und wehe, wenn sie dann auch noch Romane schreiben, die ironisch mit dem schwankenden Sinn und dem fragwürdigen Heilsgewinn des historischen Erzählens spielen!

So wächst mit der fortschreitenden Lektüre von Umberto Ecos neuem Roman die Sehnsucht nach einem echten Historienschinken und zugleich der respektvolle Neid auf die vielen, die solche Bücher noch vorbehaltlos genießen können. Die große Leserschaft dieser Schmöker ist noch im Paradies des historisierenden Erzählens. Wer in die populäre Biographie eines mittelalterlichen Kaisers taucht, tut dies, weil er sich mit dem vitalen Selbstvertrauen des einschlägigen Lesers zutraut, die ferne Zeit und ihre Gestalten heraufzubeschwören. Mühelos evoziert die Phantasie eines solchen Lesers das Vergangene, gerade weil er sich um objektives Wissen, um geschichtliche Wahrheiten und um deren Geltungsmacht keine Sorgen machen muss. Diese Kundschaft wird sich «Baudolino» versehentlich kaufen, wird sich wundern, warum in diesem Buch fast alles schlau ironisiert wird, und vielleicht wird der eine oder andere dieser Leser irgendwann ärgerlich mutmaßen, dass dieser Autor ihm die Freuden einer illusionären Vergangenheitserfahrung schlichtweg nicht gönnt.

Viele werden das Ende des Romans nicht erreichen. Dort mimt der alte Baudolino zuletzt noch für ein Jahr den Säulenheiligen. Die notorisch Dummen pilgern zu ihm, und die Leser, die durchgehalten haben, können mit ihnen erleben, wie Baudolino die hellsichtigen Ratschläge und die philosophischen Einsichten nur so aus dem Mund strömen. Dann bricht der alte Scharlatan auch dieses Experiment ab und verabschiedet sich von seinem Gesprächspartner, um Richtung Orient zu verschwinden. Das Buch will keinen rechten Schluss finden. Baudolino kann nicht sterben, wie so viele in diesem Buch, wie sein Vater, ein armer Bauer, wie die meisten seiner Gefährten und auch sein Kaiser in manchmal wirklich anrührend geschriebenen Szenen sterben dürfen.

Und eigentlich hat dieser geschwätzige Kerl, der uns, den Zeitgenossen des Autors, in seiner intellektuellen Angeberei auf eine peinliche Weise am nächsten ist, den Tod auch nicht verdient. Seine Stimme kann und darf nicht zu den Stimmen jener Toten gehören, nach denen wir lauschen, wenn wir uns vor dem verdunkelten Firnis eines Tafelbildes oder in den vielen hundert Seiten eines Historienschmökers um Vergegenwärtigung des Mittelalters mühen. Die zeitgenössische Respektlosigkeit vor den fernen Toten, eine Mischung aus hemmungsloser Bescheidwisserei und ebenso haltloser Ironie, wie sie aus diesem Roman spricht, ist vielleicht die sicherste Methode, sich die Vergangenheit, das Staunen vor ihrer Fremdheit wie vor ihrer Vertrautheit, möglichst weit vom Leibe zu halten.

Der Umschlag der deutschen Ausgabe zeigt einen winzigen Ausschnitt aus einem Fresko von Piero della Francesca. Ein junger Mann bläst mit geblähten Backen in eine Trompete. Wir ahnen nicht, wie ein solcher Trompetenstoß geklungen haben mag. Alles, was als Ding, Bild oder Text aus fernen Jahrhunderten in unserer Zeit herüberragt, ist auf eine seltsame Weise still geworden. Und der erzählerische Atem der Geschichtsschreibung scheint nicht mehr stark genug, um ihm eine Stimme zu leihen, die uns anrühren könnte. Aber wer das Bild des jungen Trompeters eine Weile anschaut und aufgibt, es historisch beherrschen zu wollen, mag dennoch blitzartig erkennen, wie unser Glück vor den Toten daher rührt, dass wir gleich ihnen nur ein einziges ohnmächtiges Leben haben.

(Geschrieben für die Berliner Zeitung, Oktober 2006)

BRIEF VOM ZUCKI

Eine kollegiale Collage

Mein lieber Georg Klein!

Dolles Ding, dass Sie mich per Elektro-Brief aufgespürt haben! Wie es der Teufel will, sitzen wir hier Grau in Grau unter uns, gnadenlos von Eurem bunten Weltgezappel abgenabelt, kein Kino, keine Illustrierte, kein Radio. Nicht ein lausiges Werbeblatt, kein aktuelles Prospektchen flattert unsereinem noch auf den Tisch. Und jetzt Post aus dem Licht!

Oben hat mir keiner geweissagt, dass ich eines endgültigen Tages unter der Adresse «Katakombe Der Mittelguten Deutschsprachigen Kulturschaffenden» zu erreichen sein würde. Andererseits: Was ist schon dabei? Why not?, wie die Amis immer sagten, wenn wir teutonische Exil-Tölpel uns in Hollywood wieder geziert oder geniert haben. Hier unten gibt's weit miesere Gemächer. Bei uns, bei den mittelprächtigen Kulturkerlen, hat immerhin jeder seine eigene, halbmöblierte Nische, so eine offene Box. Von Zelle kann gar keine Rede sein. Mein jenseitiger Body hockt auf einem richtigen Kanapee. Auch der Tisch ist okay. Die Aufsicht hat mir, eigens für meine Antwort nach oben, eine seltsam platte Schreibmaschine hingestellt. Rundum Plastik. Kein Farbband, kein Papier zu entdecken. Stattdessen nur ein Kabel zu einem genauso dünnen Fernseher, auf dem ich ruck, zuck, ohne die geringste Verzögerung, sehen kann, was ich in die Tasten haue. Falls das kein hiesiger Scherzartikel ist, muss es von oben, muss es von Euch sein, müssen diese schicken mageren Dinger Euren momentanen Fortschritt darstellen. Wie man die Tippfehler vom Fernseher wegmacht, krieg ich noch raus.

Na, zur Sache: Den Eugen, das göttliche Kerlchen, hab ich 1923 in Weißwurst-Sparta kennengelernt. Ich hab ihn gleich bei unserem ersten Münchner Händeschütteln, im Foyer der Kammerspiele, mit Eugen angesprochen, weil ich schon gehört hatte, dass er partout nicht mehr damit, sondern stattdessen mit seinem zweiten Vornamen, mit «Bertolt», oder sportlich kurz und fesch mit «Bert» angeredet werden will. So was war immer ein Fressen für mich. Bin selber als Mamas Liebling ins Dasein gestartet. Hab also gewusst, wie man einem Mama-Bubi auf den Zahn fühlt, hab sein Händchen gequetscht und wie ein Berserker geschüttelt und sein letztes Theaterstück so krachig gelobt, dass dem Kokosläufer vor Scham die Borsten hochgingen. Dazu ein «Eugen» nach dem anderen! Ich wollte halt sehen, ob der genialische Hänfling die Kneippkur aushält.

Er hat währenddessen die Zigarre nicht aus dem Mund genommen, hat gepafft und gegrinst, gepafft und gegrinst, gegrinst und gepafft. Das allein ist ohne Sabbern gar nicht so einfach. Natürlich hätte er mir, statt zu rauchen, lieber die Nase abgebissen, aber um an meinen Adlerzinken ranzukommen, hätt er hochspringen müssen mit seinen Einszwoundsechzig. Und was macht er dann? Schiebt die Zigarre mit der Zunge in den Mundwinkel und kontert mich aus, indem er mich «Mein werter Herr Zickmayer» tituliert. Die Anni, die

Lissi und die Marianne, die zufällig im Foyer dabeistanden, haben sich kaputtgelacht auf meine Kosten. Ich meine drohend: «Sag sofort du zu mir, Eugen!» Und er retourniert: «Na gut, für mich sollst du in Zukunft Zucki heißen!» Da war mir sternenklar: Zwischen uns gibt's ab sofort nur Pflaumenkuchen und Bewunderung. Puderzuckerfeines Hochschätzen und als Sahnehäubchen eine erzkeusche Hassliebe – weil wir beide, der Eugen und der Zucki, nämlich ganz offensichtlich genau dasselbe dialektisch vertrackte Gegenteil von schwul gewesen sind.

Komm ich vom Thema ab?

Ehrlich gesagt, ich glaube nicht, dass mich der Eugen je genauso rundum angebetet hat wie ich ihn. Macht nichts. Zum Ausgleich wollte er mich als Schreiber unterkriegen, so wie er mit Macht auf alle draufgehüpft ist, die ihm in seinem Metier in die Quere kamen. Wenn ich ein schriftstellerndes Mädel gewesen wäre, hätte er mich schnurstracks zu seiner Tippse runtergestempelt. Allein während der kurzen Münchner Zeit hab ich drei junge Dichterinnen ihm zuliebe in den Schreibmaschinenkurs rennen gesehen. Mit mir hat er dann halt wahnsinnig viel Gitarre gespielt. Ich hatte als Knäblein richtig spitzenmäßig Cello gelernt, der Eugen mehr schlecht als recht die Geige und ganz miserabel Klavier. Halb aus Faulheit, halb weil es halt schick war, sind wir beide damals auf die Klampfe umgestiegen gewesen. Ein Tauber hat hören können, wie ich mit meinen sensiblen Wurstfingern den Eugen, den Nägelbeißer, an die Wand schrammle. Von der Stimme ganz zu schweigen. Was Ihr von ihm auf Platte habt, ist gnädig verfremdet. Pur von den Stimmbändern, ohne den grammophonen V-Effekt, war es kaum auszuhalten, wie der Kleine permanent danebengeknarzt hat, aber dabei so tat, als ob es künstlerische Absicht wär. Den Genie-Dreh: Dass sich alles – jeder notdürftige Rülpser – hochinspiriert und eiskalt durchreflektiert anhören muss, den hat er von Anfang rausgehabt.

Ganze Nächte haben wir durchgesungen und durchgeraucht, was seine Marianne, wegen dem kleinen Kind, das die beiden schon hatten, nicht so rasant lustig fand. Wenn's langsam hell wurde über Isar-City, hab ich den Eugen das letzte mausgraue Stündchen immer solo singen lassen, hab ostentativ demütig gepafft, hab ihn bepustet und beweihräuchert, höchstens noch den Refrain leis mitgebrummelt. Weil ich gespürt hab, wie sehr er das braucht: die männliche Unterwerfung. So brav war ich. Und innerlich saumäßig bewundert und extrakeusch geliebt hab ich ihn in unseren Münchner Nächten sowieso.

In Berlin hat er dann prompt das Pech gehabt, dass ich auf jeder Rennbahn vorn lag, so sehr er sich auch abgestrampelt hat, um sein Augsburger Hühnerbrüstchen als Sieger ins Zielband zu drücken. Mein erster Gedichtband kam vor seiner Hauspostille raus, obwohl ich ja bekanntermaßen nicht die Bohne dichten kann, während der Eugen wie ein manischer Automat, wie eine geniale Blechpresse – nach hundert Versen Ausschuss – unweigerlich zuletzt doch noch den einen Vers für die Ewigkeit ausspuckt.

Richtig schlimm für den Kleinen war, wie er auf dem Theater von mir getoppt wurde. Er hatte alles superschlau geplant und dann generalstabsmäßig durchgezogen. Das totale Chaos war ja inzwischen vorbei, jetzt wollte er die totale Übersicht. Er bringt also einen echten Reißer mit schmissigen Songs und kessen Sprüchen – just so hüfthoch provokant, dass die linken Genossen mit ihrem Grips für drei Groschen noch mitprusten können. Wird auch ein netter Erfolg. Gibt auch ein bisschen Wind in den besserern Blättern. Aber wer sahnt so richtig ab? Wer wird jahrelang in der ganzen Republik, Stadttheater rauf Stadttheater runter, ohne Ende durchgenudelt? Bei wem gibt es zum großen Reibach auch richtig schönen Rabatz? Bei meiner harmlosen Schmonzette haben noch in der tausendsten Provinzvorstellung die Weltkriegsveteranen mit frischen Eiern geschmissen. Und die rechten und die linken Protestierer kraxelten zum obligatorischen Krakeelen Schulter an Schulter auf die Kulturklappstühle. Aber abgebrochen werden musste keine einzige Vorstellung. Links wie Rechts hat sich gleich nach dem gemeinsamen Buh schwuppdiwupp wieder auf den roten Samt gehockt, weil sie insgeheim ganz schlimm gespannt waren, wie es beim Zucki weitergeht.

Kein Wunder, dass der Eugen erst gelb vor Neid und dann vollends politisch geworden ist. In sein Tagebuch hat er damals geschrieben: «Zuckmayer korrupt bis zur totalen Marktgängigkeit. Dazu demokratisch seicht. Einem Fabrikantensöhnchen wie ihm ist die Bestechlichkeit angeboren.» Zu mir natürlich nie ein Wörtchen über mein schändlich kommerzielles Herkommen. Der Eugen hat immer gewusst, dass wir in arg ähnlichen Glashäusern sitzen – beziehungsweise zur kreativen Erholung in unseren Häusern auf dem Land, die wir uns fast gleichzeitig von unseren Tantiemen gekauft hatten. Für einen rumpeligen Gasthof am Ammersee haben nämlich sogar dem Eugen seine drei Theatergroschen gereicht.

Jetzt wo ich hier unten in Eure Fortschrittsplastik hineintippe, rührt es mich noch mal bis in die Knochen, wie parallel die ganze Chose damals bei uns beiden gelaufen ist. Zwei richtig flotte Gäule, die rotzigen Nüstern in derselben Brise, die Mäuler gierig im selben Hafersack, und dann auf und davon im gleichen Galopp, bevor der Metzger Hengstsalami aus uns machen konnte. Kurz nacheinander sind wir auf dem damals üblichen Zickzack-Kurs in den USA gelandet. Hollywood? Why not! Ein bisschen Film hatten wir beide doch schon in Berlin gemacht. Wir dachten wirklich, die warten bloß drauf, dass ihnen der Eugen und das Carlchen zeigen, wie die Cowboys ab sofort über die Leinwand zu hoppeln haben. Aber Pustekuchen! Ich hab den Griffel nach zwei Jahren hingeschmissen und bin Farmer in Vermont geworden. Der Eugen hat allerdings wirklich bis zuletzt geglaubt, dass er den Amis eines seiner Drehbücher und dadrin dann auch noch seine Kassiber ans kinosüchtige Volk unterjubeln könnte.

Sommer 45 hat er uns auf der Farm besucht. Hitler war glücklich hinüber. Aber Eugen sah schlecht aus. Wir haben ihn erst mal zum Hühnereier-Suchen auf die Wiese hinter der Scheune geschickt. Ei hat er keins mitgebracht, ist nur versehentlich auf zwei draufgelatscht mit seinen kalifornischen Sandalen. Das wirklich Praktische, die richtige Mischung aus Grob- und Zartsein, das Anpacken, das sich wie ein Streicheln anfühlt, das hat er halt nur theoretisch gekonnt. Vielleicht ist er auch deswegen nicht mehr aus dem Politischen herausgekommen. «Leg doch bitte das ideologische Korsett ab, Bert!», hat meine Frau zu ihm gesagt, als er dann beim Essen, den Mund voll Rührei, zum dritten Mal mit den Produktionsmitteln im Privatbesitz anfing. Unsere Hühner hab ich Ende August geschlachtet, samt dem alten Hahn, um den es mir ehrlich leidtat. War Zeit. Die Amis hatten das mit dem atlantisch-pazifischen Doppelsieg seelisch nicht verkraftet und wurden zackpeng paranoid. Also retour nach Europa!

Der Eugen und ich, wir machten einfach wieder Theater. In

der Schweiz! Why not? Die verstanden wenigstens einigermaßen Deutsch. Bei mir läuft es prompt super an, aber beim Eugen hakt es an allen Ecken. Kriegt erst mal nichts auf die Bretter. Na, die Macht und das Geld sind halt immer schon da, wenn man selber auf der Szene aufkreuzt, und dann stellt sich halt die Frage, wie und wo man sich als Künstler am günstigsten anwanzt, solange der Rüssel noch spitz genug zum Stechen ist. Spitz war Eugen schon noch, aber auch müd. Spitz und gierig und müde zugleich.

«Saug, Eugen! Saug, was du kannst, wenn du schon zu diesen Brüdern musst! Schlürf aus diesen Stalin-Schwuchteln raus, was du rauskriegen kannst. Why not? Einen wie dich kriegen die doch nicht mehr an die Angel. Ein eigenes Theater ist das mindeste, was du als Originalgenie verlangen kannst!» Das hab ich dem Eugen noch ins Ohr gebrüllt, als ich ihn auf dem Airport Zürich, unten an der Gangway, zum Abschied umarmt, als ich ihn mir noch mal hoch an die Brust gezogen habe. Ich wollte dem Kleinen halt Mut machen – für eine Sache, die ich mich selber gar nicht getraut hätte. Und dann ging's ab mit vier Propellern und tausendsechshundert PS übers Gebirg, über Wien und Prag, bis ins Reich Lilliput. Freiwillig in die Diktatur der Gnome! Noch knappe sieben Jahre Zigarren und Braunkohle, Lügen und Tricksen, Ducken und Mucken, dann war mein Eugen perdu.

Na, und jetzt?

Der Feuchtwanger hat gesagt, der Becher hätte rausgekriegt, der Eugen soll ganz in der Nähe sein. Da hinten, wo der Granitdeckel unserer Halle so elegant absackt, wo die Tropfsteinzahnlücken bis auf den letzten Winkel golden vergittert sind, da hinten, wo sie uns partout nicht weiterlassen wollen, da soll es einen Tunnel geben, der direkt zu den Originalgenies hinüberführt. Hab gerade noch mal versucht, den Kerl anzuzapfen, der mir die seltsame Schreibmaschine gebracht hat. Obwohl hier jedes Kämmerchen für teutonische Kulturschaffende reserviert ist, spricht keiner vom Personal ein Wörtchen Deutsch. Und obwohl mein Amerikanisch wirklich noch super ist, tun die schwarzen Jungs mit den roten Hörnchen immer so, als kapierten sie höchstens jeden zehnten Satz. Dabei reden sie untereinander astreinen Westküstenslang.

Was macht der Eugen wohl dahinten? Hier bei uns muss der arme Becher für das bisschen Sündigen, für das Morphium und das Kriechen in den Arsch der Macht, sämtliche Telefonate von Walter Ulbricht transkribieren. Ich seh ihn vis-à-vis in seine schwarze Olympia hacken, den Kopfhörer auf der schwitzigen Glatze. Ist noch viel Arbeit. Die haben hier unten restlos alles mitgeschnitten, in erstklassiger Tonqualität. Der Ulbricht sei aber trotzdem sauschlecht zu verstehen, außer wenn er Russisch spreche. Behauptet der Becher. Was der Feuchtwanger, der Lionel, der alte Lustmolch, zurzeit und womöglich in alle Ewigkeit machen muss, behalt ich erst mal für mich.

Nu, genug geplaudert! Denke, es reicht. Außerdem: Die Arbeit wartet. Ich sortiere seit anno dunnemals Autogrammpostkarten. Zurzeit: Deutschsprachige Bühnen- und Filmschauspielerinnen 1890–1960. Die Mädels müssen bloß alphabetisch geordnet werden. Nicht der schlechteste Job. Sind tolle Bilder dabei. Werd nachher versuchen, eins für den armen ausgehungerten Feuchtwanger abzuzweigen. Die Kollegen glauben übrigens felsenfest, dass die Originalgenies auch arbeiten müssen. Strafe soll sein. Wünscht sich zumindest der Becher. Vielleicht haben die den Eugen hier erst mal alle Kampfgesänge der internationalen Arbeiterklasse ins Schwäbische übersetzen lassen, und jetzt muss er noch einen Song nach dem anderen für Mundharmonika, Schalmei und Wanderklampfe einrichten? Würd ich ihm glatt gönnen, dem Möchtegern-Rattenfänger, dem Augsburger Erzzigeuner.

Also, lieber Georg Klein, ich bleib am Ball. Ich krieg was raus. Grüßen Sie alle, die mich oben noch kennen! Und melden Sie sich bitte-bitte wieder!

   Mit kollegialem Gruß
   Ihr Carl Zuckmayer

PS: Schreiben Sie in Zukunft doch einfach Carlchen. Ach was! Noch besser ist, Du sagst, wie es der Eugen damals in Weißwurst-Sparta aufgebracht hat, Du sagst für den Rest der Ewigkeit «Zucki» zu mir!

(Geschrieben für die Süddeutsche Zeitung, *Juli 2007)*

GIPSTROMMEL UND BLECHORAKEL

Vier Fragen an einen kanonisierten
Roman

Als ich, zum dritten Mal in meinem Lese-Leben, nach der «Blechtrommel» griff, lag mir meine alte Taschenbuchausgabe, verglichen mit den früheren Lektüren, merkwürdig schwer in der Hand. Es war, als hätte sich ihr Pappdeckel in der Zwischenzeit einen gewichtigen, einen bleischweren Untertitel zugezogen: Ein Werk der Weltliteratur!

Davon habe ich, als ich das Buch mit zarten siebzehn Jahren zum ersten Mal las, noch nichts geahnt. Und auch als Student, bei meiner zweiten Lektüre, wusste ich nicht, wie weit die Kanonisierung, die literaturgeschichtliche Heiligsprechung dieses Romans, bereits fortgeschritten war.

Rückblickend muss ich dies eine glückliche Unwissenheit nennen. Denn dem heutigen Leser ist die Gnade der Unbefangenheit in der Regel versagt. Günter Grass hat den Literatur-Nobelpreis bekommen, und sogar jene Feuilletonisten, die zu diesem Anlass erneut über die Schwäche seiner letzten Bücher lästerten, hielten sich ein Hintertürchen offen, um im letzten Augenblick doch noch auf die Seite der Applaudierenden schlüpfen zu können: Zweifellos sei «Die Blechtrommel», im Gegensatz zu den jüngeren Werken des Schriftstellers, längst als Weltliteratur ausgewiesen.

Welch exquisite Bosheit gegenüber dem Autor! Wer so

lobt, verhält sich wie ein Archäologe, der der Mumie des Pharaos gönnerhaft auf die dürre Schulter klopft und ihr zu jenem prallen Leben gratuliert, das sie in grauer Vorzeit zu führen imstande gewesen sei. Was unseren Pharao, die öffentliche Figur des Autors Grass angeht, so muss man ihm allerdings wahrlich nicht beistehen. Mit der ihm verbliebenen medialen Macht, mit einer Resonanzverstärkung, wie sie lange keinem zweiten deutschen Kulturschaffenden zu Gebote stand, kann er die Zwischenrufe der lobenden Tücke noch immer übertönen. Und in jahrzehntelang eingeübter Manier versteht er es noch auf dem Gipfel des Ruhms und der Affirmation als umstritten, bekämpft, gar als verfolgt dazustehen.

Was aber ist mit seinem ersten Roman, der zurzeit mit erschreckender Einmütigkeit in den Bleischrank der Weltliteratur eingewiesen wird? Fragen wir «Die Blechtrommel» selbst!
Erste Frage an die Blechtrommel:
«Können Sie sich an Ihre Jugend, an Ihren Erfolg als junges Buch erinnern?»
Antwort der Blechtrommel:
«Die Jugend weint anders als das Alter. Sie hat auch ganz andere Probleme.»

Jung erschien mir «Die Blechtrommel» auch bei meiner letzten Lektüre. In dem Sinne, dass sie erkennbar das Werk eines noch jungen Mannes ist. Wobei man die Betonung wohl auf das Wörtchen «noch» legen muss. Denn die Gegenwartsversessenheit, die den jungen Menschen auszeichnet, die ihn in den Augen der Älteren tadelnswert, aber auch begehrens- und beneidenswert macht, kippt in diesem Buch ständig um in jene Vergangenheitsverbohrtheit, die einen älteren Zeitgenossen vor der jeweiligen Jugend bestenfalls resigniert, schlimmstenfalls oberlehrerhaft dastehen lässt.

Dass «Die Blechtrommel» beides sein kann, blindwütig gegenwärtig in ihren besten Szenen und Beschreibungen und so altbacken räsonierend wie ein frisch etablierter Dreißigjähriger, ist bis heute ein Rezept, das aufgeht. Frische und Feistheit fügen sich so reizvoll zusammen, weil der Text dem Lesenden eine Erzähler-Figur offeriert, die den rethorischen Spagat zwischen hellwacher Gegenwärtigkeit und müder Besserwisserei aushält: Oskar, den zunächst zwergenwüchsigen, dann verwachsenen Kunsttrommler.

Zweite Frage an die Blechtrommel:
«Ist uns die Blechtrommel heute das gültige Zeugnis einer Generation?»
Antwort der Blechtrommel:
«... ich ... weiß, dass ein Nachkriegsrausch eben doch nur ein Rausch ist und einen Kater mit sich führt, der unaufhörlich miauend heute schon alles zur Historie erklärt, was uns gestern noch frisch und blutig von der Hand ging ...»
Was Oskar hier über seine Gemütslage im Jahre 1946 sagt, hat eine unheimliche Haltbarkeit bewiesen. Denn in Sachen Historie bietet «Die Blechtrommel» weiterhin die Gleichzeitigkeit von «Rausch» und «Kater». Bis heute erlaubt die Romanfigur Oskar dem Leser eine brisante Mischung aus Identifikation und Distanzierung. Oskar vereint, was im Gefühlshaushalt der Deutschen, wenn er öffentlich wird, säuberlich geschieden sein will: die Lust am blutigen Geschichtsspektakel und den Abscheu vor jenen bösen Buben, die die historisch gewordenen Gräuel veranstaltet haben.
Oskar ist Jahrgang 1924, er gehörte, wenn es mit rechten Dingen zuginge, zu jenen deutschen Männern, die den Zweiten Weltkrieg als Soldaten erlebten und die man dieser kol-

lektiven Erfahrung wegen zu Recht eine Generation nennt. Da Oskar aber erst mit dem Kriegsende zu wachsen beginnt und als Buckliger in den späten Vierzigern ein verspätetes Jungmänner-Leben beginnt, ist er, wie sein Erfinder, einer der zornigen Männer der unmittelbaren Nachkriegszeit.

Diese Altersgruppe aber, die ehemaligen Hitlerjungen und Flak-Helfer, zehren bis heute auf eine merkwürdig ergiebige Weise vom ihrem Fast-Dabei-Gewesen-Sein.

Als halbwüchsige Jungs waren sie ganz nah dran am Krieg, und hätte er nur zwei, drei Jährchen länger gedauert, wären sie, wie ihre Väter und Onkel, wie ihr älteren Brüder, richtig dabei gewesen. So aber sind sie sowohl davon- als auch zu kurz gekommen. Sie mussten nicht sterben und nicht schuldig werden, aber sie spüren, dass dies kein pures Glück ist.

Etwas, was sie Geschichte nennen, hat sie darum betrogen, eine echte Generation im Sinne männlicher Historie zu werden. Sie sind eben nicht im mündigen Alter, unter den Vorzeichen von Verantwortung, Entscheidung und Schuld, durch eine große gewaltsame Erfahrung zu einer Männergemeinschaft verschweißt worden wie die Kriegsteilnehmer. Nicht zuletzt dieses Ausgeschlossen-Sein ist die Wurzel der Aufgeregtheit, mit der sie als erste der letzten echten Generation dieses Jahrhunderts, den Kriegsteilnehmern, deren Kriegsschuld vorhalten.

Diese jungen Männer der 50er, die heute gut Siebzigjährigen, haben zeitgeschichtliche Denkmuster vorgegeben, die trotz langsamer Verdünnung wie homöopathische Wirkstoffe wirksam geblieben sind. Schon die folgende Altersgruppe, die Kinder der letzten Kriegsjahre, die sogenannten 68er, kann man in ihrem historischen Selbstverständnis ein Duplikat dieser Nachkriegsjünglinge nennen. Und dieses

Kopieren der historischen Identität will kein Ende nehmen. Vor wenigen Wochen erst sah ich einen zwanzigjährigen Mann in engagierter Empörung die Fäuste schütteln und behaupten, bis heute säßen alte Nazi-Bonzen und Weltkriegsverbrecher in den Schaltzentralen der Bundesrepublik. Treiben wirklich 85- bis 100-jährige Braunhemden ihr Unwesen in Politik, Wirtschaft und Medien? Nein, es ist ein unverwüstliches Stück Oskar'schen Geschichtsdenkens, das in der bundesrepublikanischen Kultur weiterhin seine Stimme erhebt.

Dritte Frage an die Blechtrommel:
«Hat der Zweite Weltkrieg eigentlich wirklich stattgefunden?»
Antwort der Blechtrommel:
«Roswitha, halt dir bitte die Ohren zu, jetzt wird geschossen, wie in der Wochenschau.»
Die Liliputanerin und große Somnambule Roswitha muss bald darauf zwar nicht in der Wochenschau, aber zumindest in der Wirklichkeit des Romans sterben: eine alliierte Granate und ihr Geliebter Oskar sorgen gemeinsam für ihr Ableben. Gäbe es diesen Oskar in Fleisch und Blut, er dürfte heute als greiser Zeitzeuge noch einmal in einem Erzähl-Café von der tödlichen Granate und seiner Mitschuld erzählen, er könnte den Wochenschauen und anderen medialen Dokumenten teils widersprechen, teils recht geben und würde seine Zuhörer mit beidem ein letztes Mal rühren.

Wie ging es mir als halbwüchsigem Gymnasiasten in den späten sechziger Jahren noch durch Mark und Bein, als unser alter Geschichtslehrer die Angriffsrufe imitierte, mit denen die russischen Soldaten auf ihn und die anderen Landser zustürmten, die sich nach grandiosem Vormarsch und katastrophalem Rückzug an der Oder verschanzt hatten.

In der Regel aber haben, noch während die letzten atmenden Stimmen vom Krieg erzählen, andere Formen der historischen Vergegenwärtigung Bühne und Regie übernommen. Heute schieben die deutschen Geschichtslehrer, die «Die Blechtrommel» zu Hause im Regal haben, «Schindlers Liste» oder «Der Soldat Ryan» in den schuleigenen Videorecorder, wenn es darum geht, effektvoll und glaubwürdig vom Geschehenen zu erzählen. Nicht nur unsere Gefühlskultur, auch unsere Historie wird inzwischen in Hollywood gemacht.

Und unsere Historiker, unsere Schulbuchmacher, unsere Geschichtswerkstättenleiter, unsere unermüdlich recherchierenden Schriftsteller stören die großen Medien keineswegs. Im Gegenteil, fast gönnerhaft lässt man sie ab und an zu Wort kommen. So wie «Das Wort zum Sonntag» in einem Winkel des öffentlich-rechtlichen Fernsehens überlebt hat, so überdauern auch die Institutionen der großen bürgerlichen Geschichtsreligion in medialen Reservaten. Dreißig Sekunden sind immer Zeit, um einen Weltkriegs- oder Holocaust-Experten vor seinem Bücherregal sprechen zu lassen.

Dabei verraten Film, Fernsehen und Internet in erfrischender Schamlosigkeit, was historisches Wissen immer gewesen ist: radikal selektierte, hochorganisierte Restinformation, das, was die jeweilige Gesellschaft und ihre Teilöffentlichkeiten aus der unerträglichen Fülle des Überlieferten verarbeiten mögen und können. Jede Geschichte steht im Verhältnis zum Geschehen bestenfalls da wie der Suppenwürfel vor den blutigen Markknochen: ein Extrakt, ja, aber mit viel Geschmacksverstärker, mit reichlich Farbe, mit Konservierungsmittel und künstlichen Aromastoffen. Kein Geschichtsbuch und kein zeitgeschichtlicher Roman waren je im Stande medialer Unschuld. Oskar wusste, wie brutal das Geschehene in die Geschichte vermittelt wird.

Vierte Frage an die Blechtrommel:

«Ist die Blechtrommel ein deutscher Beitrag zur Weltliteratur?»

Antwort der Blechtrommel:

«Auch schlechte Bücher sind Bücher und deshalb heilig ... Wir Deutsche sind Bastler.»

Das ist schlau gesagt, aber ist «Die Blechtrommel» jemals ein heidnisches Heiligtum gewesen? Kommen in ihr wirklich die verdrängten Dämonen zu Wort? Wäre sie damit ein schlimmes Buch im guten Sinne? Oder hängt sie nicht auf raffinierte Weise von Anfang an ihr Fähnchen in den neuen, als anhaltend erkannten Wind?

Vierzig Jahre nach ihrem Erscheinen sind das literaturhistorische Fragen. Man kann sie auch zeitgeschichtlich nennen, solange die Schriftsteller, Kritiker, Zeitungs- und Rundfunkredakteure, die Betriebsleute und die Leser jener Zeit noch unter uns sind. Ich, als später Leser, bezweifle, dass dieses Buch wirklich aus dem Abseits kam, und vermute, dass sein Autor mit Oskar'scher Schläue von Anfang an nach dem Kanon äugte. Aber das ist nicht verwerflich, keiner, der selbst schreibt, sollte ihn deswegen nachträglich scheel ansehen.

Dass «Die Blechtrommel» eine kühne Bastelei ist, spürt der Lesende am deutlichsten, wenn er in ihr drittes Buch, dessen Handlung nach 1945 spielt, hinübermuss. Wie aufwendig ist dieses letzte Drittel an die beiden vorderen geflickt, wie verbissen, wie unverkennbar deutsch, werden noch einmal zweihundert Seiten zusammengetüftelt. All den Spott, den Oskar dort für die bundesdeutsche Malerei und Bildhauerei der fünfziger Jahre bereithat, er ließe sich mühelos gegen diesen letzten Teil der «Blechtrommel» selbst wenden. Und wenn der Held im besonders schwachen vorletzten Kapitel wütend «Allegorisches Geschwätz!» sagt, zucke der sich weiterhin identifizierende Leser unter dem scharfen Schlag der werkimmanenten Selbstkritik zusammen.

Und doch kann sich das starke Buch sein schwächeres letztes Drittel leisten. Erneut habe ich bis zum Schluss durchgehalten, obwohl die Blechtrommel zur Stoff stäubenden Gipstrommel wurde. Vielleicht in glücklich frischer Erinnerung an jene Passagen, in denen dieser vorgeblich zeitgeschichtliche Roman die Literatur als historisierende Institution ad absurdum führt. Es gibt wahrhaft schreckliche und zugleich zarte Szenen in diesem Buch, so zart und so schrecklich, dass der stramme Hüfthalter der Historie ihr Fleisch nicht mehr halten kann. Dann spricht das Blechorakel für seine wahren Götter, für jene zwei, drei Handvoll vergänglicher Leben, die in einem Roman Platz finden. Und der schreckliche Monotheismus der Geschichtsphilosophie, der unser Leben unter seinen großen starren Sinn zwingen will und an dem wir Deutschen so gerne masochistisch leiden, wird wie ein albernes Sektentreiben der Lächerlichkeit preisgegeben.

Oskar weiß das. Als er vom Tod seiner Mutter erzählt, wird er selbst einer der kleinen Haus- und Halbgötter des vergänglichen Lebens. Aber er weiß es nicht immer. Sobald er allzu schwach wird, geht auch er vor der großen Gipstrommel der Geschichte in die Knie und hält sich gar für ihren wahren Propheten.

(Geschrieben für Der Freitag, *Januar 2000)*

DIE GEISTER DER GELIEHENEN TOTEN

Wolfgang Koeppens Roman «Jakob Littners Aufzeichnungen aus einem Erdloch»

Heutzutage scheint es keine Schande mehr, einen Ghostwriter anzuheuern, und auch wer, auf der anderen Seite des Geschäfts, seine gewandte Feder anonym und gegen Entgelt zum Einsatz bringt, schämt sich in der Regel nicht dafür. Niemand stößt sich daran, dass Politiker ihre Reden, Talkshowmaster ihre Witze und berühmte Sportler ihre Autobiographien nicht selber schreiben.

Sogar der eine oder andere Autor mit gut eingeführtem Namen, aber flügellahmem Pegasus greift gelassen auf die Dienste eines Kollegen zurück, der unbekannt, aber gut zu Pferd ist. Die Diskretion, die mit dergleichen Geschäften verbunden ist, hat meist nur noch wenig mit Ehre und Öffentlichkeit zu tun, sie ist eine Formalität des geschäftlichen Umgangs, ein Gleitmittel, das unnötigen Reibungen in Produktion und Vermarktung vorbeugt.

Das muss zwischen dem Kaufmann Jakob Littner und seinem Ghostwriter Wolfgang Koeppen vor über fünfzig Jahren anders gewesen sein, und selbst heute, wo beide längst tot sind, ist ihr Verhältnis auf eine eigentümliche Weise heikel. Im Jahre 1946 sind sich der Schriftsteller Koeppen und sein Vertragspartner Littner darüber einig, dass Stillschweigen über das Zustandekommen des geplanten Buches gewahrt wird. Und vier Jahrzehnte später, als es wie ein reguläres Werk Koeppens, unter dem Titel «Jakob Littners Aufzeichnungen aus einem Erdloch», erneut erscheint, schwingt in dem knappen Vorwort, das der greise Koeppen dazu verfasst hat, ein Unterton von Verlegenheit und verhohlener Rechtfertigung mit: «Ich aß amerikanische Konserven und schrieb die Leidensgeschichte eines deutschen Juden. Da wurde es meine Geschichte.»

Seine Geschichte? Was kann der 85-jährige Koeppen damit gemeint haben? Die «Aufzeichnungen aus einem Erdloch» sind ein autobiographischer Roman. Chronologisch wird erzählt, was der Münchner Briefmarkenhändler Jakob Littner, deutschsprachiger Jude und polnischer Staatsbürger, zwischen 1938 und 1945 erlebt hat. Koeppen lag ein umfangreiches Manuskript Littners vor, das dessen letztes Münchner Jahr, die Vertreibung nach Prag, die Flucht nach Polen und die dortige Verfolgung durch die deutschen Besatzer zum Inhalt hatte. Aus dieser Vorlage komponiert er einen knappen, tagebuchartigen Roman mit Ich-Erzähler. In der Regel bleibt der Text dicht an den Erlebnissen der Hauptfigur, der Gestus des Authentischen wird geschickt gewahrt, einige wenige Male sind Briefe oder Berichte anderer Verfolgter in dokumentarischer Manier eingearbeitet.

Littner dürfte zufrieden gewesen sein. Denn der 40-jährige Koeppen, der als Dramaturg und Drehbuchautor durch die Kriegsjahre gekommen ist, kann eine ganze Menge. So findet zum Beispiel die Nacht, die Littner mit anderen verhafteten Münchener Juden auf einem Polizeirevier verbringen muss, folgende literarische Gestalt: «... das Revier war das Weichenstellerhaus des Teufels, wo Leib und Seele, das Sein, die Existenz auf Geleise gesetzt werden konnten, die in die

Hölle führen. Über mein Dasein, das ich vielleicht als klein und unbedeutend, aber doch als einmalig empfinde, wurde nun nach der Nummer verfügt. Meine Karteikarte war an der bösen Reihe.»

Nein, dem Mann, der das Beschriebene im Jahr 1938 erlebt hat, wären diese Worte nicht eingefallen. Das ist Originalton Koeppen und könnte so in einem seiner drei Kurzromane aus den 50er Jahren stehen. Wer «Aufzeichnungen aus einem Erdloch» langsam liest, also nicht in jenen Galopp verfällt, mit dem man sich in Leidensberichten von einem Schreckensbild zum nächsten flüchtet, kann in fast jedem der knappen Erzählabschnitte diese Grundspannung fühlen: Der Stil ist gewiefter als die Figur des Erzählers, er ist dessen Erfahrung immer wieder eine überraschende Wendung, eine schlaue Metapher voraus.

Der Auftraggeber Littner wird dies vermutlich bemerkt und wohl auch gutgeheißen haben. Er hat ja einen professionellen Schreiber angeheuert, weil er auf den Glanz von dessen Sprache setzt. Das Geschehene, für Littner das Hautnah-Erlebte, soll durch die Arbeit des Ghostwriters an Deutlichkeit und an Wirkkraft gewinnen. Diese Rechnung geht bis heute auf: Littners wahrer Bericht gewinnt durch das literarische Geschick Koeppens zwar nicht an Wahrhaftigkeit, aber es wächst die Realismus-Potenz des Textes, seine Fähigkeit, den Eindruck von Wirklichkeit zu suggerieren.

Dabei ist es nicht einmal so, dass der Ghostwriter die sprachliche Spur seines Auftraggebers völlig verwischt hätte. Gelegentlich weist ein ungeschickter Satz oder der Versuch, das Erlittene doch noch mit den biederen Denk- und Sprechrastern der zerstörten bürgerlichen Existenz zu fassen, auf den, ohne dessen Lebensleid, ohne dessen Textvorlage und ohne dessen Care-Pakete der Roman nicht zustande gekommen wäre.

Was aber bringt den alten Wolfgang Koeppen vierzig Jahre später dazu, die Geschichte Jakob Littners «die Leidensgeschichte eines deutschen Juden» «meine Geschichte» zu nennen? Genügt es ihm nicht, aus dem Schatten des Ghostwritertums zu treten, sich als der wahre Textverfasser zu enttarnen und sich damit die Aura der Autorschaft zu sichern? Vielleicht hängt dieser späte Anspruch auf eine gespenstische Weise damit zusammen, dass Wolfgang Koeppen 1991 in der literarischen Öffentlichkeit längst auf eine andere Art zum Geisterschriftsteller geworden ist.

Koeppen war jener Autor, der, obschon fast völlig verstummt, auf unheimliche Art im Gespräch gehalten wurde. Er, der keine erzählende Prosa mehr schreiben konnte oder wollte, wurde weiterhin als einer der wichtigsten zeitgenössischen Romanciers gehandelt, von dem noch Bedeutsames zu erwarten sei. Immer wieder wurde von Büchern gemunkelt, die er noch schreiben wolle oder vielleicht sogar schon geschrieben habe, aber aus rätselhaften Gründen zurückhalte. Koeppen und sein Verlag verstanden es, dieses Spiel zu spielen, und der eine oder andere Großkritiker, der früh auf das Pferd Koeppen gesetzt hatte, wollte seinen Einsatz nicht verloren geben, obwohl der einst vielversprechende Gaul endgültig lahm in den Boxen stand.

So war der alte Koeppen ein Gespenst zu Lebzeiten. Allerdings nur ein Phantom des Literaturbetriebs, dessen Schlösser samt ihren Schlossgespenstern ein putziges kleines Reich für sich, eine Art kulturelles Liechtenstein bilden. Die gesellschaftliche Bedeutung dieses Zwergstaats ist in den letzten dreißig Jahren kontinuierlich gesunken. Jener Jakob Littner aber gehörte Anfang der 90er Jahre zu einem Geisterreich, dessen mediale Präsenz im selben Zeitraum kontinuierlich zunahm.

Koeppen war sich wohl im Klaren darüber, dass der verstorbene Littner inzwischen eine Figur ganz anderen Stellenwerts geworden war. Er war nicht mehr der vereinzelte Überlebende, der mit seinen individuell begrenzten Mitteln auf verlorenem Posten für das Erinnern kämpfte. Littner reihte sich, als man sich seiner wieder entsann, zwangsläufig bei jenen sechs Millionen ein, die spätestens seit den 80er Jahren als ein Geister-Heer geliehener Toter bundesdeutsche Identität garantieren.

«Ich aß amerikanische Konserven und schrieb die Leidensgeschichte eines deutschen Juden. Da wurde es meine Geschichte.» Inzwischen haben andere amerikanische Konserven, die Fernsehserie «Holocaust» und der Kinofilm «Schindlers Liste» unser Geschichtsbild erheblich beeinflusst. Die entscheidenden Schlachten um das Bild der Toten wurden nicht in der Literatur geschlagen. Und Koeppens Sätze, die späte Bilanz eines ehemaligen Ghostwriters, gewinnen vor diesem Hintergrund eine seltsame Doppeldeutigkeit. Im Jahre 1991 hat sich der schreibmüde Greis Koeppen nicht nur die Aura der Autorschaft von Jakob Littner zurückerobert; zugleich greift er nach der Aura der großen Verfolgung, nach dem magischen Zauber, der die jüdischen Toten bis heute umgibt.

Wie schlimm die Aneignung dessen, was er kurz und bündig «Geschichte» nennt, ist, sollen die einstigen Geschäftspartner, sollen Jakob Littner und Wolfgang Koeppen im Jenseits unter vier Augen abmachen. Uns jedoch, den Lebenden, wird Wolfgang Koeppen, dessen literarischer Ruhm zu Recht langsam verblasst, als derjenige Ghostwriter in Erinnerung bleiben, der in einer letzten Runde seiner Karriere, gleich der Gesellschaft, die ihn umgab, von der Aura fremden Leids, von den Geistern geliehener Toter gezehrt hat.

(Geschrieben für die Frankfurter Rundschau, *Oktober 2000)*

DAS TRADITIONSTRÜMMERBAUWERK

Für einen Gärtner meines
Geschichtsgefühls

Fabelhaft schön wäre es, ohne große Umstände, ohne Fisimatenten von Tradition sprechen zu können. Und eigentlich müsste dies möglich sein, wenn es eine Tradition gäbe, die in einem lebendigen Verhältnis zu unserem täglichen Denken und Tun stünde. Wie von selbst stellte sich dann ein hinreichend steiles Gefälle zu Gespräch und öffentlicher Rede her, unsere Rhetorik bekäme Schwung. Auch das unserer Zeit gemäße Pathos läge auf der Hand – auf jener Hand nämlich, die Althergebrachtes wie selbstverständlich ergreift, es mit Kraft weitergestaltet, um es, verändert und gerettet zugleich, mit vergleichbarer Selbstverständlichkeit an Jüngere weiterzureichen.

Zögerlich jedoch, mehr mit Miss- denn mit Zutrauen, schlug ich vor kurzem das Buch auf, welches mir vielleicht als erstes einen Begriff von dem vermittelt hat, was Tradition sein kann. Es ist das einzige Schulbuch meiner Grundschulzeit, an das ich mich erinnere: «Mein Augsburg. Augsburger Heimatkunde für die Jugend», verfasst von Hans Pletz. Nachdem ich es Jahrzehnte aus den Augen und aus dem Sinn verloren hatte, war es über ein Internet-Antiquariat wieder in meinen Besitz gelangt.

Wir schreiben das Schuljahr 1963/64, den ersten Schultag

nach den Weihnachtsferien: 33 Knaben, die 4a einer Volksschule am Augsburger Stadtrand, erwartet mit Bangen den neuen Klassenlehrer. Rückblickend staune ich, zu welch homogenem Pessimismus dieses Kollektiv aus Zehn- und Elfjährigen fähig war. Eigentlich waren wir uns an diesem Wintermorgen sicher, dass es nur noch schlimmer kommen könne. Unser alter Klassenlehrer hatte bei seinen unvorhersehbaren Wutanfällen mit dem Zeigestock wahllos auf unsere Bänke geprügelt, regelmäßig warf er einen seiner orthopädischen Schuhe in die Klasse und drohte, auch wir würden eines Tages eine Ostfront und ein Stalingrad erleben, wo die Besten von uns ihr Leben verlieren und der Rest, wie es im widerfahren sei, sämtliche Zehen einbüßen müssten.

Ich vermute, dass sich unsere kindliche Phantasie bereits in die Vorstellung eines noch grausamer geschichtsversehrten Pädagogen vergaloppiert hatte, als unser neuer Lehrer, als jener Hans Pletz, das Klassenzimmer betrat. Er forderte uns auf, die Tische an den Rand des Raums zu schieben und uns mit den Stühlen rund um ihn zu setzen. Er wollte wissen, welche Lieder wir zuletzt gesungen hätten, es kamen ein paar zusammen, und als die Nachfrage, ob wir eines richtig gut könnten, unbeantwortet blieb, meinte er, dies sei kein Problem. Er selbst spiele nämlich jede der von uns genannten Volksweisen gleich gern und ungefähr gleich miserabel. Wir würden es gleich hören, denn er wolle unseren Gesang, auf seiner Geige kratzend, begleiten.

Der Lehrer und Schulbuchautor Hans Pletz war der erste Mensch, den ich Geige spielen sah, und ich bin ziemlich sicher, dass es den meisten meiner Klassenkameraden ähnlich erging. Und zu der Fülle neuer Schulerfahrungen, die er uns schon in den darauffolgenden Tagen bescherte, gehörte auch die Arbeit an einer Zeitleiste, die sich als breiter Streifen aus schwarzem Karton über die ganze hintere Wand unseres Klassenzimmers zog und deren Datierungsspanne von Christi Geburt bis zum Jahr 2000 reichte. Was sich damit verdeutlichen ließ, ahnten wir, als wir die ersten drei Abbildungen auf die freie schwarze Fläche heften durften: eine römische Grabstele, den gotischen Dom Augsburgs und das Renaissance-Rathaus meiner Heimatstadt.

Warum meine heutige Vorstellung von diesem einfachen Lehrmittel so plastisch ist, warum mir die Bauwerke, die Porträts, ja selbst die Namen, denen wir nach und nach über dem weißen Zeitpfeil eine Heimstatt gaben, in meiner Erinnerung reliefartig aus der Wand zu wachsen scheinen, verstand ich, als ich vier Jahrzehnte später erneut «Mein Augsburg» las, das von unserem damaligen Lehrer verfasste Heimatkundebuch. Hans Pletz war ein emphatischer Erzähler, und aus seinem Text, aus seinem längst nicht mehr an den Schulen benutzten Buch, spricht der Glaube an den Sinn von Traditionspflege. Unser Lehrer war sich sicher, dass es sich lohnt, über Menschenwerke zu sprechen, deren Ursprung in der Vergangenheit liegt, deren Wirkung auf uns wir aber gegenwärtig erfahren können und deren Erhalt wir daher befördern sollten.

So weit die Idylle, die man eine bürgerliche oder historistische nennen kann: Der Grundschullehrer, der mit der Geige auch den musischen Bildungsbürger und als Heimatkundler dazu eine Art Amateurhistoriker vorstellt, führt seine Schüler aus den postproletarischen Billigbau-Wohnblöcken der 50er Jahre in die große noble Welt der Tradition. Wie einen Regenbogen spannt er ihnen die Geschichte ihrer Heimatstadt von deren antiken Anfängen über die fromme Baufreude des Mittelalters und die Blüte der frühen Neuzeit bis in die Gegenwart.

«Die Wirklichkeit aber war doch anders und viel trauriger», heißt es allerdings auch auf Seite 69 meiner Ausgabe von «Mein Augsburg». Und dieser schöne Satz folgt auf eine nicht weniger schöne Geschichte aus dem Dreißigjährigen Krieg, auf die «Sage vom Steinernen Mann», die Hans Pletz mit der Anschaulichkeit und der prägnanten Kürze, die eine Anekdote braucht, auf einer guten halben Seite erzählt. Zunächst durfte vor dem Auge des kindlichen Lesers ein heroischer Einzelner, der phantasie- und wortbegabte Augsburger Bäckermeister Konrad Hackher sein Leben opfern, um die Heimatstadt aus Hungersnot und Belagerung zu retten. Dann zieht der Schulbuchautor die historische Linse auf und lässt in grimmiger Deutlichkeit eine allgemeine Beschreibung der Kriegsauswirkungen folgen: «Die Not war so groß geworden, dass von Soldaten und Bürgern Mäuse, Hunde und Katzen, auch gekochtes Leder, von vertierten Menschen selbst Menschenfleisch gegessen wurden.»

Heute sehe ich, dass dies ein literarisches Verfahren ist, und nach der erneuten Lektüre des Buches scheue ich mich nicht, meinen einstigen Grundschullehrer einen passablen Schriftsteller zu nennen. Zweifellos war ihm klar, wie alles Alte, sei es als Gebäude, als Skulptur oder als Textmonument auf uns gekommen, einer begleitenden Erzählung bedarf, um ganz gegenwärtig und damit Teil einer lebendigen Tradition zu werden. Diese Erzählung aber muss, um wirken zu können, in der Regel rigoros, manchmal sogar rüde mit dem überlieferten Material verfahren.

Wenig, vermutlich so gut wie nichts hätte mir und meinen Klassenkameraden das Holzmodell des einstigen gotischen

Rathauses gesagt, das im Maximilian-Museum meiner Heimatstadt aufbewahrt wird, hätte uns nicht unser Grundschullehrer in freier Rede geschildert, wie die selbstbewussten Augsburger Patrizier den Abriss eines Gebäudes beschlossen, das wichtige Reichstage beherbergt hatte, um Platz für den noch prächtigeren Renaissance-Bau zu schaffen und nebenbei den städtischen Handwerkern mit einem Großprojekt aus einer Wirtschaftsflaute zu helfen. Und vielleicht entsinne ich mich dieses Moments mündlichen Erzählens auch besonders deutlich, weil er von einer restlosen Zerstörung handelt und damit auch die Möglichkeit eines vollständigen Vergessens umspielt, ja dessen Wahrscheinlichkeit nahelegt.

Genau dies tut auch die Passage in «Mein Augsburg», die mir heute die liebste ist. Sie heißt «Aus Schutt und Trümmern» und vergegenwärtigt dem Lesenden, wie eine quer durch die bombenversehrte Stadt gelegte Bahnstrecke dazu diente, die Überreste vieler historisch bedeutsamer Gebäude zu einem Abhang am Stadtrand zu schaffen, wo ein gewaltiger Steinwall angekippt wurde, über dem dann eine neue große Sportanlage, das Rosenau-Stadion, errichtet wurde: «Der mit einer staubfreien Decke überzogene Boden unter deinen Füßen ist aus Mauerresten, Betonklötzen und Erde zusammengesetzt. Die Steine, zwei, drei, zehn Meter unter dir, die wüßten gar viel zu erzählen: ...»

Steine jedoch, ob sie nun wie hier im Inneren eines Trümmerbergs wüst durcheinandergeworfen wurden oder in einer sanierten Altstadt schön ordentlich aufeinander geblieben sind, sie erzählen nichts, solange ihnen nicht unser Wort zu Hilfe kommt. Die magische Macht der Worte, ihre Fähigkeit, etwas in den Stand der wirksamen Wirklichkeit zu heben, wurzelt jedoch auch in ihrem vernichtenden Vermögen –

darin, dass jede Rede von den Dingen das Sagbare mehr oder minder radikal verkürzt und vieles, ja das meiste ausspart. Das Genannte, das Beschriebene und Erzählte gewinnt seinen Wert stets auch dadurch, dass wir es, redend und verschweigend zugleich, auf dem ungeheuren Schuttberg des Nichtgenannten platzieren.

Der kleine Erzählbogen, den mein altes Heimatkundebuch von der Kriegszerstörung Augsburgs im Frühjahr 1944 bis zur Errichtung des Rosenau-Stadions im Jahre 1951 spannt, klammert aus, wer die Bomben auf die historische Altstadt warf. Auch das Regime, das jenen Krieg, der nur «der große Krieg» genannt wird, verschuldet hat, wird nirgends mit Namen genannt, und dass es Augsburger Bürger gab, die längst vertrieben oder ermordet waren, als ihre Häuser im Bombenhagel zusammenstürzten, wurde mir in «Mein Augsburg» nicht berichtet.

Dies jedoch will ich dem Verfasser, meinem einstigen Volksschullehrer, keinesfalls zum Vorwurf machen. Wer die Stimme erhebt, um etwas weiterzugeben, weiß, dass er vom meisten schweigen muss. Dieselbe Form, die das Erzählte liebevoll in ihren bewahrenden Bann schlägt, klammert das Nichterzählte mit grausamer Ignoranz aus. Tradition braucht Gewalt und Erzählung; Bemächtigung kommt nicht ohne Ausschluss aus. Dies gilt für das historische wie für das literarische Erzählen. Jeder seine Leser oder seine Zuhörer gewinnende Text ist ein Traditionstrümmerwerk, ähnlich dem Augsburger Rosenau-Stadion, das unzählige mittelalterliche und frühneuzeitliche Ziegel unter sich begräbt und gleichzeitig im Schwung seiner Oberfläche, im Oval seiner Ränge – sobald es nur einer heraufzubeschwören vermag – auch die antike Arena bedeutet.

«Das Stadion tobte vor Begeisterung», heißt es am Ende eines acht Zeilen kurzen Abschnitts, der in meinem alten Heimatkundebuch das «Wunder von Augsburg» erzählt. Diesen emphatischen Beinamen trägt bis heute ein Sportereignis aus dem Jahr 1959. Im ersten Leichtathletikländerkampf zwischen der übermächtigen Sportweltmacht Sowjetunion und der jungen Bundesrepublik gelang es dem Langstreckler Ludwig Müller, an zwei aufeinanderfolgenden Tagen die russischen Weltrekordhalter über 5000 und 10000 Meter zu schlagen und jeweils «einen solchen Vorsprung herauszulaufen, dass er es sich leisten konnte, sich während des Wettlaufs lächelnd umzusehen und den Zuschauern zuzuwinken.»

Auch hier ist vieles nicht gesagt. Kein Wort über den Überfall Hitler-Deutschlands auf die Sowjetunion, über das Kriegsleid der russischen Bevölkerung, über Stalins Expansionspolitik, über die Teilung Deutschlands und über die Millionen von Heimatvertriebenen, von denen gewiss auch einige Tausend auf den Rängen des Augsburger Rosenau-Stadions standen und ihrem Helden Ludwig Müller zujubelten. Und doch hat Hans Pletz, was mich als kindlichen Leser anging, alles richtig gemacht. Er hat einen erzählerischen Kern gelegt, um den ich vieles, was ich als Kind bereits wusste und später dazu erfuhr, wie in konzentrischen Ringen anlagern konnte.

Eines Tages werde ich selbst über jenen «Helden von Augsburg» schreiben und mehr erzählen, als mir die acht Schulbuchzeilen boten. Aber auch wenn ich dann aus dem Vollen schöpfe und mir der Raum einer langen Erzählung zur Verfügung steht, werde ich vieles, ja das meiste, von dem ich irgendwann gehört habe, der Nennung durch andere oder dem Vergessen überlassen müssen. Und jener Satz, in dem sich der Langstreckenläufer lächelnd nach den Überholten umsieht und dann seinen Zeitgenossen zuwinkt, wird, auch wenn ich mein Bestes gebe, in seiner epischen Kraft nicht leicht zu überbieten sein.

Weil dies so geschehen ist und weiter so geschehen wird, verehre ich meinen einstigen Lehrer, den Schulbuchautor Hans Pletz, als einen schlichten Handlanger der Tradition und damit zugleich als einen, der vor uns Viertklässlern das Risiko des Nicht-Weitergebens auf sich nahm. Lesend schätze ich ihn erneut, weil er begeistert und begeisternd zu benennen wusste, aber ich achte ihn nicht weniger, wo er rigoros zu ignorieren vermochte. Inzwischen steht er mit seinem Büchlein selbst an der Schwelle des Vergessenwerdens – und genau dort wollte ich ihn noch einmal namentlich aufrufen, ihn als miserablen Violinisten wie als famosen Pädagogen ins Bild setzen und ihn als einen frühen Förderer meines Erzählvermögens, als einen Gärtner meines Geschichtsgefühls rühmen.

(Geschrieben für die Süddeutsche Zeitung, *Mai 2002)*

DIE BOSHEIT DER TOTEN

Mord und Massenmord in Jonathan Littells Roman
«Les Bienveillantes»

Der SS-Mann lebt. Über ein halbes Jahrhundert nachdem die Angehörigen dieser Organisation endgültig aus den von Blut, Schweiß oder Bürostaub befleckten Ärmeln geschlüpft sind, ist ihre Uniform weltweit bekannter denn je. Als Figuren, die man global auf Anhieb erkennt, stapfen die Hochgestiefelten und Schwarzgewandeten durch Filme, Comics und Romane. Und so wundert es mich weder als Leser noch als Autor, dass seit über einem Jahr ein ehemaliger SS-Offizier in einem preisgekrönten, französischen Bestseller «je» sagt und demnächst in der deutschen Übersetzung auf fast vierzehnhundert Seiten «ich» sagen darf.

Wer sich hierzulande auf Jonathan Littells Roman «Les Bienveillantes» einlässt, ist zudem von der Zeitgeschichte in Kenntnis gesetzt, worum es geht. Sobald ein SS-Mann erzählt, muss zwangsläufig von Mord und Totschlag in großem Ausmaß die Rede sein, von der bürokratisch aufwendig organisierten und technologisch neuartig durchgeführten Massenvernichtung derjenigen, die der Nationalsozialismus zu minderwertigen Menschen und Staatsfeinden erklärte. Diese Verbrechen sind umfangreich dokumentiert und vielfach erzählt. Parallel zu ihrer faktischen Erforschung und medialen Fiktionalisierung wurde ihnen in der letzten Hälfte des 20. Jahrhunderts, von den Nürnberger Prozessen bis in die jüngste Buchproduktion, eine besondere Evidenz zugeschrieben. Mehr als andere Gräueltaten sollen diese Taten eine übersachliche, metaphysische Augenfälligkeit besitzen – etwas, das sie mit dem Begriff des Bösen in eins fallen lässt. Bis heute steht, was Angehörige der SS getan haben, für das «Böse schlechthin», wie man auf Deutsch in beschwörender Verdopplung sagen kann.

Littells Erzähler Max Aue, promovierter Jurist und einst hochrangiger Offizier des SS-Sicherheitsdienstes, spielt mit dem Bannspruch dieser Übereinkunft, indem er die Wirklichkeit des Geschehens gleich eingangs offensiv in eigene Worte kleidet. Seinem eigentlichen Lebensbericht stellt er eine lange Reflexion voran, ein Amalgam aus allgemeiner zeitgeschichtlicher Rekapitulation, populärphilosophischem Räsonnement und privaten, ja intimen Bekenntnissen. Auf der Basis der einschlägigen wissenschaftlichen Literatur diskutiert er unter anderem die Zahl der Opfer von Krieg und Verfolgung. Entschieden, fast forsch sucht Littells Held den Schulterschluss mit der historischen Forschung, also mit der Beschreibungs- und Deutungsmacht, die er als Leugner oder Verharmloser am meisten zu fürchten hätte. Gespannt wartet der Leser, beklommen wartet die Leserin darauf, dass es mit dem Morden und dem Totschlagen und zugleich mit jenem spezifischen Dabei-Sein losgeht, das nur die literarische Erzählung zu bieten hat.

Aue beginnt mit dem Angriff auf die Sowjetunion. Der Leser folgt dem Protagonisten, teilt dessen Perspektive auf die Ereignisse. Das Geschehen schreitet in übersichtlich portionierten Szenen voran. Das Gedächtnis des Ich-Erzählers scheint enorm detailreich und fotografisch getreu. Das angeblich Erinnerte tritt uns säuberlich strukturiert, logisch kohärent und plakativ bunt entgegen – eben so, wie heutzutage die kolportierenden Trivialautoren und Drehbuchschreiber, die Erben des historischen Romans, eine vergangene Wirklichkeit aus bewährten Bauteilen zu montieren verstehen. Ein derartiges Erzählen suggeriert sowohl allgemeines Bescheidwissen als auch individuelle Teilhabe. Und im Rahmen dieser Doppelsimulation fühlen wir uns, weil wir dieses Verfahren tief gewohnt sind, in der Tat «dabei» und glauben an das, was unserer Phantasie zur Imagination angeboten wird. Ja, unsere Phantasie kolportiert selbst, indem sie verwandte Bilder aus dem eigenen Fundus an Gelesenem oder in Filmen Gesehenem zuschießt.

Am 29. Juni 1941 ist es so weit. In der ukrainischen Stadt Luzk stehen wir, wahrnehmungsverkoppelt mit dem SS-Mann Aue, vor den Opfern eines Massakers, vor Hunderten aufgedunsener, von Fliegen umsummter Leichen. Es handelt sich um Zivilisten, darunter auch Frauen und Kinder, die der sowjetische Geheimdienst vor seinem Abzug liquidiert hat. Aue wird übel. Er geht beiseite, um eine Zigarette zu rauchen. Als sensibler Intellektueller denkt er sich seinen Teil, und als Erzähler darf er uns seine Reflexionen auch mitteilen.

Blickt man etliche Lesestunden später auf die folgenden Schreckensszenen zurück, versteht man, wie sich in ihnen eine Steigerung vollzieht: Den Opfern des sowjetischen Geheimdienstes folgt ein Pogrom der ukrainischen Bevölkerung von Lemberg an ihren jüdischen Mitbürgern. Aue sieht zum ersten Mal mit an, wie einzelne Menschen erschlagen werden. Dann nimmt er, zunächst weiterhin nur beoachtend, an einer Erschießungsaktion der SS teil und wird mit der Serialität des Vorgehens, der Massenhaftigkeit des Tötens und Sterbens konfrontiert. Am 29. September 1941 greift er schließlich selbst zur Pistole und übernimmt in der Schlucht Babyn Jar bei Kiew die Aufgabe, nicht tödlich Getroffenen den sogenannten Gnadenschuss zu geben. Zweimal wird Aues Tun dabei durch eine Beschreibung des Ermordeten in den Rang einer persönlichen Begegnung gehoben. Das erste Opfer bekommt nur zwei Sätze, die ihm die Kontur eines vor Schmerz schreienden jungen Mannes verleihen. Die zweite Gestalt, die sich aus den gesichtslosen Opfern erhebt, ist ein schönes, fast nacktes Mädchen, über deren Anblick und Gegenblick der Protagonist eine Viertelseite reflektiert, bevor er ihr mehrfach in den Kopf schießt und das Ergebnis mit dem Platzen einer Frucht gleichsetzt. In einem solchen Vergleich finden die Figur des jungen Aue, sein erzählendes Alter Ego, das Vermögen des Autors und die Imagination des Lesers in einem stilistischen Gemeinplatz zusammen. Es stiftet kaum Sinn, die Drastik oder das Ungeschick, den psychologischen Realismus oder die pornographische Kitschigkeit der Beschreibung gegeneinander abzuwägen. Die ganze Passage ist auf eine fatale Art so gut gemeint und so bescheiden geschrieben, wie es der Rahmen der vorgegebenen erzählerischen Mittel, der Rahmen des trivialen Romans, eben zulässt. Der Leser erfährt vordergründig scheinbar alles, was geschehen ist, und alles, was die Beteiligten empfunden haben. Das Böse jedoch, das in der Literatur nicht nur eine Qualität der Handlung, sondern auch eine Qualität des Stils sein müsste, bleibt unsichtbar.

Mit der sogenannten «großen Aktion» von Kiew ist relativ früh, bereits nach einem knappen Siebtel der Erzählstrecke, der brachiale Höhepunkt von Aues Teilhabe am großen Morden erreicht. Zwar wird der Gang der Handlung noch eine ganze Reihe tödlicher Gewalttaten durch detaillierte Beschreibung isolieren und quasi filmisch heranzoomen. Aber wenn ein von Aue verachteter Psychopath unter seinen SS-Kameraden einem Mann den Schädel mit der Schaufel zertrümmert oder ein Säugling an der Wand zerschmettert wird, ist der Protagonist wie eingangs nur noch passiver Augenzeuge. Vieles wird dem Lesenden an diesen Passagen bekannt vorkommen. Die Bilder, die der Roman szenisch heraufzubeschwören versucht, sind uns oft schon mit den gleichen darstellerischen Mitteln in anderen Texten und in Filmen nahegebracht worden. Und wir sind durch diese gleichförmige Vorprogrammierung, ob es uns passt oder nicht, ein Stück weit gegen den möglichen Schrecken immunisiert. Dies gilt auch für Aues Besuche in Auschwitz, wo er zwar Ankunft und Selektion der Opfer beobachtet, den ihm angebotenen Blick in die Gaskammer jedoch ablehnt.

Insgesamt nimmt die Darstellung direkter Gewalt, gemessen am Umfang des Romans, nicht allzu viel Raum ein. Die Passagen, in denen Aue die Sehenswürdigkeiten der eroberten Städte beschreibt, die Widrigkeiten der Etappe oder das gesellige Beisammensein mit anderen Offizieren schildert, sind weit umfangreicher. Littell lässt seinen Helden häufiger baedekerhaft räsonieren oder zum Schnapsglas greifen, als dass er ihm die Pistole in die Hand drückt. Allerdings sind auch diese Textstellen regelmäßig mit Reflexionen angereichert, die sich auf die Mordaktionen beziehen. Zum Teil spielt sich diese Durcharbeitung im Denken Aues ab, zum Teil ist sie in die Dialoge verlegt und wird uns argumentativ in direkter Rede und Gegenrede geboten.

Die ideologische Begründung der sogenannten Endlösung, der Zusammenhang der Massaker mit dem Angriffskrieg auf die Sowjetunion, die praktischen Probleme ihrer Durchführung und die komplexen Konsequenzen für alle Beteiligten und Betroffenen werden dann ausführlich, oft wie auf dem theoretischen Präsentierteller verhandelt. Auch hier suppt die Recherche überdeutlich durch. Littell legt der Gemeinschaft der Täter in den Mund, was wir heute über die Gesamtumstände wissen. So verfügen die im Strom der Ereignisse Schwimmenden auf eine kuriose Weise in der Summe bereits über das Spektrum an Erkenntnissen, das die zeitgeschichtliche Forschung in den Folgejahrzehnten aus vielen Quellen zusammentragen wird.

Ähnlich verhält es sich mit der moralischen Dimension. Aue psychologisiert sein SS-Umfeld, entwickelt eine eigene Typologie der Täterschaft. Er registriert und analysiert, inwieweit er und die anderen mit Neugier, Mordlust, mit Abscheu, mit Gewissensbissen oder somatischen Störungen reagieren. Die Ansichten des handelnden Aue, der während seiner Zeit an der Ostfront Ende zwanzig ist, unterscheiden sich dabei nicht von dem, was sein Alter Ego kurz vor seinem Ausscheiden aus dem zivilen Arbeitsleben, also vermutlich in seinem siebten Lebensjahrzehnt, etwa um 1980, zu Papier bringt. So wölbt sich über der Vielfalt der Kriegsereignisse, über Schlamm und Blut, über Mord und Totschlag der klare Himmel rationaler Einsicht. Die weitschweifig schwadronierenden oder präzis argumentierenden SS-Offiziere, die spätere historische Forschung, der agierende und der erinnernde Aue sind sich, sieht man von der oft arg gekünstelten rhetorischen Opposition des einzelnen Dialogs ab, über den Horizont der gebotenen Weltsicht einig. Und wo sich ein verblendeter SSler recht exemplarisch in einen ideologischen Unfug verrennt, findet sich bald ein Sprachwissenschaftler oder Mediziner im grauen Wehrmachtsrock oder ein kluger schwarzgewandeter Jurist, der die fanatische Fehlsicht mit guten Argumenten wieder geraderückt.

Man könnte dies die aufgeklärte Harmonie des trivialen Realismus nennen. Die erzählerischen Verfahren, die der historische und der psychologische Roman in den beiden zurückliegenden Jahrhunderten entwickelt haben, entfalten in ihrer späten trivialen Vollendung eine zwingend homogenisierende Macht. Die Quintessenz der gleichförmigen Gesamtschau lautet: Nichts am Geschehen ist unbeschreiblich und unbegreiflich. Alles Getane und Erlittene fügt sich bei genauer Betrachtung widerstandslos in ideologische, politische, militärische, bürokratische oder zumindest psychomechanische Zusammenhänge. Die einzelnen Menschen verhalten sich in diesen Kontexten, so grässlich ihr Handeln im Einzelfall auch sein mag, durchaus verständlich, ihre Reaktionen und Entscheidungen sind letztlich plausibel und, was die noch auf uns zukommenden Gräuel angeht, sogar vorhersehbar. Wie wüst es auch zugehen mag, die Welt steht mit ihrer Beschreibung und ihrer Erklärung in realistischem Einklang.

Das Böse jedoch bekommt dabei schlimm die Schwindsucht. Dem Glauben an ein letztlich nicht angemessen beschreibbares, unfassbar großes Unheil geht in der konventionellen Schilderung der Massaker, in der säuberlichen Ausmalung ihrer Umstände und nicht zuletzt im psychologischen und moralischen Räsonnement die spirituelle Puste aus. Der Täter verliert sein metaphysisches Format. Sein Tun ist stupides Voranwursteln, mehr oder minder reflektierte Pflichterfüllung, feige Anpassung, neugieriges Ausprobieren, pure Schlamperei, neurotische Übersprungshandlung, cholerischer Ausbruch, manchmal auch sadistischer Exzess. Aber keine Tat, nicht einmal die grausamste, erwirkt jenen angeblich elementaren, anhaltend sakralen Schrecken, den wir, nicht nur aus der sicheren Distanz unserer gewaltarmen Verhältnisse, dem großen Morden so gerne anzudichten belieben. Die große Scheu und das erhabene Schaudern bleiben im mal flotten, mal gemächlichen Selbstlauf dieses Realismuskonzepts, im Trott der erzählerischen Vernunft, auf der Strecke.

Das muss man nicht unbedingt beklagen. Dem Bösen derart das Wasser abzugraben hat allerdings selbst etwas Boshaftes. Und wer hinter der breiten, glatten Maske des historisierenden und pychologisierenden Trivialromans nach dem Mienenspiel des Autors sucht, findet im Text zahlreiche Spuren einer merkwürdig zwielichtigen Gestimmtheit. Gleich eingangs nennt der alte Aue den amerikanischen Historiker Raul Hilberg, den Verfasser des Standwerks «The Destruction of the European Jews», in seltsamer, fast süffisanter Ironie «le très respecté professeur Hilberg». Ein andermal rät der Erzähler dem interessierten Leser, doch selbst seine einst für das Reichssicherheitshauptamt verfassten Berichte und Analysen in den heutigen Archiven einzusehen. Oder Aue beklagt sich darüber, dass in den Gesprächen der SS-Kameraden über die Massaker leider meist nur die gleichen stereotypen Andekdoten und Platituden zu hören gewesen seien. Aue murrt auch über die Überfülle der historischen Literatur und beendet Passagen, unter anderem eine Beschreibung der Anlagen von Auschwitz, mit der launigen Bemerkung, weitere Details würden sich angesichts der vielen vorliegenden Berichte wohl erübrigen.

Hier klingt etwas an, was über die figürliche Kontur des

Erzählers hinausgreift. Auch weil ich selbst Autor bin, lässt mich dieser Anflug von Bosheit an den denken, der fünf lange Jahre für seinen historisierenden Wälzer recherchiert hat. «Pour les morts» hat Jonathan Littell seinem Roman als Widmung vorangestellt. Wie soll der Leser dies verstehen? Der Autor glaubt doch wohl nicht ernstlich, jener als schön und halbnackt beschriebenen Jüdin, deren Kopf in seiner Metaphorik wie eine Frucht zerspringen muss, ein literarisches Denkmal gesetzt zu haben?

Es kann nur die andere Seite gemeint sein. Auch Littells SS-Mann Max Aue müsste, wenn er 1913 geboren ist, inzwischen mit hoher Wahrscheinlichkeit wie seine SS-Kameraden, die im Roman oft die Namen und das zeitgeschichtliche Daten-Kostüm wirklicher SS-Täter tragen, das Zeitliche gesegnet haben. In seiner fast programmatischen Einleitung beklagt Aue die geringe Qualität der Lebensberichte, die einige wenige vor ihrem Tod noch abgeliefert haben. Offensichtlich ist der Roman vorrangig denjenigen gewidmet, deren Kriegstod, deren Hinrichtung oder deren Untertauchen in der Nachkriegswelt verhindert haben, dass sie wahrhaftig von ihrem Anteil am großen Abschlachten erzählten. Dann trüge der Autor diesen Stummgebliebenen ihr versäumtes literarisches Werk als ein boshafter Kobold ins Jenseits nach.

Was bedeutet es für uns, wenn sich ein wie wir Nachgeborener aus der Fülle des recherchierbaren Materials die Haut eines solchen Erzählers schneidert? Wer sich derart drastisch kostümiert, wird sich als Autor auf eine besondere Weise entkleiden. Und wer ihm wie ich als gläubig imaginierender Leser gefolgt ist, hat Anteil an dieser Entblößung. Dies gilt vor allem für unser zeitgenössisches Verhältnis zum Bösen. Die Bannung, die Historie und Literatur eine gewisse Zeit lang anzubieten hatten, beginnt offensichtlich zu schwächeln. Das historische und das historisierende literarische Erzählen haben zermürbt, was sie eine Zeitlang instand hielten und immer noch instand halten sollen. Das Bild des Bösen schlechthin, das Böse par excellence erschlafft wie ein überstrapazierter Muskel. Eine große und wichtige mediale Manifestation beginnt sich selbst zu erschöpfen. Damit verliert auch die Erzählung von Schuld und Leid an tragischer Größe. Die Verantwortung der Täter und das Leid der Opfer schrumpfen im unermüdlichen Mahlwerk des trivialen literarischen Realismus zu einem blödsinnigen Pech, zu einer bloßen Ungunst der Stunde. Das Missgeschick des Einzelnen besteht letztlich darin, zufällig zur falschen Zeit am falschen Fleck oder gar nur auf der verkehrten Seite gewesen zu sein. Der zeitgeschichtliche Roman, der mit dem Verschwinden der Zeitzeugen zum historischen Roman wird, diese große Evidenzmaschine der bürgerlichen Literatur, beginnt zu klappern wie eine alte Mühle.

Littell und sein Erzähler wissen das. Und die damit verbundene Schwächung macht den Leser wie den Erzähler zunächst verlegen, dann latent ärgerlich, zunehmend ironisch, schließlich boshaft. In der Handlung des Romans indes nimmt die Unwahrscheinlichkeit zu, groteske, phantastische Elemente gewinnen an Raum. Dies kommt der Erscheinung des Bösen unübersehbar zugute. Es löst sich von dem, was ihm angeblich letzte Offensichtlichkeit verliehen hat, und wird zu etwas frei Vagierendem. Fast zombiehaft stakst der von einem Kopfschuss genesene, aber nervlich zerrüttete Aue zuletzt durch die historischen Kulissen. Die Morde, die er in Frankreich an Mutter und Stiefvater und dann in der Schlacht um Berlin noch an einem schwulen Liebhaber und an seinem wichtigsten SS-Kameraden begeht, haben bereits bizarr privaten Charakter.

Der Text balanciert hier auf dem Rand seines Genres. Dem Leser leuchtet ein, wie nah diese triviale Spätform des historischen Romans nach und nach jenen Psychothrillern und Splatterfilmen gekommen ist, die versuchen, mit spritzendem Blut, herausquellendem Gedärm und krachenden Knochen Effekt zu machen. In diesen Genres soll der Exzess gerade durch seine Zusammenhanglosigkeit und Unvernunft dem Bösen von neuem zu einem absoluten Rang verhelfen. Wer durchgehalten hat, ist mit den letzten Gewaltbildern des Romans heillos in der medialen Gegenwart angekommen. Das zentrale Faszinosum von «Les Bienveillantes», die Lösung des Bösen aus dem Doppelbann von Historie und konventionell realistischer Erzählung, gehört ganz in unsere Zeit.

Pour les morts? Für die Toten? Unsere SS-Männer sind tot. Ihre allerletzte Bosheit wäre es allenfalls, uns aus dem Jenseits ob unserer literarischen Bemühungen zu verlachen. Das Böse aber sucht und findet andere Tempel, um sich erneut mit stummer Scheu und stammelndem Entsetzen feiern zu lassen.

(Geschrieben für die Süddeutsche Zeitung, *Februar 2008)*

DER TOD IST IRGENDWIE GEIL, ODER?

Unterwegs mit einem morbiden Popjournalisten

Älter werdend fragt man sich plötzlich, was sich die jüngeren Menschen eigentlich so denken – über das Leben, die Liebe oder gar über den Tod. Und prompt hat man das Buch hierzu auf dem Tisch: Chuck Klosterman wurde von der New Yorker Popzeitschrift *Spin Magazine* mit einem Leihwagen ausgestattet, um gut zwei Wochen auf einem Zickzackkurs von der Ostküste an die Westküste der USA zu fahren. Der junge Musikjournalist wollte und sollte möglichst viele Orte besuchen, an denen ein berühmter Popmusiker eines frühen Todes gestorben ist.

Ist das ein guter Einfall? Oder nur eine arg naheliegende Schnapsidee? Klosterman sagt über sein «Todes-Projekt»: «Sterben ist das Interessanteste, was alle Menschen tun, ohne Ausnahme. Das gilt besonders für Berühmtheiten.» Dann prahlt er noch mächtig damit, dass er 600 seiner 2233 CDs auf den Rücksitz seines Miet-Fords packt und auch reichlich Marihuana mitnimmt. Aber steigen wir ruhig mit ein, auch ein kiffender junger Angeber kann gute Gedanken haben. Und vielleicht hilft er einem Älteren sogar, die eine oder andere Frage nach dem Tod oder dem Leben ein wenig schärfer zu fassen.

Erste Frage: Wem gehört eigentlich der Tod?
Kaum der Kindheit entkommen, sind unsere Jungen besessen vom Tod, und sie machen in der Regel keinen Hehl daraus. «Ich möchte nicht sterben, aber die Vorstellung, tot zu sein, finde ich toll.» Dieses Geständnis schenkt Chuck Klosterman seinen Lesern, nachdem er erzählt hat, wie er hinter einem Hotel zum Joggen aufgebrochen ist. Rennend malt er sich aus, er würde einen Herzinfarkt erleiden, das *Spin Magazine* widmete ihm eine ganze Ausgabe der Zeitschrift, und gleich zwei der Musikredakteure schrieben sich einen bewegenden Nachruf von der Seele.

Diese Phantasie hat ohne Zweifel universellen Charakter. Rund um den Globus stellen sich von Weltschmerz geplagte Burschen und melancholische Mädchen liebend gerne vor, sie sähen ihren Hinterbliebenen beim Trauern zu. Der untote Tote, der dies vermag, macht eine kuriose Figur. Er ist zwar sämtlichen Pflichten des Lebendigseins entkommen und hat alle Chancen der Existenz in den Wind geschlagen. Aber lassen kann er von seiner einstigen Umwelt durchaus nicht. Wie ein jenseitiger Fernseh-Junkie bleibt er süchtig nach dem Film seines Nachlebens, nach den reuevollen Tränen der Freundin, nach dem schlechten Gewissen der Älteren, nach dem ehrfurchtsvollen Gedenken seiner Schulkumpane.

Solch einen Hang sehen wir Älteren mit Unbehagen, vor allem wenn wir die Eltern der morbiden Maid oder des todeslüsternen Jünglings sind. Man mag sich nicht mit den garstigen Todesvideos abfinden, die auf den PCs und den Handys der jugendlichen Cliquen kursieren. Mit säuerlicher Überwindung hat man die halbskelettierten Leichen auf ihren Postern und T-Shirts akzeptiert, weil man sich leider noch an das Cover manch eigener Lieblingsplatte erinnern kann. Aber insgeheim wünscht man sich doch, man könnte den Heranwachsenden dieses ganze Todesding wie ein pädagogisch minderwertiges Spielzeug wegnehmen.

Chuck Klosterman nutzt seine Reise von Todesort zu Todesort auch dazu, um bei seinen alten Eltern in North Dakota vorbeizuschauen. Er bemüht sich, pünktlich zum Essen einzutreffen, damit seine Mutter nicht denkt, er habe einen Unfall gehabt. Die Jungen ahnen es: Allein ihnen gehört das lustvolle Spiel mit dem Tod. Uns, den Älteren, aber sitzt er wie eine schmerzlose, wie eine still anwachsende Geschwulst im Nacken. Wir vergnügen uns nicht mehr mit den Bildern vom Tod. Und in der Konkurrenz um die stärksten schwarzen Gefühle bleibt uns bestenfalls die Angst vor einem zu frühen Sterben unserer kostbaren Kinder.

Zweite Frage: Was hat die Musik mit dem Tod zu tun?
Chuck Klosterman redet wahnsinnig gern über Songs und die Alben, auf denen sie zu finden sind. In seinem Buch tut er dies nicht nur, indem er den Leser direkt anspricht. Nein, er liebt es fast noch mehr, szenisch zu rekonstruieren, was er irgendwann zu irgendjemand über eine Band oder ein Lied gesagt hat. Dieser Tick ist mehr als nur die Berufskrankheit des Popjournalisten. Das Reden über Popsongs bedeutet für Klosterman schlicht die einzige Form, mit der Vergangenheit in ein bekömmliches Verhältnis zu gelangen. Dies gilt auch für Ereignisse von allgemeiner Tragweite wie den 11. September 2001.

Alles, was mit dem Terrorangriff auf das World Trade Center zusammenhängt und sich sinnvoll darüber sagen lässt, ist für Klosterman im Album «Kid A» der britischen Popgruppe Radiohead enthalten. Sobald er die Songs der CD durch sein Räsonnement mit den Ereignissen in Verbindung bringt, verliert seine zeitgenössische Rede die beliebige Banalität, von der sie stets bedroht ist. Wenn Klosterman flapsig anmerkt, «dass ‹Kid A› der offizielle Soundtrack des 11. September 2001 ist», meint er etwas Todernstes, das über den Schrecken des Anschlags hinausgeht. Nur der Popsong lässt ihn ertragen, dass es die selbst erlebte Vergangenheit überhaupt gibt. Die quälende «nostalgische Sehnsucht nach der unmittelbaren Vergangenheit» ist im Song für drei, vier oder fünf Minuten auf eine magische Art akzeptabel geworden. So lange genießt die Wehmut sich selbst.

Aber nicht länger. Denn mit dem Enden des Liedes beginnt sogleich die verzweifelte Suche nach dem Anheben eines neuen. Und bis man den rettenden Song auf den UKW-Tasten des Autoradios oder in der CD-Halde auf dem Rücksitz gefunden hat, hält man sich mit Pop-Diskurs über Wasser. So gleicht der manisch quasselnde Chuck Klosterman einem Schwimmer, der den redenden Kopf krampfhaft in der Gegenwart reckt, während ihm sein Vergangenes, das bislang Erlebte, als ein unkontollierbares Gewässer gefährlich ums Kinn schwappt. Das ist an den besten Stellen traurig und komisch zugleich.

Dritte Frage: Was hat Liebe mit Tod zu tun?
Ungefähr genauso viel und offensichtlich genauso gern wie über Popsongs schreibt Chuck Klosterman über seine Liebschaften. Diese Affären haben Namen, zumindest Vornamen, und sie liegen alle im Argen. Entweder sind sie schon unter Schmerzen zerbrochen, oder sie gehen just während der Rundreise kaputt, zumindest kränkeln sie, von einem schlimmen Ausgang bedroht, vor sich hin. Man stirbt heut-

zutage nicht mehr an gebrochenem Herzen. Aber es ist immer noch eine schöne Gewohnheit, sich den Verlauf einer Beziehung als eine Art Lebensbahn vorzustellen. Im Verlieben wird man zu seinem wahren Wesen geboren, der finale Niedergang der Gefühle ist einem Sterben analog. Das ist das romantische Modell.

Chuck Klostermans Denken und Fühlen kommt aus diesem Sterben gar nicht heraus. «Wir sterben immer und die ganze Zeit», meint er mit schwermütigem Pathos, als er von seiner ersten College-Beziehung erzählt hat, und dann vergleicht er das Ende einiger ausgewählter Liebschaften mit dem Tod durch Schlaganfall, mit dem qualvollen Dahinsiechen an Knochenkrebs, mit einem Flugzeugabsturz und einem Schuss in den Hinterkopf. Das liest sich larmoyant, an den schwächsten Stellen wirkt es sogar kokett. Aber verlogen ist es nicht. Irgendwann in der Urzeit der bürgerlichen Gefühlskultur hat sich die nigelnagelneue romantische Liebe beim Tod des Leibes mit Metaphern eingedeckt. Jetzt, wo das allgemeine Liebesgehabe in albernen Fernsehserien seine greisenhaft tattrigen Runden dreht, verlangt der sterbliche Körper eine Gegenleistung. Nun soll das lange romantisch verklärte fleischliche Begehren gefälligst so tun, als wäre es nur eine weitere Krankheit zum Tode und zugleich die schönste Blüte einer allgemeinen Liebe zum Leben. Liebt Chuck Klosterman das Leben? «Ich bin für das Leben hier nicht qualifiziert», lautet der erste Satz seines Reiseberichts, und diese kleine lakonische Wahrheit glaubt man ihm bis an das Ende seines Buches.

Letzte Frage: Können wir den Tod verfehlen?

An den Orten, die Chuck Klosterman aufsucht, erlebt er so gut wie nichts. Verloren steht er am Rand des Wäldchens, in dessen Wipfeln das Flugzeug von Lynyrd Skynyrd gestürzt ist. Und die Kreuzung, auf der Duane Allman von den Allman Brothers mit dem Motorrad in den Tod raste, spricht genauso wenig zu ihm wie das Gelände von Graceland, wo in einer der zahllosen Toiletten das Herz von Elvis Presley versagte. Wie albern, etwas anderes erwartet zu haben! Der Boden der zivilisierten Welt ist rundum satt getränkt mit den letzten Seufzern der Sterbenden. Wo Tausende zu leben suchen, finden auch Tausende den Tod. Warum sollte ausgerechnet das Todesröcheln irgendeines drogenkranken Musikanten eine hörbare Spur auf dieser heillos von Kratzern übersäten Schallplatte hinterlassen haben?

Aber Chuck Klosterman hat einen letzten Trumpf im Ärmel. Die abschließende Station seiner Reise ist Seattle. Und der Ruhm des Pop-Toten, dem er dort nachspürt, ist weiterhin so frisch, dass er den Frühverstorbenen zunächst nur mit den Initialen seines Namens «K. C.» zu nennen braucht.

Kurt Cobain, der Kopf der Grunge-Band Nirvana, ist noch immer eine unerhört ergiebige Leiche. Und Chuck Klosterman gibt sich redlich Mühe, den einen oder anderen gedanklichen Funken aus den Umständen von Cobains Selbstmord zu schlagen. Das Buch wird klug, fast altklug. Für Klosterman hat Cobain den richtigen Moment zum Sterben gewählt. Gerade als der Nimbus seiner Figur ins rettungslos Negative abzudriften begann, als sich abzeichnete, dass seine Band die Krone des Grunge dem Konkurrenten Pearl Jam zu überlassen hatte, setzte Cobain mit der Schrotflinte das entscheidende Zeichen.

Der Autor Klosterman verrät uns nicht, dass Cobain damals 27 Jahre jung war. Aber auf halber Fahrtstrecke hat er uns beiläufig preisgegeben, was die Kurzbiographie des Umschlags geflissentlich verschweigt: Chuck Klosterman, der jugendlich flapsige Schwadroneur, ist zum Zeitpunkt seiner Reise, also im Jahr 2003, bereits 31 Jahre alt. Wann vergeht die Jugendlichkeit eines Mannes? Wo kommt heutzutage die pubertäre Spanne, von der alle Popkultur zehrt und der sie gleichzeitig immer neuen Nährstoff zuführt, unweigerlich an ihr Ende? Und wie fühlt es sich an, wenn einem allmählich dämmert, dass man – über all den Songs – diesen Tod seiner Jugend verpasst hat?

(Geschrieben für die Süddeutsche Zeitung, *September 2006)*

VOM SCHMINKEN DER MASKE

Gerhard Schröder verweigert seine Biographie

Es kann im Herzen guttun, Menschen nach bestem Vermögen von ihren Erfahrungen sprechen zu hören. Selbst der Stammelnde erringt den Ehrentitel des Zeitzeugen, so er sich nur redlich müht, Auskunft über sein Leben zu geben. Sag, was du in der Welt, die auch die unsere war, getan und erlitten hast! Und erzähl es uns, so gut du kannst! Warum sollten wir von Gerhard Schröder weniger verlangen? Dass er etwas erlebt haben muss, steht außer Frage. Und dass ein Politiker, dessen Stimme jahrzehntelang um das Ohr der Öffentlichkeit warb, ein intimes und zugleich kritisches Verhältnis zum Wort hat, wollen wir ihm unterstellen.

Der Autor Schröder beginnt mit seinem Herkommen. Damit ist klar, dass es ihm nicht vorrangig um eine reflexive Bilanz seines politischen Handelns in Partei und Amt gehen wird. Entschieden schlägt er eine existenzielle Saite an. Das ist gut so. Denn der vielbeschworene Sachzwang, vom Hickhack in der Ortsgruppe einer Partei bis hin zur Dynamik der Globalisierung, er bliebe nur ein nebulöses Gespenst ohne das Individuum, das gegen ihn ankämpft. Auch ein Politiker hat nur ein einziges Leben zu vergeuden. Und selbst wenn das politische Geschäft nichts als eine triste Knochenmühle sein sollte, dann bezieht es doch eine gewisse Würde, ja eine eigentümliche Tragik daraus, dass Menschen ihre besten Kräfte darin verbrauchen.

Gerhard Schröder hat es wie wenige deutsche Nachkriegspolitiker verstanden, sich die Aura eines Kraftkerls zu erwerben. Vor dem Hintergrund dieses Images gewinnen die Armut und die Enge, aber auch die Nestwärme seines Aufwachsens Bedeutung. Schröder erinnert sich an Geräusche seiner Kindheit, an das Husten seines Tbc-kranken Stiefvaters, an das Klatschen des Rohrstocks auf die Hände der Volksschüler, und plötzlich springt er in einem überraschenden Exkurs zum Quietschen des Stifts, mit dem Horst Janssen, der «gnadenlose Trinker und geniale Künstler», auf einem Fest im niedersächsischen Wahlkampf 1986 Regenschirme mit Zeichnungen bedeckt. «Mit großer Geste reicht er sie herunter. Er sitzt auf einem Stuhl, der wiederum auf einem Tisch steht, wie auf einem Thron.» Der suchtkranke Egomane im Geltungsrausch, gesehen von einem Politiker, der sein erstes großes Amt anstrebt: Welch eine Chance zur Spiegelung! Aber uns, den Lesern, bleibt für die folgenden fünfhundert Seiten nur die schmerzliche Ahnung, worüber Gerhard Schröder und Uwe-Carsten Heye, sein Ghostwriter und ehemaliger Regierungssprecher, leider nicht geschrieben haben.

Es betrübt, ein Buch durch das charakterisieren zu müssen, was es verweigert. Wir erfahren nicht, wie dem Lehrling in einer Eisenwarenhandlung das Interesse am Politischen aufgeht. Ebenso wenig verrät Schröder uns, an welchen Orten sein Instinkt und sein Verstand die besondere Witterung des Öffentlichen aufnahmen. Im Dunkeln bleibt, bei welchen Gelegenheiten er den Geschmack der Macht kennen- und schätzen lernte und wann die Bitternis des Scheiterns den Genuss von Amt und Bekanntheit vergällte.

Mit einer merkwürdig buchhalterischen Akribie werden die Namen zahlreicher «Wegbegleiter», «Mitstreiter» und «verlässlicher Partner» aufgelistet. Viele bekommen einen dürren, offenbar obligatorischen Satz. Aber welche Rolle spielen innige Zusammenarbeit, Vertrauen, Freundschaft bei einem Tun, das angeblich «mörderisch» sein kann, weil es mit einer «gnadenlosen Öffentlichkeit» zu tun hat? Ähnlich unbesprochen bleiben Konkurrenz, Neid und Feindschaft. Dass Oskar Lafontaine ein begnadeter Gegner gewesen sein muss, wird angedeutet. Aber wie war es, als der Niedersachse und der Saarländer, die beiden großen populistischen Talente der SPD, gleichzeitig auf dem Scheitelpunkt ihrer Karriere balancierten und ihnen dann die kunstvolle Schwebe, die gemeinsame Teilhabe an der Macht, misslang? Vergeblich warten wir darauf, dass uns der Autor etwas anderes sagt, als es schon damals in den Gazetten zu lesen gab.

Dabei wäre gar keine spektakuläre Enthüllung, keine späte Indiskretion nötig, um den Leser zu fesseln. Schröder müsste nur glaubhaft machen, dass er das Geschehene mit Haut und Haaren erleben durfte und sich nicht nur selbst im Fernsehen gesehen hat. Aber auch im Buch wird er die Sprechmaske nicht los, die er jahrzehntelang in die Kameras und vor die Mikrophone gehalten hat. Sein Denken und sein Erzählen bleibt, von wenigen Sätzen abgesehen, in jenem Jargon befangen, den sich die politische Kaste und viele Vertreter des politischen Journalismus teilen. Es ist das wasserdichte Vermeidungssprechen, in dem die Verlautbarung, die mediale Kunde von der Verlautbarung und sogar die angebliche Kritik der Verlautbarung zum Verwechseln ähnlich klingen. Und je näher das Buch dem letzten Wahlkampf Schröders kommt, umso mehr schwillt dieser Sermon an Umfang an, umso hohler wird sein Dröhnen. Auch in seiner angeblichen Biographie spricht Schröder so, dass ihm kein Zitat gefährlich werden kann. Sein Verhältnis zu den Medien, genauer gesagt zu ihren Repräsentanten, scheint bis heute, selbst wenn er sich über sie beklagt, bestimmt von taktischer Schläue und komplizenhafter Kumpeligkeit.

Wozu lesen, wie eine Maske geschminkt wird? Ratsuchend blättert man sich zuletzt durch die Fotos, die dem Text in großer Zahl beigegeben sind. Man sieht, wie sich im Lauf der Jahre und im Sandstrahlgebläse der Öffentlichkeit das großartige Gesicht des inzwischen 62-Jährigen herausgebildet hat. Bei seinen letzten Auftritten als Kanzler durften wir noch einmal beobachten, wie geschmeidig sein Ausdruck zwischen treuherziger Biederkeit und staatsmännisch gebändigter Brutalität zu changieren versteht. Es ist vielleicht kein Verdienst, solch ein Gesicht erreicht zu haben, aber womöglich bleiben just diese Züge das Einzige an ihm, was auch in Zukunft als unmaskiertes Fleisch zu uns spricht.

(Geschrieben für die Berliner Zeitung, *Oktober 2006)*

DER SEGEN SOUVERÄNER FLUCHT

Dem Romancier Axel Munthe zum
150. Geburtstag

Bis heute erkennen die Leser das Wesen dieses erstmals 1929 erschienenen Romans auf den ersten Blick. Axel Munthes «Das Buch von San Michele» braucht keinen lockenden Klappentext, der mit «Welterfolg» und «Longseller» prahlt. Es genügt, die erste Seite zu überfliegen – in einer unserer ungut gläsern gewordenen Buchhandlungen, im Teppichboden-Mief einer renovierungsbedürftigen Stadtbibliothek oder gebeugt über die Bücherkiste eines Flohmarkts.

Widrige Umstände können dem Hineinlesen nur nützen, denn dieser Schmöker ist für den gemacht, der den engmaschigen Ärgernissen des modernen Lebens, dem Fangnetz seiner Komplexität, in eine andere Welt entschlüpfen möchte. Schamlos weit kommt dieser Sehnsucht die Handlung entgegen, wenn sie mit einem gelungenen Ausbruch anhebt: Ein erschöpfter, von Schlaflosigkeit zerrütteter Modearzt hat seine Pariser Praxis Hals über Kopf hinter sich gelassen. Er, der trotz seiner Jugend schon vielen geholfen hat, ist selbst der Heilung bedürftig geworden. Ein verklärtes, fast archaisch unberührtes Capri nimmt ihn auf.

Gleich mit dem ersten Wort sagt das Buch «Ich». Wie dies in einem autobiographischen Roman gelingt, entscheidet über die Eigenart und Intensität der Identifikation, die seine Lektüre uns ermöglicht. Munthes Ego-Sound ist hochintim und hoch-diszipliniert zugleich. Von der ersten Szene an darf man ganz nah am Gemüt des Helden sein. Aber zugleich ist dessen Fühlen und Denken so gründlich geläutert, dass wir uns nie von kleinlich Privatem, von launisch Zufälligem belästigt fühlen. Sogar wo Munthe seine verblüffenden Erfolge, die Berühmtheit seiner Patienten oder sein wohltätiges Engagement ins helle Licht seiner perfekten Szenen stellt, wahrt er einen ebenso makellosen letzten Abstand zur Grandiosität der Taten und zum Glanz ihrer außerordentlichen Umstände. Dies ist nicht allein dem geläufigen erzählerischen Kunstgriff geschuldet, dass wir es mit einem doppelten Ich, mit dem Akteur und dem Erinnernden, zu tun haben. Ihren speziellen Liebreiz erhält diese konventionelle Spaltung durch die konsequente Künstlichkeit der beiden Instanzen.

Der erfolgreiche Herr Doktor, dessen Wartezimmer der europäische Hochadel und Prominenz aus Politik und Kunst füllen, ist eine auf wenige Züge reduzierte Figur. Dieser Schwede im Exil bleibt von Erlebnis zu Erlebnis auf eine merkwürdige Weise unverändert jung, ja jungenhaft. Mit sicherem Instinkt und einem kräftigen Schuss kecker Scharlatanerie kuriert er die Wehwehchen seiner verwöhnten Patienten. Parallel dazu widmet er sich den Armen in den Arbeitervierteln. Und immer wieder ist er bereit, das existenzielle Gegenüber, das leidende Du, im misshandelten Tier zu sehen. Diese unermüdlich mitfühlende Seele scheint jedoch kein Liebesleben im partnerschaftlichen oder sexuellen Sinne zu kennen. Weder von den beiden Ehefrauen noch von den beiden Kindern des realen Munthe ist im Buch die Rede. Und der moderne Leser, dem es bei autobiographischen Werken angeblich doch gar nicht familiär genug zugehen kann, vermisst diesen obligatorischen Blick auf Tisch und Bett kein bisschen.

Noch radikaler verknappt ist der erinnernde alte Erzähler, die zweite Ich-Figur dieses Lebensromans. Munthe, der «Das Buch von San Michele» als über 70-Jähriger verfasste, beschränkt sich hier auf zwei wirkmächtige Elemente, auf seine Erblindung und auf die damit verbundene, fast mythisch anmutende Selbstgewissheit der Rückschau. Wer würde wagen, einem blinden Seher zu widersprechen? Die Historie vielleicht?

Schon bald erhoben sich Stimmen, die diesem Buch, gerade weil es schon in seinem zweiten Jahr zum Weltbestseller geworden war, seinen Wahrheitsgehalt streitig machen wollten. Und im Lauf der knapp acht Jahrzehnte, die es nun gelesen wird, hat man an zahlreichen Details bewiesen, wie, gelinde gesagt, frei sein Verfasser mit dem umgegangen ist, was sich mittels Recherche als Fakten aus dem Schutt der Zeit heraussieben lässt. Mit souveränem Eigensinn verzichtet sein Autor, obwohl er realiter als bereits erheblich Sehbehinderter im Ersten Weltkrieg dem britischen Roten Kreuz beitrat, nahezu vollständig auf die Erwähnung all der Geschehnisse, die uns Politik, Historie, Ideologie und oft genug auch die Literatur als bedeutsam verkaufen wollen. Das 20. Jahrhundert, das in der medialen Verwertung seiner Gräuel das superlativische Säkulum war, zerperlt in ein paar Dutzend erlesene Tage. Sie mischen sich ohne klar erkennbare Folge mit denjenigen Episoden, die sein Vorgängerjahrhundert, dem der Archivierungswahn der Philologie und das Großmannsgetue der totalen historischen Rückschau die Brust blähten, wie eine Handvoll loser Schmucksteine herausrücken muss. Kann man sich einen bekömmlicheren Eskapismus denken?

Selig der Leser, dem die Flucht in das Glitzern der Augenblicke, in das Licht von San Michele, auch in unserem neuen, nicht weniger geltungsgierigen Jahrhundert gelingt!

(Geschrieben für die Süddeutsche Zeitung, *Oktober 2007)*

GEGENWARTSDANKBAR

Ein schönstes deutsches Wort

Über Zeit reden, heißt sich in Zeit zwingen. Keiner von uns scheint imstande, den strammen Zopf, zu dem sich unsere Sprach- und unsere Zeiterfahrung verbunden haben, mit Worten wieder zu entflechten. So ist gleich unerbittlich wie unsere Leib- auch unsere Geistesgegenwart zwischen Vergangenheit und Zukunft gespannt. Überhaupt wird jede Idee von Gegenwärtigkeit durch die Rede, die von ihr geht, linker Hand an berichtete Erfahrung, rechter Hand an artikulierte Erwartung gefesselt. Wie erstaunt, wie beglückt war ich daher, gerade bei einem erzgrimmigen Zeitzwangbeschwörer, ausgerechnet bei Arno Schmidt, das Eigenschaftswort «gegenwartsdankbar» zu finden. «Gegenwartsdankbar», das tönt derart hell, als stammte es aus der besten Provinz unserer Vergangenheit, und klingt zugleich so entschieden, als bräuchten wir keinerlei globale Zukunft zu fürchten.

Solange unser Deutsch, das in klandestiner Komplizenschaft mit der Zeit über uns herrscht, dergleichen morphologischen Verbindungszauber zulässt, schlägt uns, den Deutsch Sprechenden, unentwegt aufs Neue die Gunst der Stunde.

(Geschrieben für eine Umfrage der Welt *nach dem schönsten deutschen Wort, Juni 2004)*

6
SCHMERZ UND EHRE

DAS BASTARDGESCHLECHT
DER AMATEURE

Robert Louis Stevenson zum
150. Geburtstag

Dem schottischen Autor Robert Louis Stevenson (1850 bis 1894) und seiner Prosa hat es im zurückliegenden 20. Jahrhundert nicht an Bekanntheit gefehlt, und deshalb ist ihm auch keine der damit verbundenen Demütigungen erspart geblieben. Vor allem sein Roman «Die Schatzinsel» und seine Erzählung «Doktor Jekyll und Mr. Hyde» haben immer aufs Neue die Plünderer und Verballhorner angelockt, und ein Ende ist, auch nach der Verwurstung zu Comic und Musical, nicht abzusehen.

«Doktor Jekyll and Mr. Hyde» ist über fünfzigmal verfilmt worden, und die Zahl der Drehbuchautoren, die sich in der Not ihrer Brotschreiberei klammheimlich bei diesem Text bedient haben, ist zweifellos noch weit höher. Wäre Stevenson sechzig Jahre alt geworden, er hätte die erste Verfilmung aus dem Jahre 1910 noch selbst begutachten können.

Vermutlich hätte den Schotten diese Zweitverwertung nicht weiter gestört, wenn man ihn anständig dafür bezahlt hätte. In seiner Hauptschaffenszeit, in den zwei Jahrzehnten zwischen 1874 und 1894, schreibt er vor allem für Zeitungen und Zeitschriften. Er zwingt seine Kreativität in den Rhythmus des Bedarfs, er lebt von Vorschüssen und hat die vereinbarten Termine und die Erwartungen seiner Geldgeber im Auge zu behalten.

So ist Stevensons erster Roman, die berühmte «Schatzinsel», als Auftragsarbeit für die Knabenzeitschrift *Young Folks* entstanden und erschien dort als Fortsetzungsgeschichte. Der 31-jährige Verfasser musste sich hinter dem albernen Pseudonym «Captain George North» verbergen, und auch der ursprüngliche Titel «The Sea Cook» wurde geändert.

Dabei wäre «Der Schiffskoch» bis heute der bessere Titel. Denn jeder, der das Buch noch vor der Fernsehserie kennenlernen durfte, hat den einbeinigen John Silver als eine große literarische Figur erfahren. Und verglichen mit einem Silver, wie ihn die lesende Phantasie erschafft, werden alle filmischen Verkörperungen merkwürdig flach bleiben. Sogar der wahrlich präsente Orson Welles steht dann, die Krücke des Schiffskochs unter der Achsel, auf verlorenem Posten.

Long John Silver, der ehemalige Pirat, der Meuterer und Mörder, ist als Romanfigur selbst ein Meister des Worts. Die kleinen Reden, die ihm Stevenson in den Mund legt, sind, auch wenn sie stets einem naheliegenden, meist bösen Zweck dienen, zugleich schlagende Plädoyers dafür, das Beste aus dem einen Leben zu machen, das jedem von seiner Mutter gegeben wurde.

«Ich bin fünfzig», sagt Silver zu einem jungen Matrosen, den er für das Mordkomplott gewinnen will, «und wenn ich von dieser Fahrt zurück bin, etablier ich mich allen Ernstes als Gentleman.» Am Ende der Geschichte, nach dem Scheitern seines Plans und dem Tod der meisten Kumpane, kann Silver mit einem Teil des Schatzes fliehen, und jeder Leser, der das Herz auf dem rechten Fleck hat, wird ihm gönnen, dass er, gegen Recht und Moral, dem Galgen entkommt.

Viel von dem Lebensmut, den der Roman atmet, muss auch in seinem Autor gewesen sein. «Ach, das macht mich wieder jung. Ich war drauf und dran, mein Holzbein zu vergessen ...», sagt der 50-jährige Silver, als er die Schatzinsel erblickt. Sein Schöpfer Robert Louis Stevenson, der nur 44 Jahre alt wurde, musste zeitlebens damit klarkommen, dass sein Körper nicht zu denen gehörte, die man beiläufig vergisst. Ein Lungenleiden, wahrscheinlich eine Tuberkulose, die er sich schon als Kind zuzog, zwang ihn in immer enger werdenden Abständen aufs Krankenlager.

Seine zahlreichen Biographen haben das Bild des todkranken, wegen des Klimas auf Samoa Lebenden mit der Aura des Heroischen versehen. Und die Fotografien, die seine schmale Gestalt im Kreis der Familie vor exotischer Kulisse zeigen, haben etwas Großartiges, auch wenn der stoische Gesichtsausdruck des Autors nur der langen Belichtungszeit geschuldet sein mag.

Auch in seinen letzten Lebensjahren blieb der Schotte, der sich in der Südsee schrecklich nach seiner Heimat sehnte, ein manischer Vielschreiber. Wie am Anfang seiner Karriere saßen ihm die eingegangenen Verpflichtungen im Nacken. Zeitweise schrieb er an drei Romanen gleichzeitig, und die Bedingungen seiner Produktion waren der Qualität der Texte nicht nur zuträglich. So finden sich in seinen letzten Briefen wahrhaft finstere Stellen, in denen er radikal an seiner Autorschaft und am Wert seiner Werke zweifelt.

Wo der Erfolg groß und das Nachleben lang ist, kommt auch die Tücke der Nachgeborenen zu ihrem Recht. Heute begleitet das Werk Stevensons als ein scheinheiliges Seufzen die Behauptung, dieser Autor habe wegen seiner Kränklichkeit und der Kürze seines Lebens nicht sein Bestes geben können. Und wie um einen Löwen aus sicherer Distanz zu verhöhnen, rufen ihm die Schakale, die Meute seiner Biographen und Interpreten, nach, dass ausgerechnet das Fragment «Weir of Hermiston», der Text, über dem Stevenson starb, sein wahres Meisterstück hätte werden können.

In diesem Roman nennt die Hauptfigur, ein entsetzlich selbstgerechter Oberrichter, die Dichter und deren leidenschaftliche Bewunderer «das Bastardgeschlecht der Amateure». Der Erzähler lässt dieses starke böse Wort unkommentiert und vertraut darauf, dass die Leser spüren, wie diese Schmähung insgeheim auszeichnet. Der Autor, begnadeter Bastard im Spannungsfeld von Kunst und Kommerz und Amateur im Leben wie wir alle, wurde heute vor hundertfünfzig Jahren von Margaret Isabella Stevenson in Edinburgh geboren.

(Geschrieben für die Berliner Zeitung, *im November 2000)*

DER ENTFESSELTE HELD

Wo wir das Heroische finden

Leicht fällt es uns, unsere Näschen über den Helden zu rümpfen. Ihn abzulehnen, jedwede heldische Gestalt von vorneherein als Ausgeburt von Dumpfheit und Gewaltlust abzutun, gilt unter männlichen Intellektuellen gern als Ausweis moralischer Geistigkeit. Und wenn das Heroische in unserer Gedanken- und Bilderwelt, die wir natürlich für die maßgebliche halten, doch einmal unversehens aufflackert, beeilen wir uns wie eifrige Feuerwehrmänner, seine Flämmchen mit jener Ironie zu löschen, die uns bei allen Gelegenheiten als das Universal-Pathos unserer angeblich pathosfreien Kultiviertheit zu Gebote steht.

Wenig ist billiger, wenig ist für ein kluges Köpfchen so wohlfeil zu haben. Und die Geringschätzung alles Heroischen hindert uns clevere Kerle nicht daran, uns mehr oder minder heimlich nach dem Helden zu sehnen. Schließlich suchen wir ihn dort, wo der moderne Geistmensch, der schlaue Single, unbeobachtet allein ist, dort, wo der Schulterschluss ironischer Besserwisserei aufgehoben scheint, in den weiten Gewässern der populären Kultur.

Hier kommt es zu einem unruhigen Fahnden und Fischen. Dessen gängigster Rhythmus ist das nervöse Tippen des Daumens auf der TV-Fernbedienung. Aber es gibt längst keine Garantie mehr dafür, dass wir auf den fünfzig oder hundert Kanälen, die uns Kabel oder Schüssel bieten, auf eine befriedigende Weise fündig werden. Denn unsere antiheroische Intellektualität hat auch hier siegreich Einzug gehalten. Glücklich, wer zu später Stunde, wenn die ganz alten Schinken laufen, noch einen Haudegen früheren Schlags ergattert. Auch der Hollywood-Held muss längst zu einem Gutteil komisch sein. Und in der deutschen Produktion ist die Comedy das Genre des Augenblicks. Mittun kann jeder, der bereit ist, nichts mehr an sich und nichts mehr in der Welt ernst zu nehmen. Feixend regiert der quotenlegitimierte Hanswurst. Und gerade im krampfenden Dauergrinsen unserer TV-Komödianten und in den pointenseligen Lachsalven ihrer Studiogäste steckt – als eine grundsätzliche intellektuelle Überhebung – unsere Gewissheit, jede weitere Drehung der Selbst- und Weltverachtung als einen weiteren Witz souverän zu verstehen.

Nein, das Fernsehen hilft nicht mehr. Wir müssen bei unserer Suche nach dem Heroischen tiefer steigen. Geht es überhaupt noch tiefer hinab? Gibt es abgründigere Oberflächen als das Fernsehen? Und ob! Klappen Sie den Mantel Ihres Trenchcoats hoch, ziehen Sie die Krempe des Hutes tiefer in die Stirn und nähern Sie sich in unauffälligem Zickzackkurs dem Zeitungsladen Ihres Bahnhofs! Dort, wo die Kinder und Jugendlichen mit Schmökerstoff versorgt werden, stehen die japanischen Comics, die sogenannten Mangas. Sie erkennen sie daran, dass man sie von hinten liest, dass sie also mit dem Bund auf der rechten Seite im Regal lehnen. Der japanische Comic-Autor, zu dem ich Ihnen raten möchte, heißt Kōta Hirano, seit diesem Herbst erscheint seine Manga-Serie «Hellsing» auch auf Deutsch.

Erwerben Sie Band I und tauchen Sie in ein merkwürdig verfremdetes britisches Königreich, das gleichzeitig dem neunzehnten und dem einundzwanzigsten Jahrhundert anzugehören scheint. Da Sie das Comic-Lesen gar nicht oder nicht mehr gewohnt sind und Sie den Panels zudem von rechts nach links folgen müssen, geht es zunächst recht langsam voran. Sogar zu echten Verständnisproblemen muss es unweigerlich kommen. Denn was Sie in Ihrer Kindheit, über Micky-Maus-Heften und Asterix-Bänden, an Bildaufnahmetechnik erworben haben, reicht nicht aus, um dem weit raffinierteren Erzählen der Mangas problemlos zu folgen.

Sie verstehen immerhin, dass in diesem eigenartigen Großbritannien eine Geheimorganisation namens Hellsing existiert, halb mafiöser Familienbund, halb christlicher Ritterorden. Gerade ist die Leitung von Hellsing durch Erbfolge an die blutjunge Integra Hellsing übergegangen. Und die junge Frau muss sich sogleich vor ihrem bösen Onkel, den es selbst nach dieser Macht gelüstet, in den aufgegebenen Kellern und Verliesen des riesigen Hellsing-Anwesens verbergen.

Integras Vater hatte versprochen, dort unten würde sie Hilfe finden, wenn ihr einst übermächtige Gefahr drohen sollte. Alles, was das Mädchen jedoch in den modrigen Gewölben entdeckt, ist ein mumifizierter Leichnam, merkwürdig verschnürt und an die Wand gebunden, als gelte es, diesen Körper noch im Tode zu bändigen. Lesen Sie jetzt langsamer! Integra beklagt bitter, dass ihr hier unten wohl kein rettender Recke beispringen werde. Neben einer vertrockneten Leiche müsse sie nun hilf- und wehrlos sterben. Und schon wird das tapfere Mädchen von ihrem mörderischen Verwandten und dessen Häschern gestellt. Der böse Onkel verletzt Integra mit einem gezielten Schuss an der Schulter. Und er kündigt an, ihr als Nächstes die Ohren abzuschießen. Integras Blut jedoch ist in das verschrumpelte, hohläugige Gesicht der Mumie gespritzt. Besser als jeder Film kann der Comic dieses Blutspritzen in vier Zeichnungen deutlich und bedeutsam machen.

Sie ahnen, was passieren wird?

Nein?

Doch, Sie ahnen es!

Ihre Sehnsucht nach dem Helden hat Ihrer Phantasie schon auf die Sprünge geholfen!

Insgesamt fünfzig Bilder bietet Kōta Hirano auf, um nun die Entfesselung des Helden und dessen erste Tat zu erzählen. Sie können dieses Geschehen hastig blätternd überfliegen und es dann sogleich noch einmal in einem zeitlupenartigen Gleiten genießen. Beides lohnt sich. Im letzten Panel der langen Sequenz wird der entfesselte Held sich über die von ihm gerettete Integra beugen und auf ihre Frage seinen Namen nennen:

«Wie heißt du?»

«Alucard. Dein Vorgänger hat mich so genannt!»

Dies ist ein wahrhaft heroischer Augenblick. Und Kōta Hirano hat auf den vorausgehenden Seiten viel Blut, Angst, Entsetzen, Tod und immer wieder spritzendes Blut aufgeboten, um diesen kleinen Dialog vorzubereiten.

Der Held offenbart sich. Und dies geschieht, indem er im Augenblick der Rettung, noch im Abglanz größter Gefahr, seinen Namen – demütig und bedeutungsstolz zugleich – der Überwindung des Bösen folgen lässt. Dann erzählen der in einem Bild festgefrorene Flug einer Patronenhülse und die fünf schwarzen Balken eines explodierenden japanischen Schriftzeichens, wie Integra mit dem von Alucard entwaffneten, aber noch lebenden verräterischen Oheim verfährt.

Über all dies ließe sich trefflich spotten. Aber sogar wie wohlfeil unser Spott ist, lässt sich bei der Lektüre von Hellsing überprüfen. Denn Alucard, der zu tätigem Leben erwachte Vampir, der männliche Held der folgenden Abenteuer, ist selbst ein großer Spötter. Die Ironie, mit der dieser Untote unsere Weltläufte kommentiert, ist in den schönsten Szenen von Hellsing so hell und mild wie das Mondlicht, das er inniger liebt, als jeder romantische Jüngling dies vermöchte.

Alucards Ironie ist ein Pathos, in dem sich die intime Erkenntnis des Weltbösen mit einer fast kindlichen Sehnsucht nach der Sonnenwärme des Guten verbindet. Der Vampir, der für die Organisation Hellsing Vampire jagt, kennt das Schlimme wie sich selbst und ist doch der Möglichkeit menschlicher Güte auf zwanghafte Weise wie einer Sucht verfallen. In immer neuen Variationen zeichnet Kōta Hirano die Sonnenbrille, die der Vampir nicht nur bei Tag trägt und deren große schwarze Gläser seine Sehnsucht auffällig verbergen. Der Mund Alucards ist dagegen meist spöttisch verzogen, zu einem Grinsen, das sich zu einem höhnischen, die Reißzähne fletschenden Lachen erweitert, sobald der Vampir seinesgleichen oder gewöhnliche Schurken zur Strecke bringt.

Ein ironischer Held? Heroische Ironie? Wir schwimmen in einem medialen Meer aus aufgeklärter Albernheit. Sogar unser übelster Zynismus ist in dieser Brühe meist auf eine läppische Weise zahnlos geworden. Vielleicht müssen wir, die modernen Besserwisser, in die Tiefen des trivialen Erzählens tauchen, um für das lange Aufblitzen von fünfzig japanischen Schwarzweißbildern all unserer Lauheit in einen grell heroischen Moment gegenwärtigen Schunds zu entkommen.

(Geschrieben für die Süddeutsche Zeitung, November 2004*)*

GRIMMIG UNTER EINGEWEIHTEN

William Gaddis' nachgelassenes Manuskript
«Agapē Agape»

Es ist ein rechtes Wunder des Lesens, dass wir den Prosamonolog glauben. Kein Mensch denkt oder spricht auch nur annähernd so, wie die moderne Literatur ihre Figuren vor uns zu Wort kommen lässt. Ein Satzstrom, wie er sich in den fiktiven Ansprachen und inneren Monologen großer Romane Bahn bricht, ließe sich nirgends in freier Wildbahn aufschnappen, und die raffiniertesten Lauschapparate der Zukunft werden wohl auch in unserem Hirn nichts Derartiges aufzeichnen. Gewiss sind das Kind, das sein einsames Spiel laut kommentiert, und der kauzige Alte, der auf der Straße mit sich selbst spricht, entfernte Verwandte der Ich-Erzähler, die in der Literatur alleine reden. Aber nie würde der Mitschnitt eines realen Selbstgesprächs die überwältigende Wirklichkeitsillusion hervorrufen, die der Kunstmonolog literarischer Gestalten zu schaffen vermag. Im Fall der einsamen Rede ist – wie so oft – das äußerlich Erlebte nur auf eine ziemlich diffuse Weise wirklich. Allein das Artifizielle, in Handlungseinheit mit unserer Phantasie, evoziert die Aura der Authentizität.

Der letzte Text des amerikanischen Romanciers William Gaddis (1922–1998) ist ein knapp hundert Seiten langer Monolog. Der Leser bekommt beiläufig die Umrisse einer Szene:

Ein alter todkranker Schriftsteller liegt im Schlafzimmer seines Hauses. Der pflegebedürftige Greis hat sein Bett, weil ihm das Aufstehen wegen eines frisch operierten Beines unmöglich ist, dicht mit Bücher- und Manuskriptstapeln umgeben. Knapp wird eine Vorgeschichte angedeutet: Es spricht ein bekannter, sogar preisgekrönter Autor, der es nicht zu Reichtum, aber immerhin zu einem Anwesen auf dem Lande gebracht hat. Es gibt drei erwachsene Töchter, an die er seinen Besitz zu vererben gedenkt und bei denen er noch eine kurze letzte Lebensspanne zu verbringen hofft.

Dieser Alte hebt mit dem Wort «No» zu reden an. Das dritte Wort bereits ist «you», davon muss sich der Leser angesprochen fühlen, denn ein anderes Gegenüber bietet der Text nicht an. Und zwei Zeilen weiter wissen wir, wozu der Kranke sich, trotz schwindender Kraft, trotz Schmerzen, teils aufgeputscht, teils gehemmt von psychoaktiven Medikamenten, aufzuschwingen hofft: Es geht ihm um eine unvollendete schriftstellerische Arbeit. Vor unseren Augen – auf der Bühne des Prosamonologs – will er ein lang gehegtes, aber nie zusammenhängend verfasstes Werk zumindest rudimentäre Kontur annehmen lassen. Dieses Projekt sollte eine Episode der jüngeren Technikgeschichte erzählen: die Entwicklung und den Siegeszug des mechanischen Klaviers, der ersten digital gesteuerten Maschine, am Anfang des 20. Jahrhunderts. Aber mindestens genauso wichtig wie die technologische und ökonomische Darstellung sind dem Schriftsteller die medien- und kunsttheoretischen Reflexionen, die er damit verbinden wollte. Um das Wesen der künstlerischen Kreativität, um die Authentizität von Kunsterfahrung, um die ganze ästhetische Krise der Moderne sollte es in seinem nie zu Ende geschriebenen Opus magnum gehen.

Auch im Leben des Schriftstellers William Gaddis hat es eine entsprechende Sisyphus-Arbeit gegeben. Über fünf Jahrzehnte war Gaddis parallel zu seinen Romanprojekten mit eben jener Geschichte des mechanischen Klaviers beschäftigt. Bereits 1951 veröffentlicht er hierzu einen Artikel im *Atlantic Magazine*, in den großen Romanen «The Recognitions» und vor allem in «JR» hat sich diese Obsession niedergeschlagen, im Nachlass von Gaddis finden sich darüber hinaus Tausende Seiten Material und Notizen – eine gewaltige Papiermühle, in der sich in Zukunft die Literaturwissenschaftler müde arbeiten dürfen.

Den Lesern, die zu «Agapē Agape» greifen, bleibt dergleichen Fron erspart. Das Buch, das sich in der deutschen Ausgabe Roman nennen muss und «Das mechanische Klavier» betitelt wurde, ist nicht nur dem Umfang nach schlank. An keiner Stelle tendiert der Monolog zur Breite. Wo es um Technik- und Mediengeschichte geht, wird blitzlichtartig beleuchtet, weder chronologisch erzählt noch explizit analysiert. Ähnlich verhält es sich mit den Beispielen aus Musik und Literatur, denen kein essayistischer Bogenschwung vergönnt wird. Als Erfahrungssplitter des Sprechenden, genossen, erlitten und bedacht, glühen sie kurz auf, um oft schon nach einem Satz der nächsten Erinnerung, dem nächsten Gedanken Platz zu machen.

Dies ist von radikaler Rücksichtslosigkeit gegen alle Leser, die der Verständlichkeit gemächlicher Kausalketten bedürfen, die in Darstellung wie Reflexion nach säuberlich ausgepinselten Vorder- und Hintergründen verlangen. Nein, für eine solche Mit- und Nachwelt fehlt es dem Erzähler nicht nur an Zeit und Kraft, sondern auch an gutem Willen. Längst ist er überzeugt, dass man den allermeisten die Wahrheit eh umsonst predigt, dass man niemandem etwas eintrichtern könnte, was er nicht von selbst begriffe. Dieser todkranke Denker macht keinen Hehl aus seinem elitären Selbstbewusstsein: Er spricht für Eingeweihte. Die wenigen, die überhaupt verstehen können, was in Welt und Kunst gespielt wird, bringen aus der eigenen leid- und lustvollen Erfahrung schon das Nötige mit, um das enggefügte Stückwerk seiner Rede in den rechten Zusammenhang zu setzen.

So mag man in einem ersten Zugriff an die monologisierenden Grantler und Nörgler deutschsprachiger Prosa denken, und tatsächlich taucht Thomas Bernhard, dessen Werk für den späten Gaddis eine wichtige Leseerfahrung war, im Text als einer auf, der den Sprechenden vorauseilend plagiiert habe. Aber der Ton macht die Musik: Genau gehört, ist der helle und stets auf Knappheit bedachte Grimm, der Gaddis' Erzähler vorantreibt, doch etwas anderes als der trübe Weltschmerz, als das ausufernde Selbstmitleid, die die misanthropen Helden unserer neueren Literatur am Schwätzen und Räsonieren halten. Das Amerikanisch dieses Monologs wirkt muskulös. Selbst wo es im Satz abbricht, sprüht seine Bruchkante noch vor Energie. Es ist eine Sprache, die Mumm hat. Mit einer Beherztheit, um die wir sie als Deutsche herzlich beneiden dürfen, wirbt sie, auch wo sie nicht «you» sagt, um ihr Du, um das Ohr des Lesers.

Glücklich, wer «Agapē Agape» im amerikanischen Original lesen kann. Denn anderenfalls begibt er sich auf Gedeih und Verderb in die Hand des Übersetzers. Marcus Ingendaay hat sich die Sache nicht leicht gemacht. Ambitioniert versucht er im gegenwärtigen Deutschen einen Ton für Gaddis' vitalen Schwanengesang zu finden. Zu Recht wagt er es, das, was im Text einmal «just to get the sequence right» genannt wird, die rechte Reihung eben, auch durch mutige Umstellungen, durch Weglassen und Hinzufügen neu zu erringen. Und dies wäre ihm vielleicht gelungen, wenn er den beiden Potenzen des Leseakts, der Kraft der Textvorlage und der Phantasie der Lesenden, vertraut hätte.

Uns, die deutschsprachigen Leser, hält Ingendaay jedoch eher für hilfesuchende Geister, denn Gaddis' Text wird ihm regelmäßig der Erklärung bedürftig. Das beginnt bei zahlreichen kleinen rhetorischen Hilfestellungen und nimmt nicht selten den Charakter aufdringlicher Bescheidwisserei an. Wenn der Erzähler im Zusammenhang mit seinem verletzten Bein in einem Gedankensprung plötzlich von «Jenseits des Lustprinzips» und von einem spricht, den seine Mutter «Sigi, mein Gold» genannt hat, vertraut das amerikanische Original darauf, dass wir auch ohne Nennung des Namens wissen, wer im Folgenden gemeint ist. Ingendaay muss uns jedoch sogleich eilfertig ein «laut Freud» soufflieren.

Noch kundiger gebärdet sich der Übersetzer, als zum ersten Mal ein Buch Thomas Bernhards ins Spiel kommt. Der Leser des Originaltexts muss sich die ganze Passage, immerhin eine Seite lang, mit einem kryptischen «he» begnügen. Die deutsche Übersetzung fällt sofort mit einem «schreibt Thomas Bernhard» ins Haus und fügt, als gelte es, die Fleißarbeit der Recherche zu beweisen, auch den Namen der Bernhard'schen Romanfigur, deren Worte zitiert werden, hinzu.

Unangenehm wird Ingendaays Erklärungswut, wo sie weniger den Leser als den Autor zu bemuttern beginnt. «Jacquard's loom hits you square in the belly», heißt es über die verhängnisvolle Erfindung des halbautomatischen Webstuhls, dessen Warenbaum den Weber bei jedem Webgang in den Magen trifft. «Die Jacquardmaschine war der erste echte Tiefschlag in die Magengrube der Menschheit. Und zwar im wahrsten Sinne des Wortes», macht Ingendaay daraus. Die drastische Allerweltswendung «voll in den Magen» muss mit dem falschen Bild des boxerischen Tiefschlags, der ja eben nicht in den Magen, sondern unter die Gürtellinie geht, überboten werden, und dann soll es, um den Kelch der Stilblüte ganz aufzuzwingen, auch noch der Magen der Menschheit sein.

Zum Teil scheint der rhetorische Übereifer der Übersetzung dem Bestreben geschuldet, den Charakter der Mündlichkeit zu verstärken. Weit mehr als im Original wird das Anredepronomen «Du» strapaziert. Ein bündiges «See» muss im Deutschen zu einem «Aber fällt dir was auf? Genau!» ausufern. Und ein abrupt eingeschobenes und hart gefügtes «wait wait wait» zerläuft zu einem flauen «Moment mal, ich muss das mal kurz ...». Allzu oft werden die matten Füllwörter alltäglichen Geredes wie «nämlich, etwa, gleich, tja, halt, na egal, wirklich, eigentlich, bloß, überhaupt, also» zu einem auffallenden Stilmittel dieser Übersetzung.

Der Erzähler des Originals ist aber alles andere als ein Schwätzer: «and finally the audience instructing each other», heißt es lakonisch bei Gaddis. In der Übersetzung aber lesen wir: «und wohin das führt, ist hinlänglich bekannt. Am Ende will das Publikum sogar Meister sein und sich in einer Art Selbsthilfegruppe wechselseitig alles Nötige beibringen ...» Wessen Deutsch ist das? Der Jargon gegenwärtiger Selbsthilfegruppen? Gewiss, das Deutsche kann die eigentümliche Stringenz und Bündigkeit des modernen Amerikanisch nicht vollends nachbilden, aber statt immer wieder in flapsiges Gequatsche zu verfallen, hätte es sich gelohnt zu bedenken, dass es auch in der deutschen Literatur eine Tradition der schlagend knappen Wendungen gibt.

Bemüht um geläufige Mündlichkeit und modische Gegenwärtigkeit, bemerkt Ingendaay nicht, dass er das erzählerische Pathos der Figur in Gefahr bringt, wenn er ihr den dämlichen neudeutschen Spruch «Schluss mit lustig» in den Mund legt. Der alte sterbenskranke Mann, der zugleich sensibler Feingeist und knallharter Realist ist, fordert von sich selbst: «organize what's essential and throw out the rest of it.» Auf Deutsch muss es dann aber leider heißen: «Bring Ordnung ins Wesentliche, hau weg den Scheiß» – so wie man es vielleicht, zu spaßiger Jugendlichkeit verdammt, in der Harald-Schmidt-Show herausposaunen würde.

Einen Spaß aber macht sich Gaddis' letztes Prosawerk bei allem grimmigen Humor nirgends mit uns. Immer bleibt es eine ernsthafte, oft wütende, manchmal auch anrührend zärtliche Herausforderung an uns, die zeitgenössischen Leser, mitzudenken und mitzuphantasieren – so uns das Schicksal der Kunst in modernen Zeiten noch eine Herzensangelegenheit ist. Gaddis ist seit Dezember 1998 tot. Er hat im Gegensatz zu seinem letzten Helden seine Arbeit zu Ende gebracht, und seit der Veröffentlichung von «Agapē Agape» leben die mysteriösen drei Töchter seines Ich-Erzählers unter uns. Die Hauptwerke von Gaddis, seine drei großen Romane, könnten sich hinter diesen namenlosen Figuren verbergen. Aber vielleicht sind auch drei der antiken Musen gemeint, auf die der Text gegen Ende mehrfach anspielt.

Die Musen Euterpe, Erato und Kalliope sind die Schutzpatroninnen der Musik und der Dichtung. Der mächtige Zeus, Urbild männlicher Kreativität, hat sie mit der Titanin Mnemosyne, mit der Göttin des Gedächtnisses, gezeugt. Im

Schlussstück seines Monologs halluziniert Gaddis' Erzähler in einer bewegenden Mischung aus Hilflosigkeit und Hybris die Gestalt des wahren Künstlers, dem unter göttlicher Eingebung mehr gelingt als menschenmöglich ist. Gottähnlich und zum Scheitern verdammt ist diese Gestalt. Und der Stift, nach dem der todesnahe Schriftsteller in seinen schweißnassen Laken immer wieder kramen muss, könnte jener Griffel sein, den Kalliope ihm über Jahrzehnte stets aufs Neue gereicht hat, jenes schlichte Werkzeug, das diese Muse auch weiterhin – selbst im Zeitalter des reproduktiven Irrsinns – für die Hand des Genies bereithält.

(Geschrieben für die Süddeutsche Zeitung, *Februar 2003)*

DIE GÜTE DES ANTHROPOPHAGEN

Thomas Harris schwächt
Hannibal Lecter

Alle lieben Hannibal Lecter. Wenn diese große Figur des trivialen Erzählens ein Rätsel der Rezeption umgibt, dann ist es die innige Sympathie, die der Serienmörder und Menschenfleischesser weltweit bei denen auslöste, die in einem der Bücher von Thomas Harris oder in einer ihrer Verfilmungen auf ihn stießen. Wir, die globalen Sympathisanten, zitterten um diesen schlimmen Übeltäter, sobald ihn die Staatsgewalt oder andere Machthaber um Freiheit und Leben bringen wollten, und es erfüllte uns mit einer nicht geringen Genugtuung, wenn der siegreiche Hannibal seinem jeweiligen Gegenspieler die fragwürdige letzte Ehre erwies, einen ausgewählten Teil seines Körpers, zum Beispiel sein noch denkendes Gehirn, zu verspeisen.

Im neuesten Roman «Hannibal Rising» brät unser Held das Wangenfleisch eines Kriegsverbrechers, eines Kindermörders und Raubguthändlers, zusammen mit frischen Morcheln in einem Wald in Litauen über offenem Feuer. Wer der Handlung, die 1941 mit der Ostoffensive der deutschen Wehrmacht beginnt, bis in die späten 50er Jahre gefolgt ist, hat Hannibal Lecter als Knaben, als Jugendlichen und als jungen Mann erlebt und eben zum zweiten Mal morden gesehen. Sechs weitere Opfer werden folgen, allesamt Männer, die mehr als einen einzigen Tod verdient hätten. Dominanter als bereits in den vorausgegangenen Büchern ist der junge Hannibal Lecter ein Rächer. Jedem, den er zur Strecke bringt, hat Harris einen überschweren Rucksack aus Schuld aufgepackt: Mord, Folter, Vergewaltigung, Menschen- und Drogenhandel, individueller Sadismus plus die bereitwillige Beteiligung an den großen Verbrechen des Nazi-Regimes. Die maximale Schwarzzeichnung von Lecters Gegenspielern, die deshalb fast rundum wasserdichte Legitimation seiner Taten ist die erste auffällige Schwäche des Buchs. Sie beschädigt den Helden zwar nur indirekt, aber doch auf eine fatale Weise. Denn in den vorausgegangenen Romanen konnten schon Dummheit, Borniertheit, Stil- und Geschmacklosigkeit für Lecter schwer genug wiegen, um einen Zeitgenossen dem Tod zu überantworten. Unvergesslich und beispielhaft befriedigend bleibt dem Leser im Gedächtnis, wie er im «Schweigen der Lämmer» einen Mithäftling zwingt, an der eigenen Zunge zu ersticken, weil dieser der FBI-Agentin Starling sein Sperma ins Gesicht geschleudert hat.

Die schockierend herrliche Willkür, die in einer derart maßlosen Abstrafung liegt und bislang die anarchische, antizivilisatorische Freiheit dieser Figur ausmachte, wird ihr nun von Harris kein einziges Mal gegönnt. Sein junger Protagonist erledigt schlicht eine Handvoll der vielen Kriegsverbrecher, die dem Nürnberger Gerichtshof und anderen Tribunalen entkommen konnten. Das ist brav, allenfalls in der Art der Hinrichtung spektakulär. Hannibal Lecter, der zukünftige amerikanische Serienmörder, verhält sich in seinen europäischen Lehr- und Wanderjahren politisch korrekt. Die französische Polizei, die ihn eine Zeitlang inhaftiert, kann ihm allenfalls vorwerfen, dass er der Guillotine vorgreift.

Lesend beginnt man sich so bald nach der Figur zu sehnen, die Lecter in den bereits erschienenen Romanen gewesen ist. Im Hochsicherheitstrakt des Gefängnisses schien er uns weit freier, eine mysteriöse Wechselgestalt, halb ein ganz in sich gewandter Buddhist, halb ein archaischer Kopfjäger, der sich mit dem letzten Lebenshauch und dem Fleisch seines Feindes auch dessen Potenz und Aura einzuverleiben verstand.

Schwerer noch als die übertrieben gründliche Legitimation der Taten des jungen Hannibal Lecter wiegt eine zweite erzählerische Entscheidung: Thomas Harris liefert nun ausführlich die bereits im Roman «Hannibal» als Traumsequenz umrissene Begründung für die besondere seelische Gestimmtheit seiner Figur. Er greift platterdings zum Nächstliegenden: Dem zwölfjährigen Knaben Hannibal ist Schlimmes widerfahren. Ein kindliches Schockerlebnis ist die logisch leicht nachzuvollziehende Ursache seiner späteren Taten. Es ist müßig, darüber zu streiten, ob die Armut dieses Einfalls oder das quietschend Mechanische, das zwanghaft Filmische seiner narrativen Durchführung, die Imagination des Lesers mehr beeinträchtigen. Harris hat parallel zum Roman auch das Drehbuch des bald in die Kinos kommenden Films geschrieben, und dass er als Autor zwei Fliegen mit einem Schlag erledigen wollte, ist im Aufbau der Szenen und in der Anlage der Dialoge leider immer wieder ungut zu merken.

Aber auch wenn das Buch raffinierter geschrieben wäre, der Schaden bliebe im Wesentlichen derselbe. Eine wunderbar offene, unsere Ängste wie unsere uneingestandenen Begierden ansaugende Figur wird zu einem vom Trauma programmierten Automaten. Dies beraubt die Gestalt zwar nicht ihres ganzen Schreckens, aber fast vollständig ihrer Unheimlichkeit. Ihr weiteres Handeln wirkt vorhersehbar, auch die merkwürdigsten Hinrichtungsarten und Kochideen sind nun nur noch kuriose Varianten ein und desselben Wiederholungszwangs.

Soll uns Hannibal Lecter in Zukunft nicht mehr überraschen dürfen? Am Ende des nicht allzu langen, zunehmend hastig voranstolpernden Romans, dem in konsequenter Ausbeutung der Figur wohl noch ein weiterer über die amerikanischen Jünglingsjahre Lecters folgen muss, blickt man fast wehmütig auf jenen Hannibal Lecter zurück, der uns wie nur wenige Figuren der Trivialliteratur zugleich entsetzt und entzückt hat. Unerklärlich und deshalb hinreißend in ihrem Liebreiz war die Güte, zu der der Kannibale in manchen Momenten fähig war. In dieser spätmodernen Figur, in der die Autonomie des Individuums auf einen letzten eisigen Gipfel getrieben schien, schuf das Aufleuchten der Güte noch einmal jene Distanz zum Raubtier, jene humane Spanne, die einst in unergründbarer Vorzeit aufging, als zum ersten Mal ein Mensch einen anderen Menschen entgegen seinem Vorteil und ohne erkennbaren Grund verschonte. Hannibal Lecter war nie eine Bestie, weil er zur Güte fähig war. Und die Existenz seiner Güte ist als Rätsel größer, schöner und fruchtbarer als das Ausmaß seiner Grausamkeit. Besser als jeder Satz haben dies vielleicht die Augen des großen Lecter-Darstellers Anthony Hopkins gesagt, sobald sein Blick auf der FBI-Agentin Clarice Starling ruhte.

Hier glimmt auch jetzt noch ein Funken Hoffnung: Vielleicht kann der junge französische Schauspieler Gaspard Ulliel in der kommenden Verfilmung unserem geliebten Anthropophagen den Ausdruck dieser tief beunruhigenden Güte von neuem verleihen. Und mit der Güte kehrte dann auch die Freiheit zu Hannibal Lecter zurück. Ja, eventuell kann dieser junge Darsteller, dessen linke Wange seit seiner Kindheit die Narbe eines Dobermann-Bisses ziert, auf der Leinwand heilmachen, was der allzu aufklärungswütige Autor mit schwachen Gründen, mit Historie und Psychologie, im aktuellen Buch kaputtgemacht hat.

(Geschrieben für die Süddeutsche Zeitung, *Dezember 2006)*

VERKLÄRUNG UNSELIGER ARBEIT

Angela Merkel als Schutzpatronin
der Verdrossenen

Wir kennen Angela Merkel nicht; aber wir haben ein innig festes Bild von ihr. Diese Festigkeit ist erstaunlich, wenn man bedenkt, wie lange ihre Gestalt bereits im Säurestrom moderner Wort- und Bildverwertung schwimmt. Die pure Dauer öffentlicher Präsenz, die den Politikgrößen der alten Bundesrepublik noch fast zwangsläufig gusseiserne Kontur verlieh, ist in den zurückliegenden beiden Jahrzehnten allmählich zum Feind eines stabilen Bildes geworden. Medienzeit erodiert Markanz. Umso verblüffender wirkt die fast ikonenhafte Stabilität der Merkel'schen Figur, der klare Umriss ihrer Qualitäten. Angela Merkels Bild wurde fest in Zeitläuften, in denen zuletzt eine halbe Amtsperiode, ein einziger missglückter Wahlkampf oder die Tortur scheiternder Koalitionsverhandlungen ausreichten, um eine öffentliche Büste zu schleifen und den dazugehörigen Verlautbarungsschädel auszuhöhlen. Gerade im zurückliegenden Jahr konnten wir erleben, dass die mehr oder minder kunstvoll installierten markanten Eigenschaften aus einem Top-Kopf herauspurzeln können wie Zähne aus Kiefern, die eine galoppierende Parodontose befallen hat.

Wir kennen Angela Merkel nicht; aber wir sind von ihrer Klugheit überzeugt. Diese Klugheit ist keine Selbstverständlichkeit. Denn sie bezieht Gewicht und Eigenart nicht aus dem Gegensatz zur chronischen Dummheit, die bei Menschen, die es auf einem langen Weg weit gebracht haben, nur selten zu beobachten ist. Gegenpol der Merkel'schen Klugheit ist die nackte Schläue, zu der sich der moderne Politiker durch die Umstände seines Tuns genötigt fühlt. Intelligenz kann auch andernorts auf den Hund kommen. Wer je versucht hat, in einem komplexen Zusammenhang, also an einer ganz normalen Arbeitsstelle oder im Konflikt mit einer Institution, das als wahr und richtig Erkannte erfolgreich zur Sprache zu bringen, kennt die Versuchung taktischer Schläue. Warum sollten wir dasjenige, was sich die Klugheit an Einsicht erworben hat, nicht mit ein paar geschickt gestrickten Halbwahrheiten auf den Weg zu den anderen bringen? Kommt man auf den kurzen Beinen geknickter Erkenntnis nicht langfristig auch zum Ziel? Wenn ja, wie oft kann man dergleichen machen, bis das Gift der zweckhaften Erniedrigung die eigene Erkenntniskraft anfrisst?

Politiker spielen dieses intellektuelle Poker in zahllosen Gremien, in den Machtpools ihrer Partei, an deren Basis, und dazu auf den medialen Bühnen der sogenannten Öffentlichkeit. Sie suggerieren hierzu zwanghaft Kompetenz. Sie täuschen permanent vor, der Geist eines überarbeiteten älteren, ja alten Mannes könnte stets mühelos fassen und schlüssig auf den Erkenntnis- und Entscheidungspunkt bringen, was auch ein Team junger, spezialisierter Zuarbeiter an die Grenzen der Komprimierungskunst führt. Angela Merkel versteht es immer wieder, diese wenig schmeichelhaften Begrenzungen anzudeuten. Sie sagt gelegentlich, was sie noch nicht weiß und erst verstehen will. Das ist riskant, denn in solchen Momenten offenbart sich wahre Kompetenz als mit Anstrengung erworben und der Flüchtigkeit unterworfen. Merkels Klugheit wird glaubwürdig, weil sie sich den Gestus der verkommenen Intelligenz, die Grandiosität der souveränen Alleswisserei in signifikanten Augenblicken versagt. «Ich kenne mich hierin relativ gut aus!», hat sie im sogenannten Fernsehduell lächelnd gesagt. So lächelt die Klugheit.

Wir kennen Angela Merkel nicht; aber wir glauben an ihre Redlichkeit. Redlichkeit ist eine pragmatische Tugend. Sie fällt nicht in eins mit dem Ehrlichkeitsfanatismus des Ungebundenen. Wer auf einem Obstkistchen in der Stuttgarter Fußgängerzone oder an einem Versammlungstisch der Freiburger Grünen sämtliche Gräuel des Globus beim Namen nennt, kann leichthin ehrlich sein. Redlichkeit hingegen erweist sich bereits in der Familie und überall dort, wo Entscheidungen anstehen und Pflichten übernommen werden müssen, also ein riskanter und unbequemer Habitus. Redlichkeit ist ehrlich auch im Kleinen, im Banalen, im tagtäglich Lästigen. Sie scheut die Umständlichkeit nicht, ja nicht einmal die Lächerlichkeit, die sich gelegentlich an die richtige Beschreibung der Wirklichkeit heftet. In heiklen Fällen fährt die Redlichkeit den Ellenbogen aus, den die Klugheit dann in den Rippen spüren muss, um Schweigen nicht für Gold zu halten.

Wer öffentlich in den Anzug der Redlichkeit schlüpft, wird, so edel dessen Stoff auch gewirkt ist, nicht zwangsläufig eine gewinnende, Respekt erringende Figur abgeben. Gerade Redlichkeit macht angreifbar für tückische Simplifizierungen, für süffisant vorgetragene Polemik. Der politische Gegner nutzt die Chance, und ein Journalismus, der à la Friedman oder Plasberg vor allem auf plumpe Provokation und rhetorische Übertölpelung setzt, schlägt in dieselbe Kerbe. Dem Redlichen wird sein differenzierter Wirklichkeitsbezug, seine pragmatische Weltständigkeit zum Verhängnis. Angela Merkel und ihr nobler Mitstreiter Paul Kirchhof haben dies auf exemplarische Weise im Bundestagswahlkampf gegen Schröder erfahren müssen. Merkels öffentliches Jackett trug für eine Weile kräftige Knitter davon, in den Fellhosen des verkommenen Katers steht allerdings bis heute ein anderer da. Als Kanzlerin ist Merkel vorsichtiger geworden. Die Klugheit zupft die Redlichkeit am Ärmel. Aber selbst wenn Angela Merkel das Parolenstroh ihrer Partei drischt, sieht man ihrem Gesicht an, wie erzredlich sie sich damit abmüht.

Wir kennen Angela Merkel nicht; aber wir zweifeln nicht an ihrem Humor. Das heißt nicht, dass sie öffentlich den patenten Spaßvogel oder den gewieften Witzbold gibt. Wie wenige andere versagt sie sich die allzu billige Ironie, den hohl polternden Sarkasmus, die steile zynische Spitze, also all das, was in unserer Kultur zum Ausweis einer Intelligenz wird, die ihre alltägliche Ohnmacht mit rhetorischen Tricks zu kaschieren sucht. Wer unter politischem Kampf den mehr oder minder plumpen, mehr oder minder subtilen Austausch von Gehässigkeiten versteht, wirft ihr deshalb Kantenlosigkeit oder verbale Konfliktscheu vor. In Wahrheit entzieht sie sich dem medialen Pseudokonflikt, der aus der Trockenheit der gegebenen Interessen und Verhältnisse, aus der Wüste Gobi des Alltagsgeschäfts, in die Scheinfeuchte falscher Polarisierungen und Personalisierungen flüchtet.

Schade, dass die öffentlichen Bühnen dem Merkel'schen

Humor so wenig Spielraum bieten! Wenn ihr in relativ kleinem Rahmen wie vor kurzem im Hamburger Thalia Theater die üblichen Scheinfragen gestellt werden, lässt sie die Anwesenden miterleben, wie schlagfertig und human humorvoll sie sein kann. Dass sie es mit einem gelegentlichen Aufblitzen dieser Qualität bewenden lassen muss, ist den ungeschriebenen Benimmregeln unserer Öffentlichkeiten geschuldet. Das Gefilde des Humors gilt weiterhin als angestammtes Revier der Männer. Allenfalls die eine oder andere Ulknudel wird am Rand dieser Jagdgründe geduldet. Wehe der politischen Frau, die allzu keck darin wildert! So müssen wir uns mit homöopathischen Dosen des Merkel'schen Humors begnügen. Aber sogar wenn unsere Bundeskanzlerin zwischen den zähnebleckenden Grinsern der internationalen Politik nur mit kleinem Mund lächelt und dazu den Kopf ein wenig zwischen die Schultern zieht, ahnen wir, welch schöner, in gutem Sinne altdeutsch provinzieller Schalk in diesem Nacken sitzt.

Wir kennen Angela Merkel nicht; aber wir wissen, dass sie keine Larve trägt. Natürlich verfügt sie anders als in ihren politischen Anfangsjahren über zwei, drei feste Mienen, die zu offiziellen Anlässen passen und sich auch zur medialen Vervielfältigung eignen. In den Elefantenrunden des Fernsehens oder beim Vis-à-vis mit dessen Platzhirschen versucht sie, diese Mienen stabil zu halten. Sie erweisen sich, vergleicht man sie mit dem Spiel ihres bewegten Gesichts, als Reduktionen, als ausgedünnte Verallgemeinerungen ihres mimetischen Ausdrucks. Sie sind blass, aber nicht falsch. Was ihrer Mimik dagegen zum Glück gänzlich fehlt, sind die effektvollen Grimassen, die ihre Konkurrenten und Mitstreiter dem großen Glasauge der Öffentlichkeit offerieren.

Unvergesslich bleibt mir, wie am Abend der Bundestagswahl 2005 Angela Merkels enttäuschtes, aber in der Enttäuschung gefasstes Gesicht mit den imposant feixenden Zügen ihres Vorgängers kontrastierte. Schröders im Amt rapide gealtertes Antlitz zuckte wie eine Latex-Larve zwischen wenigen, erneut Eindruck heischenden und ein allerletztes Mal Eindruck schindenden Grundgrimassen hin und her. Ein solcher Medienkopf ist durch keine Ablichtung mehr demaskierbar, weil sein Fleisch selbst Larve geworden ist. Angela Merkels Gesicht hingegen ist immer noch nicht verlarvt, man spürt, dass es seine Fassung, so fest diese ist, auch verlieren könnte. Und wenn sie, weil es ihr die Choreographie einer Rede diktiert, die Faust in Schulterhöhe hebt und sich zu einem Kinn-Hochrecken aufrafft, huscht durch ihre Augen ein mädchenhaftes Wundern über die martialische Komik der eigenen Pose.

Wir kennen Angela Merkel nicht; aber wir halten sie für glaubwürdig. Ihre Glaubwürdigkeit hat wenig mit Wahlversprechen und deren eventueller Einhaltung zu tun. Wer von einer modernen Partei auf die grobmotorische Plackerei eines Wahlkampfs verpflichtet wird, muss wohl in das hohle Dröhnen ungedeckter Ankündigungen mit einstimmen. Millionen neuer Arbeitsplätze, ewig sichere Renten, ein Kriegsende nach dem Bauernkalender oder Steuersenkungen bei leeren Kassen zu versprechen, das alles ist Teil dieses rituellen Spiels und wird seinen Teilnehmern wie eine unumgängliche Selbstbefleckung, wie ein moralisches Schmutzopfer abverlangt. Sind die großen Schlammschlachten geschlagen, wird der Sand der banalen Geschäfte geschaufelt. Welche existenzielle Gestimmtheit kann mit diesem Wechsel verbunden sein?

Kehren notorische Wochenend-Trinker mit Kopfschmerzen und schlechtem Geschmack im Mund zum anödend Nötigen zurück?

Oder gibt es Politiker, denen man glauben darf, dass sie gerade diese Rückkehr für existenziell sinnstiftend halten? Politisch glaubwürdig ist ein Amtsträger, dem es gelingt, eine Arbeit, die jede Durchschnittsvernunft als sinnzerstörend scheuen muss, für sich immer wieder mit Augenblickswert zu erfüllen. Die wackere Ulla Schmidt hat zweifellos dieses Format. Frank-Walter Steinmeier hat vierzehn Jahre unter Schröder überstanden, ohne diese existenzielle Glaubwürdigkeit zu verlieren. Und seine Regierungschefin Angela Merkel gehört zu den Zeitgenossen, der ich den fragwürdigen Allerweltssatz: «Wir arbeiten dran!», samt der hellen energischen Munterkeit, mit der sie ihn ausspricht, weiterhin abnehme. Welche Partei muss man eigentlich wählen, dass Angela Merkel auch in Zukunft mit vergleichbar glaubwürdigen Charakteren zusammenarbeiten kann?

Wir kennen Angela Merkel nicht; aber wir halten Beständigkeit für eine ihrer Tugenden. Selbst hochnervöse intellektuelle Flattergeister bemerken diese Qualität, aber sie deuten sie falsch und werfen Merkel Unentschiedenheit, übertriebenes Abwarten, sogar das sture Aussitzen von ungelösten Konflikten vor. Scharfsinnige, die sogar die eigenen Launen für präzis halten, nennen sie gereizt eine Meisterin des Ungefähren. Wahre Beständigkeit kennt die Zumutungen der Welt, auch die Zumutung, dass im verkehrten Moment Zackigkeit eingefordert wird. Der Beständige vergisst nie, dass manchmal die besten Konzepte, die schönsten Pläne in der Waschmaschine des Interessenausgleichs, im Dreschwerk des Machbar-Machens bis an die Grenze der Unerkennbarkeit verunstaltet werden müssen. Beständigkeit ist gut bleibender Wille angesichts zermürbender Rückschläge.

Seit sie Politik macht, strahlt Angela Merkel diesen guten Willen aus, als wäre sie Schutzpatronin aller Politikverdrossenen. Ihr unverkennbar gutes Wollen ist der Balsam, der die Schürfwunden der gesellschaftlichen Übellaunigkeit zwar nicht abheilen lässt, aber zumindest ihr Brennen nachhaltig lindert. Beständige Politiker sind keine Wunderheiler, sie triumphieren so gut wie nie. Selbst ihren größten Erfolgen fehlt meist die blendende Jähheit, die es zu einem Triumph braucht. Aber allein Beständigkeit verklärt die chronisch unselige Arbeit, die gute Politiker wie unsere Kanzlerin im Amt für uns leisten, zu etwas, was der Idee eines Werks nahekommt.

Wir kennen Angela Merkel nicht; aber wir sehen erstaunt, wie zukunftsreich sie wirkt. Kann eine Politikerin, zu der Aufbruchsseligkeit und utopischer Glamour so wenig passen wie ein tiefdekolletiertes Abendkleid mit Glitzerschleppe, dennoch für die mögliche Helle unserer Zukunft stehen? Vielleicht ist dies möglich, weil die Kanzlerin Angela Merkel bereits jetzt einem noch ominös vagen Schreckbild unserer Zukunft entgegensteht: Jenem bundesdeutschen Mega-Populisten, der uns vorläufig erspart geblieben ist. Dieser kommende Gegenpol Merkels müsste das pompös Cäsarenhafte Schröders, die quecksilbrige Intelligenz Lafontaines, die bestürzende Leutseligkeit eines Günther Jauch und die saloppe Grellheit eines Thomas Gottschalk in sich vereinen. Jede unserer tief verunsicherten Parteien könnte sich ein solcher Volkstribun, wenn ihm der Wind einer großen Krise lang genug in die Segel bläst, unter den Nagel reißen.

Noch ist unsere Politikverdrossenheit ein lahmer Gaul, der Jahr für Jahr brav in die Wahlkabine trottet und dort einen der üblichen kleinen Fehler macht. Aber vielleicht fehlt bloß derjenige, der uns die scharfen Sporen der Angst und des Ressentiments tief genug in die Flanken drückt. Erst wenn eine solche Figur auftritt, wird sich zeigen, ob Angela Merkel die Schutzpatronin der Verdrossenen bleibt. Erst wenn ihr wahrer Gegner, die bundesdeutsche Variante des großen populistischen Polit-Clowns, in die Arena unserer Gegenwart klettert, werden wir in freudig klarem Schreck erkennen können, was wir am festen Bild Angela Merkels haben.

(Geschrieben für die Berliner Zeitung, *September 2009)*

SCHWARZER BLITZ GERECHTIGKEIT

Isabel Allende versucht sich an Zorro

Zorro ist wahrlich ein Held – so unverwechselbar eigen, dass die Nennung seines Namens ausreicht, um sein Bild in uns aufflammen zu lassen, so allgemein, dass jeder, der einen heroischen Nerv besitzt, von der Erzählung seiner Taten elektrisiert wird. Schon Douglas Fairbanks, dem Stummfilmstar der 20er Jahre, fasste das Heldentum des schwarzen Reiters sogleich ans Herz, als er 1919 auf Hochzeitsreise den Fortsetzungsroman «The Curse of Capistrano» von Johnston McCulley in der Zeitschrift *Argosy's All Story Weekly* las.

Fairbanks' Leinwandadaption «The Mark of Zorro» aus dem Jahre 1920 bedeutete den spektakulären Auftakt jener großen multimedialen Forterzählung, an deren vorläufigem Ende nun Isabel Allendes global propagierter Roman «El Zorro. Comienza la leyenda» steht.

Allende hat sich vorgenommen, die ersten zwanzig Jahre von Zorros Leben zu schildern, will also zeigen, wie Zorro zu Zorro wurde. Ein fragwürdiges Unterfangen. Denn was kann ein Held, den fast jeder schon glücklich fertig im Kopf hat, noch dazugewinnen, wenn ihm nun auch noch eine Kinderstube und eine Pubertät nachgereicht werden? Arg durchsichtig und unübersehbar mühsam bastelt sich Allende aus historischer Recherche und folkloristischer Spiritualität, aus indianischem Kräutersud und spanischem Pulverdampf diese Vorgeschichte zusammen. Und bestimmt werden viele ihrer treuen Leser aufatmen, wenn es nach 180 Seiten Zeilenschinderei mit den Mitteln des Magischen Realismus endlich so weit ist: Der 16-jährige Protagonist darf als halbwegs fertig gebackener Zorro auf Bildungsreise in Barcelona seine erste echte Heldentat vollbringen.

Der Roman bekommt Fahrt. Denn im Weiteren kann sich die Autorin endlich auf jene drei symbolischen Elemente stützen, deren Zauber weder die Knochenmühle der Comic-Verwertung noch das Sandstrahlgebläse der Fernsehserien vernichten konnten: die schwarze Maskierung des Helden, seine sagenhaften Degenkünste und das Zeichen «Z», das Zorro in die Gesichter der Bösewichter ritzt. Und in der Mitte dieses magischen Dreiecks aus Maske, Waffe und blutiger Namensrune steht als deren Kraftzentrum eine Tugend: die Liebe zur Gerechtigkeit.

Damit wird es aber auch erzählerisch erst wirklich ernst. Denn gerade die drei Elemente, von denen die heroische Tat zehrt, sind durch die Umstände, unter denen sich die Abenteuer Zorros vollziehen, beständig in ihrer Glaubwürdigkeit bedroht.

Zorro führt wie viele Superhelden nach ihm eine Doppelexistenz. In den Augen der Öffentlichkeit ist er der junge Großgrundbesitzer Don Diego Vega, ein reicher, harmloser Müßiggänger. Aber diejenigen, die täglich vor ihm den Sombrero ziehen, sind stets wie von Blindheit geschlagen, wenn sich die wohlbekannten Züge Don Diegos hinter schwarzem Taft verbergen. Beliebig oft lässt sich diese Umwelt, sobald die Klingen sich kreuzen, und sogar wenn sich Lippen zum Kuss finden, hinters Licht führen.

Ähnlich fragwürdig wie die Wirksamkeit von Zorros Maskierung ist die Macht seiner Waffe. Seine Abenteuer spielen in der ersten Hälfte des 19. Jahrhunderts im damals noch mexikanischen Kalifornien. Genau in dieser Zeit beginnt Samuel Colt mit dem Vertrieb des gleichnamigen Revolvers, und auch die weiter gebräuchlichen einschüssigen Pistolen und Gewehre sind treffsicher und seit Einführung der Zündplättchenpatrone schnell nachzuladen. Immer wieder hat Isabel Allende gleich vielen literarischen und filmischen Vorstreitern ihre liebe Not damit, Zorros magischen Degen «Justina» in den Zweikampfszenen über diese «unwürdigen», aber bei den Bösewichtern allgegenwärtigen Distanzwaffen obsiegen zu lassen.

Wenn die Heldentat so, durch die bloßen Umstände der Handlung, an die Klippe der Lächerlichkeit geführt wird, zeigt sich die triviale Klasse eines Autors, sein Gespür für Spannung, Tempo und ästhetische List. Johnston McCulleys straff komponierte Zeitschriften-Episoden besitzen die nötige Wucht bis heute. Die literarisch weit ambitioniertere Allende kommt unübersehbar an die Grenze ihrer erzählerischen Möglichkeiten.

Leichter als Maske und Degen scheint Zorros Zeichen, das schmissige «Z», gegen den Rostfraß des Zweifels geschützt. Und wer heute in McCulleys über achtzig Jahre altem Urtext liest, wie Zorro den Schindern wehrloser Indianer Wange oder Stirn aufschlitzt, begreift für einen jeder Vernunft vorauseilenden Moment, dass ein Unrecht, das zum blanken Himmel geschrien hat, eine Antwort verdient, die ein vergleichbar offenkundiges Zeichen setzt.

Isabel Allende zögert diesen wichtigen Akt lange hinaus. Erst am Ende des Buches, als ein Oberschurke Zorros alten

Vater fast zu Tode misshandelt, wird er von Zorro blutig geritzt. Aber mehr geschieht ihm, gewiss zum Bedauern vieler Leser und auch zu meinem, nicht. Allende erspart es ihrem Helden noch in der allerletzten Kampfrunde des Romans, den Degen in das Herz eines Feindes zu senken.

Dies ist vermutlich gut gemeint, schadet jedoch dem Kraftzentrum des Ganzen: der Frage nach dem Vollzug der Gerechtigkeit. Die Welt, die Allende entwirft, strotzt geradezu von Ausbeutung, Grausamkeit und Totschlag. Gewalt gegen Arme und Wehrlose wird in jedem Kapitel in eindrückliche Szenen gebannt. Die jeweiligen Machthaber scheinen per se die Verkörperung von zerstörerischer Habgier und sadistischer Bosheit zu sein. Diese nahezu totalitäre Dominanz des Bösen verengt den Spielraum des Helden: Er operiert als eine Art Guerilla, solo oder mit wenigen verschworenen Verbündeten. Nur mit Verkleidung, List und Schnelligkeit kann er winzige, grelle Blitzlichtpunkte ausgleichender Gerechtigkeit in das rundum düster gemalte Szenario setzen. Man müsste nur von Tarnung, Desinformation und technologischer Spezialisierung sprechen, und schon rückte dieser charismatische Einzelkämpfer in die Nähe des Terroristen aus Überzeugung.

Innig eng schmiegen sich in der Gestalt eines solchen Helden das ohnmächtige Aufbegehren und das Monströs-Hybride aneinander. Unvermeidbar balancieren gerade seine schönsten Heldentaten auf dem Grat zwischen heroischem Kraftakt und aberwitziger Selbstjustiz. Vor allem im Film hat man immer wieder versucht, diese moralische Spannung ins Komische aufzulösen. Und bereits bei McCulley hat Zorros Alter Ego, der tollpatschig schrullige Don Diego, Züge einer Zorro-Parodie.

Aber was ist das für eine Gerechtigkeit, die angesichts eines frechgeil aufprotzenden Bösen in faule Witze ausweicht oder wie in den Zorro-Trickfilmen für unsere Kleinen den dümmlichen Repräsentanten des Übels nur Triangeln in die Klamotten schlitzt? Zumindest die Flucht in den Ulk kann man Allendes umständlich zusammengepuzzeltem und weitgehend uninspiriertem Buch nicht vorwerfen.

Zorro ist ein großer fragwürdiger Held. Und gerade weil diese grandiose Figur einen todernsten Kern besitzt, weil sie dazu verurteilt ist, im Höhenrausch der Gerechtigkeitsgier unvermutet an die Wurzeln des eigenen Bösen zu rühren, harrt dieser Stoff weiterhin einer Bearbeitung, die Zorros wahre Schwärze aufglänzen ließe. Wir erwarten eine schriftstellerische Feder, die Zorros Degen an Beweglichkeit und Schärfe gleichkommt und die auch unserer Stirn, unserem arg stumpf gewordenen Gespür für die Gewalt der Gerechtigkeit, ein aufreizendes Zeichen setzt.

(Geschrieben für die Frankfurter Rundschau, *Juli 2005)*

ALL-ZEIT DES HELDEN

Hal Fosters Comic-Epos
«Prinz Eisenherz»

Ich war sieben Jahre alt und nichts – kein Distanz schaffendes Wissen, kein ästhetischer Maßstab, kein guter geschichtskundiger Onkel – vermittelte mich behutsam in das, was mir da als Weihnachtsgeschenk auf dem Schoß lag: Hal Fosters Ritter-Epos «Prinz Eisenherz». Es wäre eine verharmlosende Untertreibung zu sagen, dieses Buch hatte leichtes Spiel mit mir. Wir beide, das lugte ich festlich hellsichtig bereits dem Umschlagbild ab, wir, Prinz Eisenherz und ich, wir hatten ein großes Spiel miteinander vor!

Die wenigen Erinnerungen, die mir von der Erstlektüre an den Weihnachtstagen des Jahres 1960 geblieben sind, haben noch heute euphorischen und zugleich gewaltsamen, also ekstatischen Charakter. Alles, was ich, das grandiose Muttersöhnchen, mir an Abenteuern bereits vorstellen konnte, fand sich in diesem Erzählen erfüllt, ja monumental gesteigert. Dazu drang auf jedem Blatt in Bild und Text so viel Neues, so viel unbekannter Welt-Raum auf mich, den Naiv-Frühreifen, ein, dass sich Seite für Seite eine großartige Angstlust genießen ließ.

Niemand klärte mich darüber auf, dass Prinz Eisenherz, seine ritterlichen Freunde, seine edlen Gegner und seine erzbösen Feinde im 5. Jahrhundert nach Christus unterwegs sind.

Und dass sich der römische Kaiser Valentinian, sein Feldherr Aetius und der Hunnenkönig Attila auch in der seriösen Historie finden lassen, blieb mir ebenso gründlich unbekannt. Fünf endlose Lektürejahre bemerkte ich nicht, wie Hal Foster Elemente einer viel späteren Ritterwelt, höfische Szenerien und Rituale des 13. Jahrhunderts, in diese Spätantike transplantiert. Mythische Gestalten wie König Artus und sein Zauberer Merlin, ja sogar drachenartige Sumpfungeheuer fügen sich in große epische Bögen, die von der angelsächsischen Eroberung Großbritanniens, vom Zusammenbruch des Römischen Reiches, von der Entdeckung Nordamerikas durch die Wikinger oder von der Christianisierung Nordeuropas berichten.

Dieser Erzählraum war mir, dem aufgeweckten Kind, vielleicht ähnlich wie dem US-amerikanischen Autodidakten und Eklektizisten Hal Foster, eine All-Zeit, die die unterschiedlichsten Stoffe zu einer einheitlichen Kunstwelt amalgamierte. So tauchte ich ein in eine Vergangenheit, die nicht von gegenwärtiger Historie, also auch nicht von kritisch bescheidwisserischer Rückschau kontrolliert wurde, sondern wie ein gefräßiger Moloch jede um Abstand bemühte Gegenwart durch die Wucht ihrer Bilder überwältigte und für den Zeitraum der Lektüre verschlang. Erst Jahrzehnte später sollte mir dämmern, wie viel moderne Angst, wie viel Rassismus, Technikvergötzung und Führersehnsucht in diesem Ritter-Epos mitschwingen. Meine Phantasie von diesen Bildgeschichten überwältigen zu lassen blieb für viele Lektüren eine homogen gewaltsame und grandiose Erfahrung. Der Schauder der Gefahr, verschmolzen mit dem Schwindel gesteigerter Größe! Ist diese schlichte Mixtur nicht der unentbehrliche Brennstoff, just jenes magische Kerosin, das jeder männliche Heroismus, der des Knaben wie der des Mannes, für die Höhenflüge seiner Kampf-, Sieges- und Untergangsphantasien braucht?

Der gebürtige Kanadier Hal Foster war nicht mehr, aber auch nicht weniger als ein prosaischer Held des US-amerikanischen Alltags, bevor er begann, die Comic-Seite «Prince Valiant» in amerikanischen Sonntagszeitungen zu veröffentlichen. Der 45-jährige Familienvater hatte damals, in den ersten Jahren der Roosevelt-Ära, wie die meisten Amerikaner harte Zeiten hinter sich. Meist hatte er sich als Plakatmaler und Reklamezeichner durchgeschlagen. Eine erste eigenständige Arbeit im Comic-Bereich, die Adaption von Edgar Rice Burroughs' «Tarzan», hatte für eine gewisse Bekanntheit gesorgt, aber nicht zu einer dauerhaften künstlerischen Existenz geführt. Die Chance, eine Serie um einen eigenen Helden zu konzipieren, gab ihm erst der Comic-begeisterte Zeitungsmagnat William Randolph Hearst. Und Foster nahm damit eine Lebensaufgabe an, die ihn bis ins hohe Alter in ihren Bann schlagen sollte. Erst 1970 trat er die Zeichenarbeit ganz an einen jüngeren Mitarbeiter ab.

Was mir 1960 vor Augen kam, waren nicht die ursprünglichen großformatigen Zeitungsseiten, sondern die deutsche Ausgabe einer Version, die 1955 der amerikanische Romancier und Drehbuchautor Max Trell auf der Basis der Bildgeschichten erstellt hatte. Hier waren die einzelnen Zeichnungen oft ihrer Umrandung beraubt und unterschiedlich vergrößert worden. Hal Fosters sparsame Textzeilen hatte Trell durch eine umfangreiche Prosa-Erzählung ersetzt. Für den Badischen Verlag in Freiburg fertigte Dr. Paul Eitel-Deppe einen elegant historisierenden und raffiniert altertümelnden deutschen Text.

Viel mehr habe ich bis heute nicht über den Entstehungshintergrund meiner heißgeliebten Kindheitslektüre, über die Bibel meiner Grundschuljahre herausbekommen. Und der moderne Taglöhner Hal Foster, der sich Bild für Bild, Zeile für Zeile durch den Zweiten Weltkrieg und die Nachkriegsjahrzehnte strichelte, sowie die subalternen Textarbeiter Trell und Eitel-Deppe, die ihr Schreibvermögen in den Dienst einer den amerikanischen Markt überschreitenden Zweitverwertung stellten, sie bilden für mich seitdem ein exemplarisches Trio. Als kleine Hausgötter des Trivialen beschützen sie mein eigenes Schreiben. Zu dritt wachen sie darüber, dass ich den Leser – hochgebildet oder unbedarft! – wie eine kostbare Beute, als das Wild, das es stets neu zu überwältigen gilt, nicht aus den Augen verliere.

(Geschrieben für die Zeitschrift Volltext, *Juli 2004)*

ANMUT UND MUT DER JUGEND

Ein perspektivischer Versuch

Wer sind eigentlich unsere Jungen? Wo ist jene Jugend, die so unmittelbar innig die unsere ist, wie dieses Jahr noch zu uns gehört, über dessen ungewohnt hitzigen Frühling wir uns bereits wundern durften und dessen kommende Wetter wir mit einer Mischung aus Neugier und Bangen erwarten?

Hier hilft, wie so oft in existenziellen Verlegenheiten, die simple Anschauung der Körper. Es genügt, einen öffentlichen Raum aufzusuchen, einen Park, ein Kino oder ein Einkaufszentrum. Ja, schon die Blechhülse eines gutbesetzten Busses oder U-Bahn-Wagens bietet genug Gelegenheit, die fraglichen Jungen von den Kindern und von unseresgleichen zu unterscheiden. Die Jungen, die für uns wirklich und wahrhaft Jungen, sind diejenigen, auf denen unser Blick halb wehmütig halb missgünstig haften bleibt.

Schmerzliche Wehmut und unzulänglich verhohlene Missgunst! Darunter sollten wir es nicht tun, so wir aus dem Strom der Zeitgenossen die für uns wirklich virulente Jugend herausfischen wollen. Schnell und deutlich, wie mit den Augäpfeln, sollten wir diesen Empfindungsmix spüren. Tun wir es nicht, haben wir wahrscheinlich nur einen mehr oder minder geschickten Jugendnachäffer vor uns. Vielleicht war es erst im letzten Jahr, dass er versäumt hat, das Hinscheiden seines Jung-Seins zu bemerken. Und jetzt, wo er sich vom Schreckpunkt der verpassten Erkenntnis entfernt, macht er einfach weiter, als wäre nichts geschehen, und wird sich unter Umständen noch lange – wenn es schlimm kommt, Jahrzehnte! – in die einschlägigen gesellschaftlichen Kostüme und Verhaltensweisen hüllen.

Verlassen wir uns auf unser Gefühl, stellen wir zunächst beruhigt fest, dass viele unserer Mitmenschen bereits in ihren Zwanzigern eindeutig nicht mehr zu den Jungen gehören. Die Anmut, die der jugendliche Körper selbst in Momenten von Krampf und Ungeschick nie ganz verliert, ist restlos verflogen. Gerade der durchschnittliche Twen, wie man diese Altersgruppe mit einem aus der Mode gekommenen Scheinanglizismus weiterhin nennen könnte, wirkt oft auf eine besonders banale Art erwachsen. Das muss nicht zwangsläufig damit zusammenhängen, dass er seine Berufsausbildung abgeschlossen hat und einer regelmäßigen Erwerbsarbeit nachgeht. Der Verlust der jugendlichen Aura tritt gleichermaßen ein, wenn das große graue Trostpflaster von verbriefter Profession und sicherer Anstellung ausbleibt. Auch diejenigen, die ihren Universitätsabschluss verschleppen oder früh in einer staatlichen Versorgungsschleife kreisen, sehen zwischen zwanzig und dreißig nicht selten bereits verblüffend unjung aus.

Ernüchternd erwachsen macht sie ein Mangel an existenziellem Mut. Ganz offensichtlich haben sie jenes couragierte Vertrauen in die Offenheit der eigenen Zukunft eingebüßt, das das spirituelle Äquivalent der körperlichen Anmut ist. Zum Jungsein gehört das Vermögen, sich die kommende Lebenszeit als etwas lustvoll Ungewisses imaginieren zu können. Diese Lust darf auch Angstlust sein. Der eigentümliche Mut, mit dem die Jungen in die Zukunft blinzeln können, wird nicht dadurch geschmälert, dass sie an manchen Tagen auf recht weichen Knien und meist ohne jeden klaren Plan durch die Landschaft der Gegenwart stapfen. Der Mut der Jugend muss ohne hinreichende Erfahrung auskommen, und so ist sein Vorwärts der Kühnheit oft näher als der Tapferkeit.

Man muss nur vergleichen, wie hierzulande der Erwachsene in der Regel seine Lebensrestzeit ins Auge fasst. Nicht Furcht vor einer ungewissen Zukunft, sondern eine matt fatalistische, manchmal melancholische, nicht selten latent depressive Zukunftsgewissheit kennzeichnet in unseren Breiten die Unjungen. Wer nicht mehr jung ist, schmiegt sich unter das Joch der Überzeugung, dass die Welt und ihr ganzer Krimskrams weiterhin so, wie er alles leidlich zu kennen glaubt, ihren Gang um die Sonne nehmen werden. Selbst Missgeschick und Unglück sind wie ausgemessen, und die Klarheit dieser Grenzen beruhigt.

Woran haben wir eigentlich selbst begriffen, dass wir nicht mehr jung sind? Worin liegt für einen von uns die Chance, den Verlust unserer Jugend rechtzeitig zu bemerken. Was schützt uns vor dem peinlichen Irrtum, noch irgendwie zu den Jungen zu gehören und in diesem Irrtum zu verharren wie einer, der sich täglich weiterhin in seine längst zu engen Jeans zwängt?

Gehen wir noch eine Lebensstufe zurück: Die Kindheit neigt sich ihrem Ende entgegen, sobald die Kleinen zu ahnen beginnen, dass die Erwachsenen, zu denen sie aufsehen, gar nicht die Herren der Welt sind. Das Ungeschick der Eltern und das Unvermögen der Lehrer befördert die schließlich unumkehrbare Einsicht, dass diese geschäftigen Macher und eifrigen Anschaffer vor allem Getriebene, Gehetzte, ja Gefangene der Verhältnisse sind, die sie zu gestalten vorgeben. Die Jugend sieht dies dann eine lange Weile mit luzider Klarheit. Aber diese Erkenntnis hindert sie nicht daran, für sich selbst an die Möglichkeit von Freiheit und Glück zu glauben. Sogar die Schwachen und chronisch Traurigen unter den Jungen leben in der Überzeugung, dass es die Chance, sein Glück mit eigenen Händen zu machen, zumindest für die anderen, für den Bruder, für den Klassenkameraden, für die irgendwie Begünstigten unter den Altersgenossen gibt. Erst wenn ihnen der letzte Zipfel dieser noblen Glaubensgewissheit durch die Finger geschlüpft ist, sind sie aus dem Reich der Jugend entlassen. Unjung ist, wer davon ausgeht, dass jeder sein Leben unter ähnlichen Verrenkungen in den Sand zu setzen hat.

Ist es so weit gekommen, dann wird es von Jahr zu Jahr ein wenig schwieriger, die wirklich Jungen in ihrer Eigenart und in ihrem Eigensinn gelten zu lassen. Wir retten uns über die Runden, indem wir sie als Kunden unserer Geschäfte oder als Klienten unserer Fürsorge ins Auge fassen. Solange sie unsere Hilfe brauchen und uns unsere Produkte abnehmen, lässt sich der Glanz ihrer Anmut und die Noblesse ihres Mutes einigermaßen ertragen. Zum Ärgernis aber werden uns die Jungen, sobald sie uns just dies abschlagen und die Zeit, die ihrem Jugendsein bleibt, abseits von unserer Obhut zu genießen und zu vergeuden trachten.

Schließlich wünscht sich der eine oder andere Unjunge in seinem Unmut sogar, die wirklich Jungen verschwänden gänzlich aus seiner Welt. Schon der Kinderhass, der unter den Älteren und Alten umgeht, ist oft genug nur mühsam verhohlen. Den Jugendlichen Blicke zuzuwerfen, von denen die Redewendung sagt, dass sie töten können, gehört längst zum Habitus vieler kinderlos gebliebener und an der eigenen Selbstverwirklichung verzweifelter Lebenskünstler. Und leider findet sich die missgünstige Geringschätzung unserer Jungen auch bei denen, die mit der Verwaltung der Jugend ihren Lebensunterhalt verdienen. Die Schule ist nicht nur die große öde Jugendverwahranstalt unserer Kultur. Ihre Lehrerzimmer sind auch eine dumpfe Brutstätte von Jugendverachtung, ja Jugendhass. Und die Universitäten, an denen viele Studiengänge fast nur noch Auffangbecken einer Energie sind, für die unser Produzieren und Wirtschaften keine Verwendung hat, werden der Schule hierin immer ähnlicher.

Was hilft uns die Anschauung der Jugend? Was hilft es uns, wenn wir in guten Momenten stark genug dazu sind, die Gegenwart unserer jungen Zeitgenossen sehend auszuhalten? Dass sie einfach da sind in ihrer provokanten Grazie und mit ihrem töricht edlen Zukunftsmut könnte unseren Blick für das eigene Lebensalter schärfen. Das weite Land zwischen Jugend und Alter, in dem vergangene Zeiten noch deutliche Stufen, die zu wahren Plateaus des existenziellen Selbstverständnisses hinauf- oder hinabführten, erkennen konnten, scheint merkwürdig eingeebnet. Die «schöne junge Mutter» und die «reife Frau» sind ebenso obsolet geworden wie der «Mann in den besten Jahren». Dem modernen Sprechen fehlen Begriffe, die mehr als die bloße Zuordnung zu Dekaden, zu den Dreißigern oder den Vierzigern, leisten könnten. Kann einer sagen, wo er die Lebensbahn durchläuft, wenn der Grad ihrer Krümmung an der akuten Stelle keinen Namen hat? Auch deshalb lohnt sich der lange, der innige, der halb wehmütige, halb missgünstige Blick auf unsere Jungen, mit dem wir zumindest begreifen, dass wir – im Vergleich mit ihnen – diejenigen darstellen, in denen nur noch das Wissen und der Tod am Wachsen sind.

(Geschrieben für die Frankfurter Rundschau, *Mai 2007)*

AMOK

Über die Untiefen unserer
Betroffenheit

Eine Weile werden wir ihn den Amokläufer von Erfurt nennen und ihn dann unter diesem Namen als eine Figur in unserem Gedächtnis bewahren. Dies hat der junge Mann sehr wohl gewusst, vom ersten Schuss, mit dem er einen anderen, bis zum letzten, mit dem er sich selbst tötete. Dazwischen lag der ganze Erfahrungszeitraum einer mehrfach von neuem anhebenden Tat, die uns als Amoklauf bekannt und vorstellbar ist. Auch dies wird dem jungen Mann klar gewesen sein: Dass sich seine Zeitgenossen, die von seiner Tat hören werden, durchaus ein Bild von dieser machen können.

Die Mordtat von Erfurt ist eben nicht «beispiellos», es gibt andere Beispiele, und sie ist auch keineswegs «unfassbar». Unser Wissen und unsere Phantasie vermögen ein solches Tun mit einem Namen, mit Kenntnissen, mit Affekten, mit Wunsch- und Angstvorstellungen in einem Zusammenhang zu fixieren. Ob wir wollen oder nicht: Wir können mit der Nachricht von dieser Tat sehr wohl etwas anfangen.

Der Amoklauf ist nämlich das, was man in unserem hässlichen Neudeutsch eine Option nennt: eine Handlungsmöglichkeit, eine gottlob sehr selten wahrgenommene, aber dennoch jedermann bekannte Handlungsweise, um seinem Leben eine radikale Wende zu geben, ihm zugleich ein Ende zu setzen und zudem für einen beachtlichen Nachhall der eigenen Existenz zu sorgen.

Zu einem Amoklauf braucht es weniger, als gemeinhin behauptet wird. Als Waffe hat anderen Tätern ein feststehendes Messer genügt. Wenn sie dann halbwegs kräftige und gewandte Männer sind, braucht es nur noch das Moment der Überraschung, um einer Reihe von Opfern schwere, wenn möglich tödliche Verletzungen zuzufügen. Unverhohlen kommt es dem Amokläufer auf den Tod an. In einem hohen Maße willentlich, mit Planung und mit sich mehrfach erneuernder Kaltblütigkeit, überschreitet er das Tötungsverbot, das die Gesellschaft vor ihm und die Kultur bis zu irgendeinem Maß gewiss auch in ihm errichtet hat. Der Amokläufer von Erfurt sah dem Tod in besonderer Weise ins Auge: Er sah in die angstgeweiteten, in die brechenden Augen der von ihm Erschossenen. Ja, es ist zu befürchten, dass er genau diese Form der Todesnähe gesucht hat und dass er diese Extremerfahrung, als er sie schließlich mit Sinnen erfuhr, bewusst in schneller Folge erneut erleben wollte.

Und bis zuletzt ahnte er vermutlich, dass wir, seine weiterlebenden Zeitgenossen, in der Lage sein würden, dies alles von ihm zu wissen. Der Amokläufer ist einer jener Mörder, deren Tat durch ihre Form von vornherein wenig Wert auf das Mäntelchen mildernder Umstände legt. Wie sein Tun steht der Erfurter Amokläufer als Täter unerbittlich nackt vor uns. Wenn dieser Mörder durch die Form seines Handelns zu uns spricht, dann sagt er: «Lasst mir meine armseligen Motive! Es gibt so viele billige Gründe, seinen Mitmenschen den Tod zu wünschen. Fragt euch stattdessen, warum meine Tat so scheußlich gut in eure Welt passt! Und warum der Amoklauf nicht weit öfter seine einleuchtende Fratze zeigt.»

Noch schlägt die Stunde des Räsonierens und Beschwichtigens. Die Betroffenheit, in der wir zu stehen vermeinen, ist in doppeltem Sinne ein untiefes Gewässer: Seicht und sicher ist unsere Betroffenheit, wo wir nach naheliegenden Ursachen und schneller Abhilfe fischen. Grundlos untief und ungesichert ist unser Betroffensein jedoch, wenn wir spüren, wie nahe uns, wie nah zumindest manchem modernen Mann, eine solche Tat geht und liegt.

(Geschrieben für die Süddeutsche Zeitung, *Juni 2004)*

IN DEN VORZIMMERN DES TODES

Über Hildegard Knefs Roman
«Das Urteil»

In weichen, gutwilligen Momenten ahnen wir, wie das Wort «Schicksal» früheren Generationen im Ohr geklungen haben muss. Dann horchen wir den beiden Silben einen Nachhall vergangener Würde ab. Ein ferner, fast metaphysischer Ernst rührt uns, deren Leben meist nur noch von der «Ironie des Schicksals» in seine Grenzen verwiesen wird.

Verstoßen aus dem Kreis der großen Wörter, hat das Schicksal Asyl gesucht und gefunden – auf den Sitzgarnituren unserer Talkshows zum Beispiel, wo noch ungeniert über allerlei Schicksalhaftes geseufzt werden darf. Hier passt es ins Ambiente, dass der einst noble Begriff in schäbigem Aufzug Platz nimmt, dass er speckig glänzt gleich einer uralten Lederhose, an der sich viele nachlässige Träger die Finger abgewischt haben.

«Wenn Sie eine unheilbare Krankheit hätten wie Krebs, würden Sie nicht denken, dass das Schicksal schlecht mit Ihnen umgegangen ist?» Diese Frage wird Hildegard Knef öffentlich gestellt, auf einer Pressekonferenz, die sie in ihrem autobiographischen Roman «Das Urteil» mit dem ihr eigenen lakonischen Witz schildert. Die Leser, die ungefähr in der Mitte des Buches auf die Szene stoßen, sind allerdings für Schicksalsfragen dünnhäutig geworden und wissen, was die Künstlerin darauf antworten könnte. Hildegard Knef gehörte mit gut vierzig Jahren bereits zu denen, die von sich sagen können, dass sie das hinter sich gebracht haben, was die meisten anderen durch die Gnade des Schicksals noch vor sich haben: Sie hat den «Vorhof des Todes» besucht und ist von dort zurückgekommen, um in «Das Urteil» Bericht zu erstatten.

Der große Erfolg, den das Buch in den 70er Jahren hatte, war sicher dem Umstand geschuldet, dass die Autorin als Schauspielerin, Sängerin und Verfasserin des Bestsellers «Der geschenkte Gaul» bereits zwei Jahrzehnte den Ruf eines internationalen Stars genoss. Ihrem zweiten Buch ging zudem die Ankündigung voraus, es würde von der großen Nachkriegskrankheit, vom Krebs, handeln. Damit waren die Weichen der Rezeption gestellt. Die Käufer durften mit einem gewissen Recht nichts Geringeres erwarten als die «Bestätigung, dass das Schicksal vor keinem haltmacht».

«Das Urteil» ist ein Schicksalsbuch in diesem Sinne, und ein Schicksalsvoyeur, der sich von Hildegard Knefs widerborstigem, literarisch ambitioniertem Stil nicht abschrecken lässt, kommt bis heute auf seine Kosten. Die Heldin befindet sich zu Beginn der Erzählung in einem Salzburger Krankenhaus. Wenige Wochen zuvor schien eine Serie mörderischer Bauchoperationen, die die Folgen eines verpfuschten Kaiserschnitts beheben sollten, endlich erfolgreich abgeschlossen. Nun aber wird eine Geschwulst in der Brust als Krebs diagnostiziert.

Die Patientin, die aus mehr als fünfzig Narkosen erwacht ist, resümiert am Ende des Buches, dass sie dreimal den auf sie gemünzten Ruf «Exitus» aus ärztlichem Munde vernommen habe, während sie, bewegungsunfähig und für tot erklärt, aber hellhörig dalag. Und die Autorin, die ihr Buch als langsam Genesende verfasste, hat diese Erfahrung nicht nur benannt, sondern auch beschrieben. Vor den Szenen, in denen die Frisch-Operierte unter unzureichender oder nachlassender Betäubung wahrnimmt, erleidet und bedenkt, wie ihr Leib misshandelt und verhöhnt wird, versagt jede Nacherzählung.

Der neueren deutschen Literatur mangelt es nicht an Arzt-Figuren, weder an beschriebenen noch an schreibenden Medizinern. Aber ich kenne keinen Text, der dieser Zunft so überzeugend Gerechtigkeit widerfahren ließe wie das Buch von Hildegard Knef. «Das ist ganz fürchterlich ... Sie sind ein Kriegsopfer und ein Arztopfer noch dazu», meint ein junger Assistenzarzt, als er die Krankengeschichte der Erzählerin aufnotiert hat. Aber die unglaubliche Länge, die kaum zu steigernde Intensität der Leidenserfahrung scheint die Sicht der Gequälten auf eine merkwürdige Weise geklärt zu haben. Ihre Ärzteporträts sind frei von der Feindseligkeit, zu der die vielfach Falschbehandelte berechtigt wäre. Mit einem Großmut, wie ihn vielleicht nur durchlebte Todesnähe verleiht, erzählt sie von den Höflingen, die sie in den Vorzimmern der Nichtexistenz angetroffen hat.

Es lohnt sich, mit ihr auf diese Gestalten zu blicken. Manchmal scheinen ihre Ärzte lachende Hyänen, die es nicht schert, ob das Fleisch, in das sie ihre Zähne schlagen, noch fühlt, dass es bereits wie ein Aas behandelt wird. Ein andermal sind diese Mediziner traurige Clowns, die mit theatralischem Bedauern einer qualvoll Sterbenden, wie der Mutter der Autorin, die Morphiumspritze mit dem Hinweis auf mögliche Suchtgefahren verweigern. Aber egal, ob sie sich herrisch und großspurig oder zerknirscht und selbstkritisch geben, immer spielen die «Unheilkundigen» ihre Rolle als moderne Priester an der Schwelle zum Totenreich grausam schlecht.

Als die Heldin nach langer Bettlägrigkeit zum ersten Mal, gestützt von zwei Krankenschwestern, an ein Fenster tritt, macht ihr der Anblick des normalen Straßenlebens Angst: «Der gemessene Betrieb erscheint mir unbegreiflich, der sittsam geregelte Verkehr von rätselhafter Fahrlässigkeit, die Sorglosigkeit des Gebarens erweckt Neid, sie ist begehrenswert furchterregend zugleich ... alle haben sich verabredet, einen somnambulen Pas de deux mit der Katastrophe zu tanzen, sie scheinen den Tod weder zu hören noch zu sehen noch zu ahnen ...» Wer Hildegard Knefs Buch bis zum Ende durchgestanden hat, wird ein Weilchen brauchen, bis sich sein Denken und Fühlen wieder auf diese «somnambule» Mittellage eingependelt haben.

Wenn es schließlich doch geglückt ist, wenn das Wort «Schmerz» schlimmstenfalls an den Zahnarzt erinnert und das Wort «Schicksal» wieder mit einer ironischen Grimasse und einem Achselzucken einhergeht, bleibt, wie eine feine Lese-Narbe, doch eine empfindliche Stelle zurück. Gereizt, zumindest ungnädig reagiere ich nach der erneuten Lektüre auf viele andere literarische Erfahrungsberichte. In unseren verwöhnten Zeiten scheut man sich nicht, mit einer zusammengekratzten Handvoll Leben als Autobiograph aufzutreten. Ein wenig nachgetragene Wut auf die Eltern, eine verunglückte Liebesgeschichte, die ersten Falten oder eine kleine kreative Krise, dergleichen Wehwehchen reichen, um schicksalsschwanger vor den Lesern zu erscheinen.

Das ist weniger als eine Schande und findet Platz auf dem weiten Feld der Peinlichkeit. Wahrscheinlich müssen gerade die, die fast nichts vom Schicksal wissen, sich umso eifriger über die Umstände ihres existenziellen Unbehagens auslassen. Auch in der Literatur scheint das Fehlen von Leid als seinen Phantomschmerz die Wehleidigkeit zu produzieren. Hildegard Knef jedoch gehört zu den wenigen, denen es zur Ehre gereicht, ihr Fleisch und dessen Schmerz zu Markte getragen zu haben.

(Geschrieben für die Frankfurter Rundschau, *Juni 2000)*

DER KAISER SCHICKT SEINE LAKAIEN HINAUS!

Ein Erinnerungsversuch

Sosehr sich mein Gedächtnis auch müht: Mir will partout nicht einfallen, wann und wie ich auch nur ein einziges der Spiele gelernt habe, die wir damals – zum Beispiel im Sommer 1960 – gemeinsam spielten. Es gab ein gutes Dutzend davon, und wir konnten sie einfach. Jedes Spiel hatte einen Namen und feste Regeln. Nur selten, zum Beispiel wenn Kinder aus einem anderen Wohnblock oder eine Cousine, die zu Besuch war, mittun wollten, stellte sich heraus, dass Abweichungen möglich waren, dass unser Spiel an irgendwelchen anderen Orten der Welt ein wenig anders vonstattenging. Aber in einem solchen Fall verständigten wir uns ohne viel Federlesen darauf, es solle so gespielt werden, wie es in unserem Hof, zwischen dem gelben und dem grünen Wohnblock, und unter den vielen Kindern, die in ihnen wohnten, als richtig galt.

Heute ist es mir schon ein bisschen peinlich, mit welcher Innigkeit ich, der Individualist, fünfzig Jahre später an diese geregelten Spiele zurückdenke. Müsste ich nicht dem freien Spiel, das es rund um den Sandkasten und unter den Wäschestangen ja auch gab, zumindest jetzt, in der Erinnerung, den Vorzug geben?

«Der Kaiser schickt seine Lakaien hinaus!» ist ein besonders schlichtes Spiel, so simpel und auch grob, dass man es fast primitiv nennen könnte. Wichtig war, dass genug Buben und Mädchen mitmachten. Aber ein gutes Dutzend oder gar volle zwanzig Kinder zusammenzubringen, war bei uns im Hof um 1960 kein Problem. Zwei ausgewiesen Starke, zwei gestandene Viert- oder Fünftklässler, wählten sich – als die beiden Kaiser! – im Wechsel ihre Mannschaften, ihre Lakaien, zusammen. Für ein ziemlich schmächtiges Bürschchen, wie ich es in meinen Volksschuljahren war, hieß dies, dass die Kaiser bei dieser Wahl einem älteren, ruhig schön dicken Mädchen, ohne mit der Wimper zu zucken, den Vorzug vor mir gaben.

Die beiden Mannschaften stellen sich in zwei Reihen auf, etwa zehn Meter voneinander entfernt. Man hält sich an den Händen. Ein kluger Kaiser achtet darauf, dass seine stärksten Lakaien gut verteilt sind, dass sich also nach Möglichkeit an keiner Stelle der Kette zwei Schwächlinge an den Händen, besser noch an den Handgelenken halten. Wenn die Finger eines Kleinen besonders kurz sind, wird er sowieso gleich am Gelenk oder am Unterarm gepackt.

Dann geht es los: «Der Kaiser schickt seine Lakaien hinaus! Und schickt den ... DEN UDO hinaus!» Ein Kaiser war für uns so etwas wie König. Kaiser konnte es also auch außerhalb dieses Spiels irgendwo geben. Aber der «Lakai» kam nur in «Der Kaiser schickt seine Lakaien hinaus!» vor. In diesem Fall war es Udo aus dem gelben Block, Drittklässler wie ich, aber einen halben Kopf größer und bestimmt sechs, acht Pfund schwerer als meine Wenigkeit. Udo löste sich aus seiner Reihe, ging noch ein paar Schritte zurück, um richtig schön Anlauf nehmen zu können, und guckte sich dabei schon die Stelle in der gegnerischen Linie aus, die er anstürmend durchbrechen wollte. Kam er durch, würde er einen der beiden, die ihn nicht halten konnten, in seine Mannschaft entführen dürfen. Blieb Udo hängen, gehörte er ab sofort zu den Gegnern.

Kaum vorstellbar, dass heute Acht-, Neun- oder gar Zehnjährige dergleichen spielten. Wenn man es ihnen vorschlüge, würden sie es wahrscheinlich als Baby-Kram ablehnen. Und falls man sie doch dazu brächte und es machte ihnen sogar Spaß, müsste man darauf achten, dass keine heutige Mutter zuguckt. Denn bei «Der Kaiser schickt seine Lakaien hinaus!» geht es unweigerlich hart zur Sache. Ich weiß noch, was es heißt, die sechsjährige Karin an der Hand, dem Ansturm von Karins neunjähriger Schwester Sybille entgegenzusehen: Sybilles schmuck strammes Dicksein verwandelte sich in reine kinetische Energie, sie wurde eine wahre Wuchtbrumme, wenn sie, mit zusammengekniffenen Augen und durch die Nase schnaubend, Fahrt aufnahm.

Natürlich knallte man regelmäßig hin, schlug sich den Kopf am sommerlich harten Rasen, verstauchte sich das Handgelenk oder verdrehte sich den Ellenbogen. Manchmal floss auch Nasenblut. Gelegentlich wurde kurz geheult, aber ebenso selbstverständlich ließ man sich schon zwei, drei Runden später mit wieder trockenen Augen selbst hinausschicken und blieb prompt mit dem Hals an den jäh hochgerissenen Händen zweier gegenerischer Lakaien hängen.

Schlimm, schlimm! Gut, dass derart brutale Spiele, in denen die Kinder sich buchstäblich ins Gras beißen machen, nicht mehr gespielt werden! Andererseits: Es war schon toll, wenn mir der Kaiser oder die Kaiserin mit einem brusttief vertrauensvollen «Und schickt DEN GEORG hinaus!» loszurennen befahl. Es war ein toller, rauschhaft langer Moment, sogar wenn man dann, nach heroischer Selbstüberschätzung, zwischen dem starken Udo und dem noch stärkeren Jürgen aus dem zweiten Aufgang, halberwürgt stecken blieb.

Am schönsten aber wurde das Spiel, wenn sein mögliches Ende in der Luft hing: Von einer Mannschaft war nach langem, erschöpfendem Hin und Her, ganz plötzlich, in rätselhafter Logik, bloß noch der Kaiser übrig. Dann hieß es: «Der Kaiser schickt seine Lakaien hinaus! Und! Und schickt SICH SELBST hinaus!»

Ich weiß nicht, wie dieses wahrscheinlich recht weit verbreitet gewesene Spiel damals anderswo gespielt und zu Ende gespielt wurde. Bei uns, zwischen dem gelben und grünen Block, war auf jeden Fall klar, dass der einsame Kaiser nicht zwischen irgendwelchen Schwachen, nicht bei der kleinen Karin, nicht bei meinem kleinen Bruder und auch nicht bei mir versuchen würde, die gegnerische Kette zu zerreißen. Ohne dass wir ein Wort dafür gehabt hätten, war es eine kaiserliche Ehrensache, nun neben dem gegnerischen Kaiser, also am Arm des stärksten Gegners, sein Glück zu versuchen. Und wenn man dann durchkam, wenn man wirklich durchkam, nahm man den anderen Kaiser zum Lakaien und hatte das Spiel gewonnen.

(Geschrieben für den Südwestrundfunk, Mai 2011)

7
BEBEND VOR SCHÖNHEIT

DAS AUGE DES POLYPHEM

Gustav Schwabs Sagensammlung in glücklich
unverbesserter Neuausgabe

Sagt dir der Name Odysseus irgendetwas?», habe ich
neulich einen Freund ohne Vorwarnung über unseren
Küchentisch hinweg gefragt, und stirnrunzelnd antwortete
mir mein Gegenüber: «Ist das nicht ein griechischer Gott?»

Vermutlich kämen Sie, würde ich Ihnen aus diesem Zeitungsblatt heraus dieselbe Frage stellen, nicht in gleicher Weise ins Grübeln. Vielleicht würden Sie sich das Ganze sofort als albern verbieten, da Ihnen, sobald die drei Silben erklingen, zwangsläufig der Horizont einer unsterblichen Erzählung und darüber ein wahrer Himmel aus Wissen und Sinn aufgeht. Oder vielleicht doch nicht?

Mein Freund, der Odysseus für einen griechischen Gott hielt, ist Deutschlehrer, einer der wenigen guten, die ich kenne, und weil er den Namen des sagenhaften Helden zumindest mit dem Götterhimmel des alten Griechenland in Verbindung bringen konnte, gehörte er zur Spitzengruppe meiner kleinen Umfrage unter Freunden und Bekannten, zu jenen Ausgewählten, die mit einer Folgefrage traktiert werden konnten: Ob ihnen denn auch der Name Polyphem bekannt vorkomme.

Odysseus und Polyphem, das ist eine Geschichte, das ist eine dieser ganz alten Geschichten, und ich weiß noch genau, wie sie mir das erste Mal zu Sinnen kam. Als Achtjähriger saß ich in der Sonntagnachmittagsvorstellung eines Augsburger Kinos. Mein Onkel, der ein amouröses Verhältnis mit der Pächterin des Lichtspieltheaters unterhielt, hatte mich, meinen Bruder und meine Cousine in den bereits verdunkelten Saal geschleust. Quer über die gewaltige Leinwand hasteten braungebrannte Muskelmänner durch eine Felsenhöhle. In knallroten Röckchen rannten sie um ihr Leben. Da war ein Ungeheuer hinter ihnen her, ein Riese, der sich seltsam ruckelnd bewegte und ein einziges grässliches Auge in der Stirn trug!

Ich erkannte diesen Polyphem sofort wieder, als er mir zwei oder drei Jahre später, nun als Textgestalt, vor das Auge meiner Phantasie trat. In dem Buch, das ich las, war Odysseus, der griechische Recke, selbst der Erzähler seines Abenteuers, in wörtlicher Rede wandte er sich an den furchterregenden Zyklopen, aber: «Auf diese Rede antwortete das Ungeheuer gar nicht, sondern streckte nur seine Riesenhände aus, packte zwei meiner Genossen und schlug sie, wie junge Hunde, zu Boden, dass ihr Blut und Gehirn auf die Erde spritzte. Dann zerhackte er sie Glied für Glied zur Abendkost und fraß sich an ihnen satt, wie ein Löwe in den Bergen. Eingeweide, Fleisch, ja das Mark mitsamt den Knochen verzehrte er. Wir aber streckten die Hände zu Zeus empor und jammerten laut über die Freveltat.»

Das las sich gut! Das gefiel mir, gefiel mir noch besser als das, was der Film zu sehen erlaubt hatte. Und es erschien mir genau die richtige Lektüre für einen zehnjährigen Knaben. Wäre ich, gleich Odysseus, in direkter Verbindung mit den Göttern gewesen, ich hätte Zeus dafür gedankt, dass meine Tante in einer schwachen Minute Mitglied eines Buchclubs geworden war und bei den Bestellungen, die sie nun vierteljährlich tätigen musste, an den Lesehunger ihres Neffen dachte. So fielen mir die «Sagen des klassischen Altertums» in die Hände. An Gustav Schwab jedoch, an den Verfasser der blutrünstigen Zeilen, die mich ergötzten, an die merkwürdige Autorschaft dieses Buches habe ich in meiner Jugend keinen Gedanken verschwendet.

Gustav Schwab war Lehrer, Pfarrer und Schriftsteller, so wie man all das zugleich in der ersten Hälfte des 19. Jahrhunderts in deutschen Landen sein konnte. Der Abriss von Schwabs Biographie, den Manfred Lemmer in seinem schönen Nachwort zur nun vorliegenden Neuausgabe bei Insel gibt, liest sich selbst wie eine Geschichte aus sagenhafter Zeit. Was damals von Männern in drei oder vier Berufsjahrzehnten geleistet wurde, muss uns märchenhaft erscheinen. Schwab hat am Gymnasium unterrichtet, hat in der Seelsorge und in der Kirchenverwaltung gearbeitet, war zugleich aber als Herausgeber, Redakteur, Autorenförderer, Literaturvermittler, Rezensent, Übersetzer, Biograph und Dichter in einem Maße rührig und produktiv, das heutige Wortschaffende nur noch das Staunen lehren kann.

Die «Sagen des klassischen Altertums» hat er während seiner Zeit als Gomaringer Pfarrer niedergeschrieben. Seine schwäbische Seelsorger-, Pädagogen-, Philologen- und Dichterexistenz war der nährende Mutterkuchen für dieses Werk, das eine gewaltige Menge verschiedenartiger antiker Quellen verwertet und den Stoff durch einen homogenen Prosastil zu einem Erzählwerk für die Jugend seiner Zeit verschmilzt.

Der gelehrte Furor und der pädagogische Eros, die Schwab angetrieben haben müssen, sind uns heute fremd, vielleicht noch fremder als jene schon zur Zeit ihrer Niederschrift altertümelnden Wörter, die Schwab sparsam und stilbewusst verwendet hat und die dann die zahlreichen späteren Bearbeiter gerne getilgt haben, um immer neuen jungen Lesern den Zugang zu erleichtern. Als ob man der Jugend einen Gefallen täte, wenn man es ihr möglichst leicht mit dem Deutschen macht!

Als unser zehnjähriger Sohn eine solche zum Glück nur zaghaft modernisierte Ausgabe in unseren Bücherregalen entdeckte und darin zu lesen begann, kam ihm vieles bekannt vor. Selbständig zog er den Schluss, dass die amerikanischen Comics und die japanischen Zeichentrickfilme, in denen ihm die Zauberin Kirke und der Riese Polyphem bereits begegnet waren, Bildwerke zweiten Grades sein müssten. Das Buch und seine Sprache nahm er ganz selbstverständlich für den Urtext, er glaubte, der Mann, dessen Name auf dem Umschlag stand, hätte die schönen Geschichten erfunden.

Vielleicht war es ein Fehler, dass ich unseren Sohn nicht noch ein paar Jahre in diesem Gustav Schwab ehrenden Glauben beließ. Aber mein Halbwissen fühlte sich gedrängt, ihn darüber aufzuklären, dass alles, was er sich da mit großer Anstrengung und gleich großer Begeisterung erlas, weit älter sei als der, der es niedergeschrieben hatte. Auch bei mir gehen die Besserwisserei des Erwachsenen und die Kontrollwut, die dem Zwang zur historischen Einordnung innewohnt, Hand in Hand. Unnötigerweise tat ich kund, das Gomaringer Schloss und dessen Pfarrerswohnung, in der Gustav Schwab vor hundertsechzig Jahren über seinem Manuskript saß, könnten noch heute besichtigt werden, von Odysseus und Polyphem hingegen sei schon erzählt worden, als bei uns in Deutschland noch kein Stein auf einen anderen gemörtelt war.

Vielleicht war die Übersetzerin Erika Fuchs, als sie 1963

die Sprechblasen des Carl-Barks-Comics «Die Irrfahrten des Dagobert Duck» mit deutschen Sätzen füllte, von einem vergleichbaren Drang beseelt. Auch ihr könnte es um das richtige Nacheinander und damit um eine Rangordnung der Texte gegangen sein. Zumindest dürfte es Frau Doktor Fuchs geärgert haben, dass die Odyssee, die große alte europäische Erzählung, nun bloß noch durch das bunte Werklein der amerikanischen Massenkultur vor den unbedarften Nachkriegsnachwuchs treten sollte. Wirklich zu retten war da natürlich nichts. Aber in partisanenhafter Kühnheit entschloss sich Erika Fuchs, zumindest für Gustav Schwab ins Horn zu stoßen. Als Onkel Dagobert den Namen des Odysseus in den Schnabel nimmt, antwortet ihm Donald in der deutschen Übersetzung mit der rhetorischen Frage: «Der listenreiche Odysseus? Aus Gustav Schwabs Sagenschatz des klassischen Altertums?»

Listig ist das Wort «Sagenschatz» gewählt, und einer der drei Neffen darf es noch einmal wiederholen, wohl auch, um seine klangliche Schönheit und seine rätselhafte Antiquiertheit zu unterstreichen. So wird hier mit den Mitteln der Sprache die amerikanische Bilderzählung mutig zugunsten einer europäischen Urheberschaft gefälscht. Ob dieser Wink allerdings ausreicht, um einen Comic-Leser zur Lektüre von Schwabs Sagensammlung zu verlocken, wage ich zu bezweifeln. Bestenfalls ist der tumbe Riese der Trivialkultur für einen Lesemoment ausgetrickst. In seinen Sprechblasen geht kurz die Rede von etwas, was ihm nicht angehört. Das Populäre, das überall, wo seine gewaltigen Plattfüße hintreten, also weltweit, der erste Geschichtenerzähler sein will, muss zumindest den Namen einer anderen älteren Erzählform nennen und gelten lassen.

«Du bist ein rechter Tor, o Fremdling, und weißt nicht, mit wem du es zu tun hast. Meinst Du, wir kümmern uns um die Götter und ihre Rache? Was gilt den Zyklopen Zeus der Donnerer und alle Götter miteinander? Sind wir doch viel vortrefflicher als sie!», antwortet Polyphem dem Odysseus, als dieser ihn im Namen der Götter um Schutz bittet. Und wer mag, kann in einer Übersetzung von Homers Odyssee nachprüfen, wie getreu Gustav Schwab den Wortwechsel zwischen dem Zyklopen und dem schlauen Griechen in seinen Text übertragen hat. Wichtig ist, dass wir im Wortlaut spüren, wie im berechtigten Stolz des Riesen auf die eigene Stärke doch etwas Frevelhaftes mitklingt. Hier können wir mit dem inneren Ohr hören, was ein Frevel ist. Und wir ahnen, welche Worte den medialen Kommentatoren fehlen, wenn heute auf den Bildschirmen das Frevelhafte zum Himmel schreit.

Was werden Odysseus und Polyphem und die Geschichte, die sie verbindet, sein, wenn die beiden nicht mehr die Stimme gegeneinander erheben dürfen? Wie Greise, denen die Demenz die Erinnerung, den Sinn ihres Sprechens und schließlich die Sprache selbst raubt, wären die Mythen des klassischen Altertums zu einem lächerlichen Siechtum, zu einer langen progressiven Infantilität verurteilt: Polyphem nichts als ein grölender Riese, Odysseus nur der stumme Schiffbrüchige, immer aufs Neue an eine Planke wie an einen Running Gag geklammert. Rettungslose Albernheit wäre der letzte Fluch, den die weichenden Götter über alles, was oberflächlich an sie erinnern könnte, zu verhängen wüssten.

Weit staunenswerter als Schwabs Fleiß und seine Treue gegenüber seinen altgriechischen und lateinischen Vorlagen tritt uns daher heute sein Selbstvertrauen, sein Vertrauen in die eigene Sprache entgegen. Wie sicher war sich dieser Mann, der antiken Mythologie im Deutschen seiner Zeit eine Form und damit eine Heimat verschaffen zu können. Schwab, der nicht zu den großen Dichtern seiner Zeit gehörte, scheute kein Pathos, weder das Archaisch-Dunkle, noch das Blutrünstig-Schicksalhafte, weder das Heidnisch-Abergläubische noch den hellen Ton des Heldenhaften. Wer sich dem ein paar hundert Dünndruckseiten lang aussetzt und ein halbes Dutzend Stunden mit Schwabs erzählerischen Atemzügen Luft holt, begreift vielleicht, dass Tradition nicht nur Beschenktwerden, sondern immer auch Bemächtigung bedeutet. Große Erzählungen müssen wohl mit Gewalt, mit der Macht der Sprache, immer aufs Neue in die Gegenwart geraubt werden.

Aber natürlich sind auch die im Recht, die schlichtweg keine Lust dazu haben. Man muss nicht wissen wollen, warum das allerneuste Raketensystem mit Infrarotzielfindung, eine europäische Gemeinschaftsentwicklung, ausgerechnet Polyphem heißt. In Schwabs Nacherzählung der Äneis tritt der Zyklop noch ein zweites Mal auf. Vom Schiff aus sehen Äneas und die anderen aus Troja Geflohenen Polyphem, geblendet und stumm, ans Ufer treten: «Am Meer angekommen, ging er mitten in die Fluten hinein, die ihm doch nicht einmal bis an die Hüfte gingen. Hier bückte er sich und wusch aus dem ausgestochenen Auge das immer noch fließende Blut, stöhnend und zähneknirschend.»

Gemessen an Schwab, der dies Vergil nachspricht, mag ich mich gerade noch einäugig nennen. Und einiges deutet darauf hin, dass sich der graue Star der modernen Zeiten bereits über meine Linse legt. Das Recht, lauthals über den Verlust großer Erzählungen zu klagen, hätte jedoch nur der, dessen

Klage stark genug wäre, einen Anklang des Verlorenen mitschwingen zu lassen.

Lesen Sie Gustav Schwabs «Sagen des klassischen Altertums», wenn Ihre Leselust und Ihre Leseluft hinreichen! Und lesen Sie Ihren Kindern die grausam anrührende Geschichte von Odysseus und Polyphem vor, sobald Sie einmal besonders gut bei Atem sind! Schwab, der kein Olympier der deutschen Literatur ist, erweist sich dann, mit ein wenig Glück, noch einmal als ein verlässlicher Hausgott unseres Erzählens.

Und sogar für die unter uns, die Schwabs Werk eigentlich nur kaufen, um es in ihren Regalen bei den deutschen Klassikern einzustellen, ist in der vorliegenden Neuausgabe des Buches auf ironische Weise gesorgt: Im umfangreichen Namenregister der neuen Ausgabe gibt es einen sinnfälligen Fehler zu entdecken. Dort führt der erste Verweis zu «Polyphemos (Zyklop)» in die sicherste aller Zeitgenossenschaften: auf die Leere einer restlos blanken Seite!

(Geschrieben für die Süddeutsche Zeitung, *September 2001)*

GEHEIMAGENT IM PANTHEON DER POESIE

Jean-Luc Godard zum
70. Geburtstag

Filme von Godard? Sind das nicht die, für die man den Videorecorder einstellt, damit diese brave Maschine sie dann, spätnachts und mutterseelenallein, in einem Kulturkanal aufzeichnet? Und finden anschließend die Kassetten nicht das gleiche Ehrengrab in unseren Regalen wie gewisse Bücher, die unserer Behausung gut zu Gesicht stehen, die man aber nur anfasst, um sie abzustauben?

«Ich habe bis jetzt nicht schlecht davon gelebt, Filme zu machen, die keiner sehen will», hat Godard gegenüber einem amerikanischen Kritiker in schöner Beiläufigkeit angemerkt. Und am nackten Interview-Text lässt sich nicht ablesen, ob dieses Bonmot, 1994 in New York, recht grimmig oder eher süffisant aus Godards Mund gekommen ist.

Glücklich der, dem dieser Regisseur nicht als Klassiker, nicht im Bleimantel der Bedeutsamkeit, entgegengetreten ist! Mir kam mein erster Godard-Film vor Augen, als ich Ende der 60er Jahre die Spätfilme in ARD und ZDF entdeckte. Mit fünfzehn Jahren sagte mir Nouvelle Vague überhaupt nichts, aber nach zwei Minuten «Alphaville» (1965) mit Eddie Constantine als Geheimagent Lemmy Caution war ich sicher, dass ich diesen Film bis zum Ende anschauen und anhören würde.

«Es kommt vor, dass die Wirklichkeit zu komplex ist, um

sie mit Worten mitzuteilen», ächzt eine technisch verzerrte und seltsam stockende Stimme aus dem Off. Es ist die Stimme des Mega-Computers Alpha 60, die die Tonspur des Science Fiction-Films «Alphaville» eröffnet. Und sie spricht den ersten Godard'schen Satz, den ich gehört habe, einen jener Sätze, die seit vierzig Jahren die Augen seiner Fans, der «Godardians», aufleuchten lassen. Aber das Dauerfeuer dieser Sentenzen habe ich auch spärlich gefüllte Kinosäle in fast leere verwandeln sehen. Und sogar mir, dem früh zu Godard Verführten, ist der Stuhl in den Spätvorstellungen Berliner Programmkinos – trotz und wegen der vielen schönen rätselhaften Sätze – nicht selten arg hart geworden.

Der Chor der Cineasten hat diesen Regisseur von Anfang an auch als Schriftsteller und Philosophen gepriesen. Godards Filmkritiken, seine Essays und die Mitschriften seiner filmtheoretischen Vorlesungen und Seminare, sogar seine Interviews werden mit einem gewissen Recht als Primärtexte gelesen. Dieser Mann hat das Wort, oder besser gesagt: Das Wort hat ihn. Denn wenn er den Mund auftut, kommt, mit großer Wahrscheinlichkeit, nicht nur uns, sondern vermutlich auch ihm selbst etwas zu Ohren, was Wissen und Geheimnis zugleich atmet und in seiner luziden Evidenz verblüfft und beglückt.

Deshalb ist die Tonspur des Zelluloids und später dann die des Magnetbands Godards intellektueller Königsweg, aber immer auch der Kreuzweg seiner Kreativität und der Leidensweg seines Publikums geworden. «Ich muss nachdenken!», knurrt der Geheimagent Lemmy Caution in ein gleißend hell ausgeleuchtetes Hotelzimmer von Alphaville. Und zeitgleich mit dem Filmbild, mit dem starren, narbigen Gesicht von Eddie Constantine, wächst diesem spröden Satz eine wunderbare Poesie zu – jene Poesie, von der der Agent später sagen wird, dass sie Dunkelheit in Licht verwandelt.

Niemand aber, auch der hartgesottene Cineast nicht, will mit jedem einzelnen Satz, der aus dem Off oder dem Mund eines Darstellers tönt, zum Nachdenken gezwungen werden. «Bilder sind für mich das Leben, das Geschriebene ist der Tod», heißt es in Godards «Introduction à une véritable histoire du cinéma». Und wie in einem selbstmörderischen Impuls hat er immer wieder versucht, das Leben in den Bildern seiner Filme unter einem Wust von Worten zu begraben, unter einem Text, der vor allem dann Gefahr läuft, zu totem Papier zu werden, wenn ihn die bedeutungsschwangere Raucherstimme des Regisseurs selbst einspricht.

Dabei liegt in jedem Godard-Film, auch in den fast restlos missglückten, die Rettung aus dem Mahlstrom der Gedanken ganz nah. «Ich habe nachgedacht!», sagt Johnny Hallyday in «Détective» (1984), und nichts wünschen wir Zuschauer uns mehr, als ein paar Sekunden Stille, in denen das wunderbar gealterte Gesicht des französischen Sängers und unsere Assoziationen Raum greifen können. Aber leider muss aus allen Gestalten dieses Films unentwegt Godard'sche Reflexion strömen. Es ist, als säßen die Darsteller auf dem unsichtbaren Schoß eines genialen Bauchredners und klapperten im Takt von dessen Rede hilflos mit den verkrampften Lippen. So degradiert sich in «Détective» eine ganze Riege brillanter Darsteller zu merkwürdigen Sprechpuppen, und die erlösende Kraft ihrer körperlichen Präsenz, die der Theoretiker Godard genau kennt, findet kein Bild, in das sie fließen könnte.

Schnell, wahrscheinlich schon Ende der 60er Jahre, ist der Künstler Jean-Luc Godard zu einer Ikone geworden. Als Figur, nicht als individueller Mensch, verkörpert er seitdem auf grandiose Weise den männlichen Intellektuellen, der fürchtet zu sterben, wenn sein Mund länger als sechzig Sekunden von seinem Denken schwiege. Zu Recht sieht man seine Statue bereits unter der Kuppel des Pantheon, bei jenen Regisseuren, deren Werk er immer wieder aus neuen Perspektiven kritisiert, raffiniert zitiert und nicht selten mit klugen Argumenten über sich und die eigene Arbeit gestellt hat.

«Ich denke nicht, dass es mir gelungen ist, wirklich gute Filme zu machen. Aber da sind Augenblicke, Szenen, ganze Bewegungen, die singen.» Falls es überhaupt eine Bescheidenheit des Genies gibt, dann schwingt sie in diesen Worten. Und wenn im Pantheon der Poesie ein Verbindungsflur zwischen dem Saal der Literatur und dem Saal des Films existiert, dann müsste dieses Zwischenreich längst für die über achtzig Filme des Frankoschweizers reserviert sein.

«Ihnen droht etwas Schlimmeres als der Tod!», sagt der wahnsinnige Computer-Spezialist Professor von Braun am Ende von «Alphaville», um dem wackeren Geheimagenten Caution den Mut zu rauben. «Sie werden eine Legende werden!» Lemmy Caution widerspricht dem bösen Meisterhirn nicht, aber er zückt in altmodisch heroischer Manier seine Pistole, um sich noch eine Wegstrecke realen Lebens freizuschießen. Am 3. Dezember 2000 feiert Jean-Luc Godard seinen siebzigsten Geburtstag, und seine Bewunderer wie seine Kritiker vertrauen darauf, dass er sich noch nicht endgültig in den Ehrentempel einweisen lässt, sondern auch in diesem jungen Jahrhundert alles daransetzen wird, mehr als eine Legende zu Lebzeiten zu bleiben.

(Geschrieben für die Frankfurter Allgemeine Zeitung, *November 2000)*

«EIN GANTZ UNVERSTAENDLICHE SPRACH»

Grimmelshausens «Simplicissimus Teutsch»

Für das Fremde gibt es mehr als nur eine Pforte ins Herz des Lesers. Wer ein Buch in die Hand nimmt, um sich mit Lust und Gewinn befremden zu lassen, kann nicht sicher vorhersehen, durch welche Tür das Anders-Scheinende letztlich in sein Gemüt schlüpft. Hans Jacob Christoffel von Grimmelshausens Roman «Der Abentheuerliche Simplicissimus Teutsch» ist 1668 zum ersten Mal im Druck erschienen, und der bloße Wortlaut des Titels verspricht uns das Abenteuer zeitlicher Ferne. Schon bevor der heutige Literaturliebende sich auf das erste Kapitel einlässt, weiß er, dass dieser Barock-Roman anders außerhalb unserer Zeit liegt als etwa die Prosa der Romantiker, die Grimmelshausen für sich wiederentdeckt haben. In Jahren gemessen, ist die Epoche der deutschen Romantik von uns ungefähr so weit entfernt wie für deren Autoren und Leser die Entstehungswelt des «Simplicissimus Teutsch».

«... mein Knaan hatte vielleicht einen viel zu hohen Geist / und folgte dahero dem gewoehnlichen Gebrauch jetziger Zeit / in welcher viel vornehme Leut mit studiren / oder wie sie es nennen / mit Schulpossen sich nicht viel bekuemmern / weil sie ihre Leut haben / der Plackscheisserey abzuwarten.» So spricht der Ich-Erzähler in der zeichengetreuen Ausgabe zu uns, die Dieter Breuer im Deutschen Klassiker Verlag herausgegeben hat. Wer hingegen zu Reinhard Kaisers nun in der «Anderen Bibliothek» erschienenen «Übersetzung» greift, wird folgenden Wortlaut finden: «Vielleicht fühlte sich mein Knaan über dergleichen erhaben und folgte dem Brauch der heutigen Zeit, in der sich vornehme Personen ums Studieren oder um Schulpossen, wie sie es nennen, oft kaum kümmern, weil sie ihre Leute haben, die ihnen die Tintenkleckserei abnehmen.»

Man merkt den Unterschied. Man spürt ihn umso deutlicher, je langsamer man liest. Und ein lauter Vortrag macht die Differenz vollends plastisch. Was genau aber ist dem Text und der möglichen Erfahrung des Lesers widerfahren, außer dass die für heutige Ohren derb klingende «Plackscheisserey» – «Plack» meint Fleck! – zur eingängig altmodischen «Tintenkleckserei» geworden ist?

Die Bearbeitungen, die Grimmelshausens Roman im Lauf der Jahrhunderte widerfahren sind, haben die Textgestalt unterschiedlich stark manipuliert. Schon in den ersten Raubdrucken wurden regionale Eigentümlichkeiten korrigiert. Und die zahlreichen späteren Herausgeber haben an der Orthographie, am Wortlaut und am Satzbau Veränderungen vorgenommen. Auch vor Kürzungen und Hinzufügungen schreckte man nicht zurück. Die Absichten, von denen man sich jeweils leiten ließ, haben bis heute einen gemeinsamen Nenner: Man will den Roman gefälliger und leichter machen. Die Gefahr des Miss- oder gar Nichtverstehens soll gemindert werden, der bearbeitete Text soll anders als das Original nicht mehr Gefahr laufen, dass Käufer und Leser nach einer kurzen Kostprobe die Finger von ihm lassen. Die nun vorliegende Ausgabe geht auf diesem Weg am weitesten, der Text soll durch konsequente «Übersetzung» aus stetig gewachsener Entfremdung in unsere Gegenwart gerettet werden.

Das Erleiden sprachlicher Fremdheit wird auch im Roman gleich eingangs Gegenstand von Erzählung und Reflexion. Der auf einem abgelegenen Hof aufgewachsene zehnjährige Bauernjunge Simplicius ist vor marodierenden Soldaten in den Wald geflüchtet und belauscht, versteckt in einem hohlen Baum, die für ihn rätselhaften Worte eines Unbekannten: «... es waren mir nur Boehmische Doerffer / und alles ein gantz unverstaendliche Sprach / auß deren ich nicht allein nichts fassen konte / sondern auch eine solche / vor deren Selzamkeit ich mich entsetzte.»

Die «gantz unverstaendliche sprach» ist ein Gebet. Der Einsiedler, den Simplicius hört, ist dabei, lauthals Gottes Liebe zu loben und der Menschen Undank zu tadeln. Die Sphäre religiösen Sprechens und Schreibens jedoch ist dem kleinen hinterwäldlerisch aufgewachsenen Analphabeten völlig unbekannt. Sein «Entsetzen», aus dem in der Übersetzung nun ein «Erschrecken» geworden ist, erwächst nicht aus einem zeitlichen, sondern aus einer räumlichen Dimension. Der enge Lebenskreis des kleinen Schweinehirten bedeutet auch eine karge Sprachwelt, und im Weiteren ringen sein Verstehen und sein Reden darum, sich auf das Neue, das mit brachialer und zugleich verbaler Gewalt auf ihn einstürmt, einen Reim zu machen.

Nicht nur während der Eingangskapitel zehrt der Roman von dieser Differenz. Sobald der jugendliche Held in der großen Welt, auf den Schauplätzen des Dreißigjährigen Krieges, angekommen ist, wird die Kluft zu seinem Vermögen, die Umstände seines Daseins sprachlich zu bewältigen, nicht abrupt geschlossen, sondern bloß auf bezeichnende Weise verschoben. Der Einsiedler hat ihn Lesen und Schreiben gelehrt und ihn gründlich in die Bibel und in die christliche Tugend- und Lasterlehre eingeführt. Ein knappes Viertel der Erzählstrecke ist zurückgelegt, als Simplicius im Kostüm eines Narren Gelegenheit bekommt, seinem neuen Schutzherren, dem Stadtkommandanten von Hanau, auf der Grundlage dieser Bildung mit großer Eloquenz die Leviten zu lesen. Wie unterhaltsam, unterrichtend oder erbauend dies für den zeitgenössischen Leser gewesen sein mag, darüber können wir allenfalls spekulieren. Die konsequente Übertragung dieses fünf Kapitel langen Diskurses ins heutige Deutsch nimmt ihm jedenfalls nichts von seiner Fremdheit. Dies gilt auch für die vielen anderen Passagen, in denen ein religiös erbauender, moralisch mahnender Monolog oder Dialog gepflegt wird. Es verdeutlicht nur wenig, wenn der Übersetzer aus «in diesem zeitlichen Leben» ein «in diesem irdischen Leben» macht. Und wir kommen der eventuellen Erfahrungstiefe von «gottselig» keinen gefühlten oder philosophisch-theologisch gedachten Millimeter näher, wenn es uns nun als ein schlichteres «fromm» aus dem modernisierten Text entgegentritt. Ja, wir wissen nicht einmal, wie ernst es Grimmelshausen mit diesem Predigen gewesen ist, wie unmittelbar herzstärkend oder bereits satirisch, ironisch, womöglich höhnisch unterhöhlt ihm die gut geölten Mühlen seiner Rhetorik gelegentlich in den eigenen Ohren geklungen haben mögen.

Der Wendepunkt des Romans führt den Helden, der inzwischen ein erfolgreicher Beutemacher und Mädchenverführer geworden ist, weg aus dem «deutschen Krieg» und hinaus aus dem Geltungsbereich der deutschen Sprache. In Paris erlebt sein Jünglingsdasein einen strahlenden Gipfel: «Ich hab die Tag meines Lebens keinen so angenehmen Tag gehabt / als mir derjenige war / an welchem diese *Comedia* gespielt wurde», heißt es im Original. Und das viermalige, nominale und pronominale Insistieren auf dem Tag beschwört die zwingende Augenblicklichkeit. In der Übertragung von Reinhard Kaiser heißt es nun für das heutige Sprachgefühl geläufiger, aber auch beiläufiger: «Der Tag, an dem dieses Stück aufgeführt wurde, war der schönste in meinem Leben.»

Simplicius erlebt als Sänger, Lautenvirtuose und bewunderter Bühnendarsteller, dazu als fürstlich entlohnter Liebhaber zahlreicher Damen einen märchenhaften Höhenflug. «Beau Allemand» nennt man ihn in der Fremde, und sein Deutsch-Sein wird in dichter Folge mit auffälligen Fäden in das Gewebe von Handlung, Beschreibung und Reflexion geflochten: «Es waere Schad / wann ein solcher Leib / mit welchem unsere gantze *Nation* prangen kann / jetzo sterben solte», meint die deutsche Kupplerin, die sein erstes Rendezvous mit einer hochgestellten Pariser Dame arrangiert. Beide, der schöne junge Deutsche wie das alte Weib, dessen Mund nur noch mit vier Zähnen prunken kann, stehen in harscher Opposition für die mehrfach genannte Nation, die auch der Übersetzer «Nation» sein lassen muss, obschon dieses Wort vor der langen, unglückseligen Ära der europäischen Nationalstaaterei zweifellos nicht das Gleiche bedeutet hat wie heute.

«Nation» ist in den Frankreich-Kapiteln dieses Romans nirgends mit territorialem Anspruch, staatlicher Souveränität, imperialer Gier oder gar chauvinistischem Dünkel verknüpft. Umso inniger aber scheint das Wort mit dem heftigem Sprachwandel der Zeit verbunden, der einen auf Deutsch schreibenden Autor damals wahren Wechselbädern aus sprachlichen Defiziterfahrungen, Minderwertigkeitsgefühlen und neuartigem Sprachtrotz und Sprachstolz ausgesetzt haben muss. Die Heftigkeit dieser Dynamik mildert die Übersetzung schon dadurch, dass sie einen Großteil der Entlehnungen aus dem Französischen ausmerzt. Man «practicirt», «recommendirt», «instruirt», «celebrirt», «contentiert» und «tractiert» nun nicht mehr. Aus der «fürstlichen Collation» wird die «fürstliche Mahlzeit». Das dient der Flüssigkeit des Lesens. Aber es ist riskant und heikel, ein Buch, das so leidenschaftlich um seine eigensprachliche Gestalt ringt, der Spuren dieses Ringens zu berauben. Und so wirkt es fast wie eine unbewusste Gegenbewegung gegen diese radikale Bereinigung, wenn sich das «Lust-Hauß» im nächtlichen Pariser Garten in den eingedeutschten «Pavillon» verwandeln muss.

Im letzten Teil des Romans, in der «Continuatio», hat es Simplicius als Schiffbrüchigen auf eine menschenleere Insel vor der Küste Afrikas verschlagen. Erst hier findet der Held zu jener «Beständigkeit», die ihm sein erster Lehrmeister, der fromme Einsiedler, drei Jahrzehnte zuvor als wichtigste Tugend ans Herz gelegt hat. Nach den Exzessen äußerster Leid- und Lusterfahrung ermöglichen nun völlige Einsamkeit und paradiesische Naturumstände dem Helden, ganz bei Gott und zugleich ganz bei sich zu sein. Obwohl das Wort «Beständigkeit» sich in den vergangenen dreieinhalb Jahrhunderten nicht verändert hat, ist uns diese Zentraltugend des Barock gründlich fremd geworden. Und bezaubernd paradox mutet es an, dass ausgerechnet dieser endlich gottselig gewordene Insulaner Tinte aus Baumsaft braut und seine wüst zerrissene Lebensgeschichte in teils wuchtig groben, teils raffiniert kunstvollen Szenen auf Palmblättern zum Buch werden lässt.

Nur dieses Buch kehrt an seiner statt nach Deutschland und damit in «die Unbeständigkeit» dieser Welt zurück. Beständigkeit im heutigen Sinne, also schlicht Konzentration und Durchhaltevermögen, braucht unsereiner, um bis auf die letzten Seiten dieses Wälzers zu gelangen. Ja, es verlangt bereits «ein steiffen Willen und Vorsatz», oder wie es nun übersetzt heißt, «einen festen Willen und Vorsatz», um überhaupt ernstlich mit der Lektüre zu beginnen. Die Übertragung von Reinhard Kaiser erleichtert den Einstieg zweifellos erheblich. Sie ist, soweit ich dies prüfen konnte, stets verlässlich und frei von Willkür. Sie bleibt in Wortlaut und Syntax nahe am Original, zugleich ergibt sich ein flüssig lesbarer Text und eine kohärente Stil-Illusion, ohne dass man, wie es bei Übersetzungen aus anderen Sprachen nicht selten geschieht, von der aufgepfropften Eitelkeit eines «zweiten Autors» belästigt würde.

Ein Buch für «Herrn *Omne*», für «Herrn Jedermann», wird der «Simplicissimus Teutsch» aber auch durch diese Übertragung nicht. Das Verhältnis des Verfassers zu Freud und Leid, zu Tun und Lassen, zu Erliegen und Standhalten, zu Augenblick und Ewigkeit ist unüberlesbar nicht das unsere. Diesen Unterschied zu erfahren, auszuhalten und zu bedenken, ist für uns, «die liebe *posteritaet*», «die liebe Nachwelt», so schmerzlich wie schön. Und wer beide Fassungen, das Original und seine Übertragung, nebeneinanderlegt, darf in heller Deutlichkeit sehen, wie unsere deutsche Sprache ihren strahlenden, ihren vergänglich sinnreichen Lichtbogen ein prächtiges Stück weit über den ewig idiotisch fremdartigen Irrgang der Zeit schlägt.

(Geschrieben für die Süddeutsche Zeitung, *Juli 2009)*

BEBEND VOR SCHÖNHEIT

Ein Geburtstagsknicks vor
Leonard Cohen

Es gibt den großen krisenhaften Augenblick im Leben des Erotomanen, wo er den Glanz seiner Jugend schwinden spürt und ihn allein noch die Schönheit des Wortes zu retten vermag. Für den kanadischen Lyriker und Frauenliebling Leonard Cohen kam dieser bittermagische Moment im Sommer des Jahres 1967, als er, seine Gitarre in der Hand, auf die Bühne des Newport Folk Festivals kletterte. Cohen, Spross einer wohlhabenden, konservativ-jüdischen Familie, hatte zuvor ein unstetes Bohemien-Leben zwischen Nordamerika und Griechenland geführt, drei avantgardistische Gedichtbände veröffentlicht und war als junger Romancier zweimal auf hohem Niveau gescheitert.

Mit seinen dreiunddreißig Jahren schien er nun in Newport nicht unbedingt im idealen Alter, um eine Karriere als Songwriter zu beginnen. Seine Saitenzupfkünste waren ebenso begrenzt wie das Volumen und die Modulationsfähigkeit seiner Stimme. Aber als Kapital brachte der zierliche, mediterran gutaussehende Mann etwas mit, das ihn für jeden, dem das Englische ein poetisches Idiom ist, von den meisten, die damals ihre Reime röhrten, unterschied: das unwiderstehliche Leuchten des Wortes.

Ich weiß nicht, welches Lied Cohen in Newport als erstes

gesungen hat. Aber gewiss enthielt es spätestens als dritte, fünfte oder siebte Zeile einen Vers, der jeden Jüngling, der über ein anrührbares Gemüt verfügt, wünschen lässt, er hätte diese Worte selbst in eben diese Reihenfolge gebracht. Darüber, was Cohen damals der weiblichen Zuhörerschaft antat, verbietet sich mir jede Vermutung. Aber vielleicht darf ich, heute am 21. September 2004, wo Leonard Cohen seinen 70. Geburtstag feiert, doch spekulieren, dass vor 37 Jahren bei «Suzanne» oder «So long, Marianne» die Herzen der anwesenden Folk-Anhängerinnen kollektiv in Flammen sprangen. Um es mit Cohens Worten zu sagen: «They were trembling with the beauty of the word.»

Schon ein Jahr später war der Kanadier ein Star am Himmel des Pop. Die somnambule Melancholie seiner monotonen Intonation, seine minimalistische Mimik, vor allem sein schüchtern siegesgewisses Lächeln machten ihn zur unverwechselbaren Ikone. Und seine besten Songs trafen musikalisch genau jenes Mischungsverhältnis aus glatter Eingängigkeit und homöopathisch reduzierter Originalität, das wahre, also wirkmächtige Popmusik kennzeichnet.

In seinen Texten aber hielt Cohen der Poesie die Treue. Das lyrische Reich Cohens ist eine Art transzendentales Schlafzimmer. Stets sind die Laken frisch verschwitzt vom Kampf der Geschlechter. Aber sogar wenn es dort zu wahrlich grausamen Szenen der Entblößung und Verletzung gekommen ist, versteht es dieser Liebeshexenmeister, den schlimmen Akt in einen Moment der spirituellen Erhöhung und der sprachlichen Erlösung, in luzide Szenen der Gnade zu überführen.

So blieb Cohen all denen, die seine Verse zu lesen verstanden, drei Dekaden lang einer, den sein Wort zum Objekt der Begierde macht. Und wie Jesus, der die gleiche Gabe besaß, schien er dabei unveränderliche dreiunddreißig Jahre alt – auch dann, als er in halsbrecherischer Koketterie eines seiner Alben «Death of a Ladies' Man» betitelte und selbst dann noch, als seine Stimme aus dem nasalen, leicht brüchigen Tenor der ersten Platten vollends in einen rauchigen Bariton übergegangen war.

«Because of a few songs / Wherein I spoke of their mystery / Women have been / Exceptionally kind / To my old age ... They become naked / In their different ways / And they say, / Look at me, Leonard. Look at me one last time / Then they bend over the bed / And cover me up / Like a baby that is shivering.»

Diese Verse handeln von dem, was einem Liebling der Frauen im Winter seines Lebens an eisig schönen Blumen noch erblühen kann. Sie finden sich auf Leonard Cohens kommendem Album «Dear Heather». Wie Cohen das Lied «Because of» und die zwölf anderen altersweisen, todesschwangeren und zugleich liebeslüsternen Gedichte in eingängige Songs verwandelt, können wir erst Ende Oktober dieses Jahres hören. Die Lyrics aber, das Beste, sind schon ein Weilchen im Internet nachzulesen.

Weltweit finden heute Leonard-Cohen-Birthday-Partys statt. In Toronto, in Kopenhagen, in Barcelona und in Toowoomba, Australien, werden mehr oder minder hübsche Jünglinge die Akkordfolgen seiner Lieder zerklampfen und hemmungslos losschmachten, um heutigen Maiden mit geliehenen Fingern möglichst tief ins Gemüt zu grabschen.

Wer aber ein Organ für den Vers hat, wer ein Herz besitzt, das Lyrik zu rühren vermag, oder wer wie ich als Satzschmiedgeselle von diesem Meister lernen durfte, der wird heute in stiller Lesekammer ein Knie beugen, um den siebzigjährigen Leonard Cohen als poetischen Zeitgenossen zu ehren.

(Geschrieben für die Süddeutsche Zeitung, *September 2004)*

FRISEUR DER MASKULINEN LÜSTERNHEITEN

Zu E. T. A. Hoffmanns «Die Elixiere des Teufels»

Vielleicht darf keiner, der es mit dem Schreiben ernst meint, nur gut von den Lesenden denken. Gleich mehrfach ruft E. T. A. Hoffmann im Vorwort zu den «Elixieren des Teufels» den «günstigen Leser» an, und ich vermute, dass diese beschwörende Anrede, dass das zutrauliche Du, das sie begleitet, auch eine Schattenseite einschließt. Der Schriftsteller, der da so heiß um die Gunst seines Publikums wirbt, hat wohl auch einen kalten Begriff davon gehabt, wie die Missgunst mit einem Buch verfahren kann.

Missgünstig zu lesen war mir noch fremd, als mir im Vorfeld der Pubertät die Prosa E. T. A. Hoffmanns in die Hände fiel. Allerdings war die junge Sonne meiner Wahrnehmung so stark, dass ich vernichtend zu lesen vermochte. Das meiste, was mir vor Augen kam, verbrannte meine Lesegier zu einer Asche, deren einziger Restsinn darin bestand, den Acker neuer Lektüren zu düngen. Die seltenen Momente jedoch, in denen sich ein Text zum zweiten Mal als lesbar erwies, waren beglückend. Und ohne einen Gedanken auf die Mittäterschaft meiner Phantasie, auf das komplexe Wunder erneuter Teilhabe, zu verschwenden, glaubte ich in einem primitivmagischen Sinne, dass solche Bücher paradiesische Früchte seien, die man stets aufs Neue ausquetschen könne, weil irgendwann einmal unendlich viel Saft in sie hineingepresst worden sei.

Inzwischen denke ich anders vom Lesen und von den Büchern. Erneut haben mich die «Elixiere des Teufels» hingerissen, aber nicht zuletzt deshalb, weil ich erstmals bemerkte, wie in diesem Buch der Dämon der Geltungssucht umgeht. Wie kein zweiter Text Hoffmanns ist dieser Schauerroman auf Wirkung angelegt. Mit ihm will der Autor endlich den ersehnten großen Coup beim schon damals überwiegend weiblichen Lesepublikum landen. Dafür zieht er alle Register des Genres, lässt kein Klischee und keinen Effekt aus. Ja, er verfällt sogar auf die kuriose Idee, jenen Bestseller, nach dessen Erfolg er schielt, M. G. Lewis' «Der Mönch», als Buch im Buch auftauchen zu lassen.

Hoffmanns Held und Erzähler, der sündige Kapuzinermönch Medardus, ist ein erfolgslüsterner Wortkünstler, schon als Knabe weiß er mit seinem Erzählen zu bezaubern, als junger Prediger entlockt er den Kirchgängerinnen wollüstige Seufzer, und die meisten seiner grandiosen Schandtaten bringt er mit verführerischer Sprachmacht auf den Weg. Am Ende noch, scheinbar schuldgebeugt, steht er als der Verfasser seines Lebensberichts vor den becircten Lesern im eitlen Licht siegreicher Autorschaft.

So raffiniert werden die Geltungssucht eines hochbegabten Wortmenschen und die allerbanalste Geilheit eines x-beliebigen Mannes in der Erzählung des Medardus ineinander verflochten, dass es einen genialen Friseur braucht, um diesen monströsen Zopf mit Kamm und Brennschere zu bändigen. Und E. T. A. Hoffmann ist Meister genug, uns diesen Haarkünstler, den ironischen Herrn maskuliner Lüsternheit, als Figur zu liefern. Bei meiner letzten Lektüre schien mir der kleinwüchsige Friseur Pietro Belcampo alias Peter Schönfeld, der Medardus zweimal das Leben rettet und dessen Rede mit abgründiger Humanität und radikaler Geistigkeit zu bezaubern weiß, die größte Gestalt des Buchs und ein bei aller Exaltiertheit wunderbar diskreter Wiedergänger seines Verfassers.

Am Schluss des Romans lässt Hoffmann über ihn sagen, «des Peters Licht sei im Dampf der Narrheit verlöscht, in die sich in seinem Innern die Ironie des Lebens umgestaltet». Und dies ist nur eine von vielen Stellen, an denen das heute zuschanden gekommene Wort «Ironie» im schönsten Ehrenkleide auftreten darf. Ach, wie maßlos missgünstig müsste derjenige Leser sein, der dem Autor nicht allein hierfür alles – selbst das geilste Schielen nach Geltung! – mit dem Wenden der letzten Seite verziehe?

(Geschrieben für die Frankfurter Allgemeine Zeitung, *Mai 2002)*

DIE ÖKONOMIE DER PHANTASIE

Michael Endes Roman
«Die unendliche Geschichte»

Es war einmal ein Buch, dessen Text wurde in zwei Farben gedruckt, in Rot und Grün, denn seine Geschichte spielt in zwei Welten: in unserer sogenannten Realität und in einem Reich, das «Phantásien» heißt. Viele, viele, ja abertausend Leser öffneten dieses Buch, auf dessen Umschlag zwei Einhörner vor einem Elfenbeinturm die Hufe heben, an allen nur denkbaren Orten, im heimischen Lesewinkel, in der U-Bahn, im Büro und in den Literaturseminaren unserer Universitäten. Ausgewachsene Männer und Frauen genierten sich nicht, in den Seiten einer Geschichte zu versinken, deren Verfasser nicht weniger, aber auch nicht mehr als ein bekannter Kinderbuchautor war.

Michael Endes «Unendliche Geschichte» wurde ein märchenhafter Erfolg bei den Käufern wie bei den Lesern, und die eigentliche Zielgruppe des Buches, die zehn- bis fünfzehnjährigen Leseratten, dürften das Buch nicht selten erst aus zweiter Hand, vom Nachttisch ihrer Mutter oder ihres großen Bruders erhalten haben. Noch vor den wirklich Jungen wollten die aus Gesinnung Junggebliebenen nach Phantásien. Bastian Balthasar Bux, ein dicklicher, ängstlicher Junge, dem zu Beginn der Handlung selbst ein Buch mit dem Titel «Die unendliche Geschichte» in die Hände fällt, macht es ihnen vor: Man muss, dem Text folgend, nur von Rot nach Grün wechseln. Diesen Übergang will ich nicht platterdings politisch deuten, obschon damals ein bärtiger, protestantisch steifer und doch für unsere bundesdeutschen Verhältnisse fast charismatischer Sozialdemokrat Endes Roman die Bibel der Friedens- und Umweltbewegung genannt hat.

Der Knoten, dem dieses Buch im Leib deutscher Befindlichkeit zuzurechnen ist, ein Knoten, der immer drückt und nie aufgehen will, scheint mir über die Verkrampfungen der späten 70er und frühen 80er hinauszureichen, und er ist mit der unglücklichen Wortschöpfung «Phantásien» treffend bezeichnet. Nicht dass wir Deutschen keine Phantasie hätten – unsere Nachbarn bewundern den Einfallsreichtum unserer Kunstschaffenden und fürchten sich zu Recht vor den jähen Ausbrüchen unserer Kreativität in andere Sphären. Das Problem liegt nicht in einem Mangel dieses kostbaren Guts, sondern in seiner Vermittlung: die Membranen, durch die sich das Phantastische in das Prosaische mischen soll, sind hierzulande merkwürdigen Stoffwechselstörungen unterworfen.

Von den Stauungen und den gewaltsamen Durchbrüchen unserer schöpferischen Kräfte handelt auch Michael Endes Roman. Und wie viele herausragend schlechte Bücher ist es ein exemplarischer Fall der Krankheit, die es zu kurieren vorgibt. Sein Held Bastian Balthasar Bux zieht vom Dachboden einer deutschen Schule nach Phantásien, um das Reich der Phantasie vor dem Untergang zu retten. Dort wird nämlich ein Märchenwald, ein Nymphenteich, ein Zwergen-Biotop nach dem anderen vom «Nichts» gefressen.

Ein Kind soll also eine ganze Welt retten, und dieser halbwüchsige Heros ist bei seinen rohen Altersgenossen in der rot gedruckten deutschen Wirklichkeit des Buches als Spinner verrufen, weil er sich Geschichten ausdenkt und phantasievolle Namen für alles Mögliche erfindet. Der Verfasser lässt wahrlich keinen Schleier mehr über der Blöße seiner Autorschaft: Der naive Dichter als Retter der Welt! Wer möchte da nicht auch auf dem Wege der Identifikation ein kindlich unschuldiges, poetisch kreatives Genie sein und auf Abenteuerfahrt nach Phantásien gehen.

Aber mit der Phantasie verhält es sich wie mit dem Einhorn, das als Fabelwesen nur vereinzelt auftritt, aber auf den Innendeckeln des Buches gleich knapp hundertmal abgebildet sein muss. Die Phantasie ist nicht immer leicht zu fangen, und wer sie mit Gewalt zwingen will, dem versetzt sie tödliche Stöße. Michael Ende, der begnadete Phantast, will seinen Einfallsreichtum ins Geschirr eines totalitären Konzepts zwingen. Philosophisch tief soll dieses Buch sein, um auf jeder Seite erklären zu können, von welch letzten Dingen es handelt. Mythisch-religiös hat es stets zuzugehen, um ja keinen Zweifel am Heilsversprechen der Geschichte aufkommen zu lassen. Und vor allem soll die Handlung von Einfällen nur so überfließen, denn Michael Ende will nicht nur vom drohenden Untergang der Phantasie erzählen, sondern die Phantasie selbst, wie eine Armee, mit allen ihren Waffengattungen, in ein letztes großes Gefecht führen.

In Militärdecken gehüllt, liest sich Bastian Balthasar Bux vom Speicher seiner Schule nach Phantásien hinüber, um dort mit einem Zauberschwert gegen manchen Gegner zu fechten. Eine große Schlacht, eine Art Bürgerkrieg, den Bastian aus Torheit anzettelt, wird am Ende des Buches die Völker des Phantasiereichs gegeneinander in den Kampf führen. «Ein genauer Bericht dieser Schlacht ist unmöglich und darum muss hier darauf verzichtet werden», heißt es nach der Beschreibung des Gemetzels. Das ist falsche Bescheidenheit, denn in einem wahren Furor hat der Autor auch hier Einfall über Einfall gehäuft, Märchen, Sagen und Mythen geplündert, Faune, Kentauren, Einhörner und Glücksdrachen als Hilfstruppen seiner Phantasie ins Gefecht geschickt.

«Die unendliche Geschichte», in deren Fabel die poetische Namensgebung so wichtig ist, strotzt vor missglückten Benennungen, die vom «Schicksalsgebirge» über ein Wesen namens «Temperamentnik» bis zu jenem sagenhaften Dichter reichen, der «Schexpir» geheißen haben soll. Wie in seinen früheren Büchern fällt Ende wahrlich viel ein, aber weil es dieses Mal partout unendlich viel sein muss, wendet sich die Phantasie gegen ihren Zwingherren und macht ihn mit läppischen Eingebungen lächerlich. Dass das Reich der Phantasie ausgerechnet «Phantásien» heißt und dieser Name an seinem Akzent wie am Krückstock geht, ist eigentlich schon verräterisch genug.

Ihre monströse Aufgeblähtheit und ihre nie nachlassende Bedeutungsschinderei können «Die unendliche Geschichte» zu einer qualvoll deutschen Lektüre machen, aber diese identifikatorischen Schmerzen lassen sich leicht lindern. Zur Genesung meines Gemüts habe ich einem leibhaftigen Kind Michael Endes «Jim Knopf und Lukas der Lokomotivführer» vorgelesen. Dieses knapp komponierte Kinderbuch besticht durch die traumhaft sichere Ökonomie seiner Einfälle. Wie weit scheint die kleine Insel «Lummerland» dem unendlichen «Phantásien» überlegen. Wie unverwechselbar deutsch und doch liebenswert ist der Kosmos, der sich auf diesem winzigen Eiland entfaltet. Ich kann mir kein zarteres Trostbild für das gewaltsam gesundgeschrumpfte Westdeutschland, für die mittlerweile vergangene BRD, denken als Jim Knopfs Lummerland.

Gegen den Ton dieses zwanzig Jahre älteren Romans klingt das Dröhnen des totalen romantischen Bürgerkriegs, den Michael Ende in «Die unendliche Geschichte» entfesselt, pompös und hohl. Wie innig aber gehört genau dieser Gegensatz von wüstem teutonischen Furor und genialem Augenmaß immer noch zu uns! Fast bin ich versucht zu sagen: Nur wo wir klein und unvollständig sind, nur wo uns ein strenger Umriss gesetzt ist, vermögen wir Deutschen so groß zu sein, wie es das Reich der Phantasie verlangt.

(Geschrieben für die Frankfurter Rundschau, *Juli 2000)*

HAMMER UND HOHLSPIEGEL

Zu Heines erzählender Prosa, anlässlich
seines 150. Todestags

Halten wir im lustvollen Heine-Lesen inne für das Gedankenspiel, im nächsten Absatz würden wir selbst zum Opfer dieser Prosa! Einem Zeitgenossen konnte dies zustoßen. Nichts Schlimmes ahnend, war man mit Heine in einem Münchner Biergarten zusammengesessen oder hatte im Gefühl, aus gleichen Gründen das gleiche Schicksal zu teilen, dem Exilanten Heine bei französischem Wein sein deutsches Herz ausgeschüttet. Nun durfte man sehen, wie der vermeintliche Bruder im Geiste eine solche Begegnung in Erzählung zu verwandeln pflegte.

Selbst für einen Heine-Verehrer, von denen es schon zu Lebzeiten des Dichters nicht wenige gab, muss dergleichen ein bittersüßes Vergnügen gewesen sein. Man wusste ja, wie das Gefälle dieses Erzählstroms den Leser verführte. Die Gegenstände, die er umspielt, dürfen zwar aufglänzen, aber in welchen Farben sie dies tun, bleibt den inneren Rhythmen dieses quecksilbrigen Fließens geschuldet. Einen wirklichen Widerstand, ein Recht auf einen Rest Unerklärbarkeit, duldet dieser Stil selten. Sein hell plätschernder Oberton singt Spott, Spott und noch einmal Spott. Und war die eigene Gestalt als ein begossener Pudel hinter sich gebracht, hatte man noch eines der besseren Lose gezogen. Denn die Bündigkeit, die fast in jeder scherzenden Passage aufblitzte, verriet, wie nahe der Hammer der Vernichtung hing.

Wehe dem, den Heine für hammerwürdig hielt! Der Germanist und Turnpädagoge Hans Ferdinand Maßmann mag Heine gute Gründe zur Attacke gegeben haben. Aber womit hat der Mann verdient, dass ihn Heine als einen schmutzigen, ausstopfungswürdigen Halbaffen auftreten lässt und ihn zudem in verfängliche Nähe zu «unserem griechischen Afterdichter» rückt? Mit dem «Afterdichter» ist August von Platen gemeint, und wer sich noch zugunsten Heines unsicher ist, worauf angespielt wird, kann in «Die Bäder von Lucca» nachlesen, wie das Räsonnement von einer analen Metapher zur nächsten hüpft, um den Mann und Poeten Platen auf den Nenner einer sexuellen Praktik zu reduzieren. Heine weiß, wie man einen Gegner gerade als literarische Figur zum «Stichblatt der allgemeinen Verhöhnung» macht.

Liebt Heine die Menschen? Wie jeder, der die Liebe, die emotionale Universalwährung der Moderne, in flotte Verse zu gießen weiß, hat er Misstrauen verdient. Zwar findet man in seiner Prosa, wenn sie einzelne Zeitgenossen gestaltet, Momente von zauberhaftem Schmelz. Allerdings meinen sie nur selten jemanden, der dem Erzähler auf Augenhöhe, oder besser gesagt auf Zungenspitzen-Niveau, zu begegnen wüsste. Einem netten Mädchen aus schlichten Verhältnissen, einer patenten Köchin oder einem armseligen Greis schenkt er gern den Umriss einer geneigten Beschreibung. Auch Kinder purzeln gelegentlich anmutig und liebenswert durchs Bild. Und nachdem er einen todkranken italienischen Priester gefühlvoll ins Bild gesetzt hat, versichert Heine dem Leser: «Gegen *den* Mann will ich auch nicht schreiben!»

Aber fast jede Figur, die dem «ich» dieser Texte in Sachen

Geistigkeit nahekommt, gerät in einen Zerrspiegel, der ihre Proportionen dehnt und staucht, als gelte es, den intellektuellen Anderen einer Zerreißprobe zu unterziehen. Nicht selten beginnt diese Darstellungstortur mit körperlichen, insbesondere physiognomischen Merkmalen. Die mentale Verfassung des Zeitgenossen hat sich in der Krümmung der Beine, in seiner lächerlichen Haartracht, in den Runzeln der Stirn oder in der kuriosen Form der Nase niedergeschlagen. Heine, der sich der Attraktivität des eigenen Äußeren wie des Schönheitssogs seiner Sprache sicher war, sorgte im Text für den nötigen Kontrast. Und vielleicht hat mancher, dessen Aussehen Heine karikierte, um dann das Geistige der so gewonnenen Kontur in Grund und Boden zu sticheln, gewünscht, er gehöre nicht zu den Menschen, sondern zu den Dingen, die Heines Blick erfasst. Wenige Seiten nach dem Doppelschlag gegen Maßmann und Platen heißt es über einen alten Kirchturm, dessen beschädigte Uhr sehe aus «als wolle die Zeit sich selber vernichten». Nur den Dingen gegenüber lässt Heine, selbst im Bild ihrer Zerstörung, eine grundsätzliche Milde walten.

Heines Erzählen hat innig Anteil am Selbsthass des damaligen Deutschland und an der Vernichtungswut der Epoche. Das Mitschwingen dieser Negativität und die Kunst, sie möglichst nie unvermittelt roh durchbrechen zu lassen, erzeugen die Aura vibrierender Gegenwärtigkeit, die sein Erzählen bis heute umgibt. Dem platten Alltagsdasein, dem Trott von Werkeln und Erdulden, also dem banalen Gegenwartsverhängnis jeder Zeit versteht diese Prosa dagegen gut zu entkommen. Selten flieht sie dazu in die Imagination einer ersehnten Zukunft, und wenn Heine dies doch einmal unterläuft, endet der utopische Impuls schnell bei halbherzigem Gewitzel. Weit häufiger sucht sich der Eskapist Heine einen Vergangenheitswinkel, irgendein Gemäuer oder auch nur ein altes Gemälde, besonders gerne ein Buch, wo er stöbern, phantasieren und alte Geschichten neu berichten kann. Denn allein im Nacherzählen fremden Textes findet Heine Zugang zu einer kohärenten Fiktionalität, zu einer Geschichte, der das Autoren-Ich nicht sofort defätistisch in die Suppe spuckt.

Dabei hätte Heine seinen Lesern wohl liebend gern ein langes Stück «wirklichster Wirklichkeit» gegönnt, eine große Prosaarbeit, in der die Reflexion nicht zwischen dem «Reichtum der Vergangenheit» und den «ordinären und wohlfeilen Fabrikaten unseres Zeitalters» seiltanzen muss. Schmerzlich sichtbar wird dies im Fragment «Der Rabbi von Bacherach», das mit dem Atem einer großen historischen Erzählung anhebt, sich dann aber im irrlichternden Monolog eines bizarren spanischen Ritters festrennt und mit dieser Figur, einem halben Don Quijote, ihr Ende findet.

Im Abbrechen ist Heines Prosa groß. Jählings überfällt den gerade erst warm gewordenen Leser das Ende der «Harzreise»: Plötzlich überbieten sich die Bilder. Eine potenzielle Schlusssentenz hetzt die andere. Den Gipfel der Sentimentalität scheint erreicht im Satz: «Mein Herz duftet schon so stark, dass es mir betäubend in den Kopf steigt, dass ich nicht mehr weiß, wo die Ironie aufhört und der Himmel anfängt.» Aber dann wird das Gefühlige in den verbleibenden Zeilen fast gewaltsam noch höher geschraubt, ehe die Erzählung mit einer ebenso süßen wie spöttischen Frage an ein weibliches «Du» endet.

Vielleicht ist das «Du» dieser Prosa ihr einziges wirkliches Rätsel. Vordergründig scheint es den verständigen Leser zu meinen. Und begnügen wir uns heute damit, dürfen wir uns als gewitzte Komplizen des Dichters fühlen. Sind wir nicht seine späten, mit dem Wasser wie dem Blut der Aufklärung gewaschenen Spießgesellen? Bereitwillig genießt man mit, wie dieser Stil in jeder lesenden Nachwelt seinesgleichen erzeugt und dem Gesinnungsgenossen eine Gesinnungsheimat bietet. Vielleicht wollte Heine auch so gelesen werden, denn just dieses Fortdauern unter Gleichgesinnten ist die liebste Ewigkeitsillusion des modernen männlichen Intellektuellen.

Aber es gibt noch etwas Besseres. Dort, wo sich Heines lichtes Erzählen verdunkelt, wie im großartigen «Ideen. Das Buch Le Grand» oder in den fragmentarischen «Memoiren», gewinnt das imaginäre Gegenüber Heines eine weitere Qualität. Die «Dame», die «Madame», die dort angerufen wird, ist, so scheint es, ein weibliches «Du», aber eine rheinländische Jugendliebe, ein süßes Pariser Mädchen oder eine der kecken Freibeuterinnen der italienischen Amouren kann unmöglich damit gemeint sein. Es ist eine unheimlich intime Leere, die dieses Du eröffnet. Hier weht der Atem des Erfinders. Hier hat sich etwas auf undurchschaubare Weise selbst zu Sprache gemacht. Dieses fiktive Traum-Du von Heines Prosa ist ein Hohlspiegel, der das Lichtgewitter seiner Einfälle in eine fast mütterliche Abstraktheit aufnimmt und Vergangenheit wie Gegenwart zu einem weißen Gedankenstrich, zu einem stummen, ins Nichts verschwindenden Sehnsuchtsstrahl bündelt.

(Geschrieben für die Süddeutsche Zeitung, *Februar 2006)*

HERZ UND ZUNGE

Zum Streit um die «Anglifizierung»
des Deutschen

Im Ernst: Ich liebe die englische Sprache! Und wenn gerade kein britisches Ohr zuhört, gebe ich zudem preis: Das Amerikanische liegt mir noch näher am Herzen. Es rührt an mein Gemüt, seit ich als kleiner Junge in einer Augsburger Wohnküche Radio hörte. «Das ist doch nicht zum Aushalten!», stöhnte meine Mutter damals, wenn das Musik- und Wortprogramm des Bayerischen oder Süddeutschen Rundfunks wieder einmal allzu kreuzbrav aus unserem Telefunken tönte. «Georg, dreh auf AFN!» Damit war der amerikanische Soldatensender gemeint, dessen verführerischer Fremdklang so, befördert vom Rückenwind der mütterlichen Zuneigung, schon vor der Schule Einfluss auf mich nahm.

Wenn ich heute Radio höre, möchte ich mir gelegentlich selbst zurufen: «Georg, such dir einen amerikanischen Sender!» Denn jedes echte Amerikanisch wäre meinem Sprachgemüt bekömmlicher als das, was mir die Medien zu allen Tageszeiten an unverdaulichen Verquickungen des Deutschen mit dem Englischen auftischen. Aber zumindest auf UKW habe ich diese Möglichkeit nicht mehr. Die Truppen der einstigen Besatzungsmächte sind abgerückt, wir sind souverän und Herren im Haus, angeblich auch verantwortliche Herren im Haus unserer Sprache.

Ob sich Menschen für eine Sache selbst verantwortlich fühlen, erkennt man daran, wie sie diese behandeln. Mit seiner Muttersprache verantwortlich umgehen heißt, sie mit Verstand und Gefühl, mit Respekt und Stolz sprechen. Ich will gar nicht damit anfangen, traurige Beispiele aufzulisten, das hieße Trübsal durch die Wiederholung von Trübsinnigem heraufbeschwören. Aber glauben Sie mir, ich knirsche mit den Zähnen, die ich noch vollständig im Mund habe, ich raufe mir die Locken, die ich zumindest metaphorisch besitze, wenn ich sehe, dass deutschsprachige Schriftsteller ihren Romanen englische, halb-englische, falsch-englische Titel geben. Leider weiß ich, dass sie dies nicht nur gezwungenermaßen, von ihren Verlagen genötigt, sondern auch in vorauseilendem Gehorsam, in eilfertiger Selbsterniedrigung tun. Muss man sich ausgerechnet in der Sphäre des Lesens und Schreibens, wo man in seinen stolzesten Augenblicken vor der Schönheit des Deutschen auf die Knie seines Herzens sinkt, so bewusstlos aufgeben? Und vergessen diese Arbeiter am Wort dabei ganz, dass das sprachlich Andere das sprachlich Eigene als selbstgewisses Gegenüber braucht, um nicht zu einem hohlen Popanz zu werden?

Das Amerikanische, dieser mediale Riese, ist trotz seiner Macht ohne Arglist; man meint es bei unserem Großen Bruder gar nicht böse mit den kleineren Sprachen. Die vielen bizarren Missgestalten, die zunehmend deutsche Sätze bevölkern, sind keine Geheimagenten eines angelsächsischen Sprach-Imperialismus. Nein, diese auf pseudoenglischen Plattfüßen tapsenden Gnome sind Ausgeburten unserer Sprachschwäche. Ihre Grimassen, die oft kein Engländer oder Amerikaner zu deuten wüsste, erzählen von unseren Ohnmachtsgefühlen, von unserer Weltangst, von unserer

Ausdrucksunlust und von einer Sehnsucht nach endgültiger Anlehnung. Auch dies ist deutsch. Und dass unsere Dichter diesen Zug zur Unterwürfigkeit und Selbstaufgabe stets trefflich auf Deutsch zu benennen vermocht haben, bleibt ein Silberstreif am Horizont unserer Sprache.

Wie gesagt: Ich liebe das Amerikanische, vor allem die gute amerikanische Literatur. Aber auch mit jeder Liebe zum Andersartigen nimmt es ein trauriges Ende, wenn das Eigene, wenn der Ausdrucksstolz des Liebenden, zuschanden gekommen ist. Wer ein Herz für das geschriebene und gesprochene Wort hat, kann sich den Reizen der gegenwärtigen Weltsprache wohl kaum völlig entziehen. Atemberaubend vital ist das moderne Englisch und atemraubend kann es sein, Küsse mit ihm zu tauschen. Es wird starke deutsche Lungen, gut durchblutete deutsche Lippen und vor allem eine muskulöse deutsche Zunge brauchen, um in Zukunft innig mit ihm zu verkehren.

(Geschrieben für die Stuttgarter Zeitung, *September 2002)*

DAS KLEID UNSERER SPRACHE

Zum Scheitern der sogenannten Orthographie-Reform

Die sogenannte Rechtschreibreform ist an der richtigen Stelle gescheitert: bei denen, die verantwortlich und verantwortungsbewusst mit Sprache umgehen. Die Mehrheit der engagierten Lehrer und der Eltern, die sich um das Schulschicksal ihrer Kinder kümmern, lehnen sie ab. In den Medien wurde das ungeschickte Flickwerk reduziert oder die Umstellung sogar ganz zurückgenommen. Schriftsteller haben sich den Neuerungen verweigert. Sogar in den Behörden und Betrieben, wo der Zwang zur Regeltreue am höchsten ist, regt sich Widerstand.

Dieser Unmut rührt nicht daher, dass die neue Rechtschreibung umwälzend originelle Ideen, wirklich verblüffende Vereinfachungen, mehr schlagende Logik oder erleichternde Freizügigkeit zu bieten hätte. Nein, die neue Rechtschreibung wagt nur wenig dergleichen, sondern doktert recht kleinkariert an allem Möglichen herum.

Nun, das Doktorspiel scheint vorbei, Ernüchterung und Gereiztheit greifen um sich. Aber wir sollten auch in der momentanen Aufregung die Orthographie nicht mit der Sprache selbst verwechseln. Die Rechtschreibung ist das graphische Kleid unseres Deutschen, nicht sein Körper. Die alte Rechtschreibung war und ist so etwas wie ein Anzug, mit dem man sich auf den verschiedensten Anlässen problemlos zeigen kann, weil Jacke und Hose sitzen, weil der Stoff die richtigen Falten wirft und den nötigen Glanz hat. Wenn wir ganz zur alten Orthographie zurückkehren, kehren wir nicht zu einem Fetisch zurück, sondern zu einem bewährten Gebrauchsgegenstand. Wir haben begriffen, dass das Kleid unserer Sprache nicht neu wird, wenn wir ein paar Falten schiefbügeln, eine Tasche versetzen und den Kragen andersherum annähen.

Das Misslingen der Reform sollte bei uns, ihren Gegnern, aber kein Anlass zu Triumph und Häme, allenfalls zu Erleichterung sein. Schließlich durften alle aus Streit und Scheitern lernen und wissen nun, dass es mehr Phantasie und Mut braucht, um unserer Sprache ein Gewand für die Zukunft zu schneidern.

Ach ja, das Geld! Fast hätte ich über der geliebten Sprache die leidigen Kosten vergessen! Zugegeben, ganz billig war unser Irrgang nicht. Aber wo der eine draufzahlt, findet der andere eine Möglichkeit, einen schönen Schnitt zu machen. Und unsere Kinder, die nun, weil den öffentlichen Händen die Mittel für einheitliche Lehrmittel fehlen, eine ganze Weile mit zweierlei Orthographie lernen werden, dürfen über die Fehlbarkeit von Vater Staat und Mutter Gesellschaft lachen.

(Geschrieben für die Leipziger Volkszeitung, *Juli 2004)*

TOD ZU LEBZEITEN

Zu unserer Sehnsucht nach
dem Kanon

Vergessen Sie alles, was Ihnen in letzter Zeit – und wahrscheinlich nicht zum ersten Mal – über den Kanon erzählt wurde. Man hat Ihnen stets etwas vorgeschwindelt. Es geht gar nicht um ewige Werke, und es geht ebenso wenig um Ausnahmebücher, die eine einzigartige Leseerfahrung versprechen. Der literarische Kanon, wie er uns in diesen Tagen gleich mehrfach vorgesetzt wird, war nie eine Sammlung Heiliger Schriften, er ist keine Langzeitbestenliste, auch keine Auswahl von Lektüre-Lieblingen, nicht einmal ein Sammelsurium närrischer Vorlieben.

Der Kanon, der sich nun sogar in Form einer Buchkassette an unser zur Vorweihnachtszeit mürb werdendes Gemüt schmiegt, bedeutet auch nur nebenbei, dass man mit ihm ein gutes Geschäft machen möchte – in seinem Kern ist er etwas weit Ärgeres, er ist eine jener ganz schlimmen Sachen, die sicherheitshalber einen in die Irre führenden Namen tragen.

Um den literarischen Kanon zu verstehen, hilft es, ihn mit zwei Scheuklappen zu vergleichen. Wie diese ist er eine Vorrichtung, die zum Tunnelblick führt und ein gleichmäßiges Dahintrotten befördert. Die Scheuklappen machen das Pferd zur Mähre. Der Kanon verwandelt das Abschweifen, das spielerische Verharren, die Bocksprünge unserer Lektürewahl in einen zwanghaft steten Prozess. Der Kanon ist eine selbstgewählte Fron, die man, von Buch zu Buch schreitend, hinter sich bringt.

Rätselhaft, aber auch verräterisch ist die Bereitwilligkeit, mit der wir uns diesem Marschbefehl unterwerfen. Wer dem literarischen Kanon zum Opfer fällt, hat ihn wohl meist klammheimlich herbeigewünscht. Aber warum nur sehnen wir Leser uns nach so etwas? Oder besser gefragt: Was muss unserem Lesevermögen, unserer Leserschaft zugestoßen sein, dass wir nach einer Erlösung durch Scheuklappen verlangen?

Nicht zufällig ist der ideale Propagandist des Kanons ein alter Mann. Der Greis scheint glaubwürdig Zeugnis dafür abzulegen, was im Leben, auch in einem Leseleben, getan werden muss. Denn angeblich hat er es zu Ende getan. Der Patriarch des Literaturbetriebs soll in Ehren hinter sich gebracht haben, was als ungesicherte Wegstrecke noch – mehr oder minder lang – vor uns liegt.

Aber gilt diese Vorstellung von der Lebensbahn, auf der man eine Station nach der anderen abhakt, wirklich für unser Dasein als Lesende? Genau besehen verweist der dürre Zeigefinger solcher Ratgeber ja nicht auf das, was wir lesen sollen, sondern auf das, was wir gelesen HABEN sollen. Die greise Autorität spricht nicht von den Abenteuern einer ungesicherten Lesezukunft, sondern sie verheißt uns eine unter Dach und Fach gebrachte Vergangenheit. DU SOLLST GELESEN HABEN!, lautet das einzige Gebot auf der steinernen Tafel des Kanons.

Warum laufen wir Gefahr, dieser dogmatischen Versuchung nachzugeben? Haben wir nicht von unseren ersten Lesetagen an geahnt, dass es unendlich viele lesenswerte Bücher gibt? Und schien uns diese Unermesslichkeit nicht lange Zeit ein Glück? War uns das närrische Nebeneinander von großartigen und miserablen Werken, wie es jede Buchhandlung darbietet, lange Zeit nicht gerade recht? Wie ist aus dem Entzücken über den wunderbar-wüsten Überfluss die Klage über ein Zuviel geworden?

Unsere Sehnsucht nach dem Kanon zeugt auf verräterische Weise davon, dass auch unser Lesevermögen einem Alterungsprozess unterworfen ist. Noch wollen wir lesen, aber das Gelesen-Haben-Wollen greift langsam um sich. Und irgendwann droht uns die Fülle der Literatur vom Objekt der Begierde zum Quell einer Angst zu werden. Vielleicht ist es eine Todesangst. Die Angst vor dem Tod unserer Phantasie. Die Poesie ist ewig, aber unsere Phantasie kann kränkeln, ja sterbenskrank werden. Ach, jedem wahren Leser, jeder wahren Leserin sollte erspart bleiben, aus einem solchen Siechtum der Phantasie in einen Tod zu Lebzeiten – in den Kanon! – flüchten zu müssen.

(Geschrieben für den Mitteldeutschen Rundfunk, *November 2002)*

«DIE SCHLECHTE VERSTERNUNG DES HIMMELS!»

Wörter im Licht blauer Leuchtstoffröhren

Blutjung müssten wir ein zweites Mal werden, um manche Wörter genießen zu können. Denn Erfahrungsarmut, auch die fehlende Erfahrung mit Wörtern, gehört zu den wenigen Himmelsgaben der Jugend. Wären wir noch einmal im Stand dieser Gnade, wir wüssten nicht von jedem Namen, in welch endgültige Zwangsjacke aus Bedeutungen und Bezügen man ihn stecken kann. Im besten Falle hätten wir sogar keinen blassen Schimmer, wo ein Namenwort herkommt, wo es, wie die Älteren, diese notorischen Bescheidwisser und Spielverderber, behaupten, unausweichlich hinzugehören hat.

Wären wir erneut blauäugig jung, dann bräuchte uns bloß noch das richtige Buch in die Hände zu fallen. Als unerfahrene Leser schlügen wir, sagen wir im Jahr 2054, den Roman «Das steinerne Herz» auf und begännen mit jener Hartnäckigkeit zu lesen, die man der Jugend gern abstreitet und die doch zu ihren Tugenden gehört. Nach und nach würden wir uns an die orthographischen und stilistischen Marotten des Erzählers gewöhnen und sogar Gefallen an ihnen finden. Wir kletterten mit ihm ins Führerhaus eines vorsintflutlich vibrierenden Lasters, überquerten eine unter bizarren Ritualen bewachte Grenze und gelangten in ein Reich, das den Namen «Ostzone» trüge:

«... links die winzigen bunten Lämpchen einer Bahnhofswirtschaft, man saß und lachte: den Westnachrichten nach wäre es eigentlich Pflicht der Ostzonenbewohner, bleich und schmutzig auszusehen, wie?! – Gegenüber das ‹HO› aus blauen Leuchtröhren. *Allerdings die schlechte Versternung des Himmels!* Zellulosengewölk (Kunstfaser). Auch der Mond war nichts weniger voll hier: seine staubige Schale, gefüllt mit einer gleich großen Aschenkugel.»

Glücklich der künftige Leser, der nicht gleich restlos weiß, wovon hier die Rede ist! Wunderbar fremd muss ihm dieses Land erscheinen, dem man unterstellt, dass sein Vollmond nie wirklich voll ist, und an dessen Nachthimmel Kunstfaserwolken ziehen. Und unwillkürlich leuchtet auch ein, dass dort das Blau der Neonröhren ein besonderes Blau sein muss.

Dem Autor, der uns diese märchenhafte «Ostzone» ans Herz legt, war sie schmerzhaft nah. Im Augenblick unserer Ideallektüre jedoch, im Jahre 2054, liegt der grimmige Furor der Niederschrift ein volles Säkulum zurück. Und die Intimität der einstigen Nah-Sicht ballt sich mit der Phantasie des neuen, erfahrungsarmen Lesers zu einem Bild, von dessen poetischer Schlagkraft man 1954 nur träumen konnte.

Heute, im Jahr 2001, sind wir noch nicht so weit. Allzu gut glauben wir zu verstehen, worum es geht. Peinlich wäre es uns, nicht zu wissen, was sich hinter dem Kürzel «HO» verbarg. Und dass man dem Nachthimmel der Ostzone sogar eine unzureichende Versorgung mit Sternen vorwerfen kann, finden wir leider bloß witzig. Noch füttert man uns täglich mit Informationen zu dieser Zeit, und zu viel billige historische Kost, vor allem der fade Frischkäse des zeitgeschichtlichen Zufallswissens, macht uns als Leser auch vor den besonderen Wörtern satt und überheblich.

Der Text, Arno Schmidts Roman-Fahrt in die Ostzone der 50er Jahre, scheint also noch nicht im besten Alter. Aber im Gegensatz zu uns ist er auf gutem Weg. Unserer Lektüre liegt die Zwangsjacke der Kenntnis wahrscheinlich auch weiterhin zu stramm um die Schultern. Bis zuletzt wird unsere Phantasie vergeblich an den Bändern zerren. Aber irgendwann, in der zweiten Hälfte dieses Jahrhunderts, wird die Ostzone des «Steinernen Herzens» für neue Leser gleichberechtigt neben der phantastischen «Interzone» des Romans «Naked Lunch» von W. S. Burroughs stehen. Und eine Zeitlang gedeihen dann die Namen aus beiden Büchern in jenem Zwielicht, in jener Dämmerzone, in der die Namenwörter sich der Kontrolle fester Zuschreibung entziehen und ihre Kraft aus Ahnungen und Assoziationen saugen.

Dann kommt die große Zeit der «Ostzone». Und erst danach, nach diesem goldenen Zeitalter, wenn sich die beiden Bücher wie alte Ölgemälde unrettbar zu verdunkeln beginnen, hebt die trostlose Ära der historisch-kritischen Ausgaben an, in denen ein trauriger Herausgeber zu einem solchen Wort eine langwierig erläuternde Anmerkung verfasst.

(Geschrieben für die Frankfurter Allgemeine Zeitung, *August 2001)*

WAS MACHT DAS LEBEN LEBENSWERT?

Antwort auf eine berechtigte Frage

Wir können ihn nicht ergreifen, nicht riechen, nicht schmecken, ihn nicht zählen, nicht wiegen und nicht kaufen. Auch als Weihnachtsgeschenk wünschen wir ihn uns vergebens. Obwohl er seinen Weg durch die Augen nimmt, lässt er sich nicht optisch erklären, und kaum ein Foto, allenfalls der glücklichste Schnappschuss, fängt eine Ahnung von ihm ein.

Aber wir spüren ihn eindeutig, heftig und innig, sobald er auf uns gerichtet wird. Denn unvergleichlich gut tut es, wenn er uns trifft: *der wohlmeinende Blick!*

Ein Mensch schaut uns an, als dächte er: «Dem hier vor meinen Augen, dem soll es gutgehen! Ich wünsche es ihm von Herzen!» Kinder brauchen diesen Blick, um der Traurigkeit zu entgehen. Jugendliche brauchen ihn, um heil durch die Orkanböen der Pubertät zu kommen. Wir Ausgewachsenen haben ihn nötig, damit wir selber im entscheidenden Moment einem anderen arg ernst gewordenen Erwachsenen *den wohlmeinenden Blick* – wie einen nie endenden Kettenkuss! – weitergeben können.

(Antwort auf eine Umfrage der Welt, *Oktober 2004)*

Namenregister

Alexander, Peter 190
Allende, Isabel 338

Bergmann, Harald 41
Brecht, Bertolt 248
Breuer, Dieter 380
Brinkmann, Rolf
  Dieter 41

Cackett, Robin 73
Cammell, Donald 76
Chandler, Raymond 101
Cohen, Leonard 201, 386

Danielewski, Mark Z. 34
Doniger, Wendy 70
du Maurier, Daphne 138
Dürrenmatt, Friedrich 184

Eco, Umberto 235
Eisenherz, Prinz 343
Eitel-Deppe, Paul 345
Ende, Michael 393
Eulenberg, Hedda 203

Foster, Hal 343
Frankenstein, Victor 151
Fuchs, Erika 370

Gaddis, William 316
Gibson, William 14
Godard, Jean-Luc 375
Grabbe, Christian
  Dietrich 224
Grass, Günter 256
Grimmelshausen, Hans
  Jakob Christoffel von 379

Hansen, Christian 106
Harris, Thomas 324
Harrison, Harry 111
Heine, Heinrich 398
Heinlein, Robert A. 24
Heino 188
Heye, Uwe-Carsten 297
Hirano, Kōta 312
Hitchcock, Alfred 139
Hitler, Adolf 196, 221
Hoffmann, E. T. A. 390

Ingendaay, Marcus 319

Jackson, Michael 18
Jagger, Mick 75
Jean Paul 63

Kafka, Franz 132
Kaiser, Reinhard 380
Kakar, Sudhir 70
Kamasutra 69
King, Stephen 210
Kleist, Heinrich von 219
Klosterman, Chuck 289
Knef, Hildegard 356
Koeppen, Wolfgang 264
Kroeber, Burkhart 237

Lecter, Hannibal 324
Le Guin, Ursula K. 229
Lem, Stanisław 142
Lindenberg, Udo 95
Littell, Jonathan 278
Littner, Jakob 264
London, Jack 147
Löns, Hermann 192
Lynch, David 9

Maja, die Biene 127
Märklin 47
McCulley, Johnston 338
Merkel, Angela 329

Müller, Ludwig 276
Munthe, Axel 300
Mutzenbacher, Josefine 80

Odysseus 367
Ott, Claudia 90

Pechmann, Alexander 152
Platen, Karl August von 399
Pletz, Hans 270
Poe, Edgar Allan 203
Polyphem 367
Purcell, Henry 63

Roeg, Nicolas 76 f.

Sagan, Francoise 65
Schmidt, Arno 204, 304, 411
Schmidt, Rainer G. 204
Schröder, Gerhard 296, 332
Schwab, Gustav 367
Shelley, Mary 151
Stevenson, Robert Louis 307

Trell, Max 345

Vatsyayana Mallanaga 71
Verne, Jules 160

Inhalt

Anmerkung des Verfassers 6

1 DIE GÖTTLICHE GEWALT DES GEMACHTEN

Nimbus und Streichholzheftchen 9
Simulation des Fleisches 14
Die großen Kinderaugen des Pop 18
«Du bist Gott!» 24
Die göttliche Gewalt des Gemachten 28
Großes Gegrusel mit Gott 34
Totenkult und Liebesdienst 41
Im Krieg der Welten 47
Dein Kunstding sirrt! 52

2 DIE GANZE ZARTHEIT UNSERER ZEIT

Der kalte Genius 59
Ziegenhonigmilch 65
Reite den geilen Papageien! 69
Memo for Jagger 75
Im Taktschlag der Gelegenheiten 80

Abgrund des Abbildmachens 85
Die Natter der Gier, gebändigt 89
Der melancholische Mechaniker 95
Ein Mann nach seinem Geschmack 101
Die ganze Zartheit unserer Zeit 106
In den Gehäusen der Zukunft 111

3 DAS GROSSE GRÜNE GRAUEN

Das große grüne Grauen 117
Die Tücke des Gärtners 121
Gliederfüßler lächeln uns an 127
Der Luxus dieser wunderbaren Wanzensache 132
Ein Feind, der ehrt 138
Das große Mammut ist tot! 142
Der Stamm stirbt nie 147
Eiskalte Ausgeburt der Moderne 151
Panzerkreuzer Klontechnik 156
Die Vergesslichkeit der Wissenschaft 160
Der Gott der Hühner 164
Der böse Clown 168
Das fremde himmlische Kind 169

4 DIE EWIGE SCHWEIZ

Was man zum Leben braucht 177
Die ewige Schweiz 184
Die Sehnsucht der Anderen 188
Die blanken Augen 192

Blumen für Hitler 196
Der Pomp des Labilen 203
Nur quakende Stimmen im Nichts 210
Bang am Herzen des Großen Bruders 216
Das englische Exil 225
Eigentümer eines freien Herzens 229

5 GIPSTROMMEL UND BLECHORAKEL

Die Stimmen der fernen Toten 235
Brief vom Zucki 247
Gipstrommel und Blechorakel 256
Die Geister der geliehenen Toten 264
Das Traditionstrümmerbauwerk 270
Die Bosheit der Toten 278
Der Tod ist irgendwie geil, oder? 289
Vom Schminken der Maske 296
Der Segen souveräner Flucht 300
Gegenwartsdankbar 304

6 SCHMERZ UND EHRE

Das Bastardgeschlecht der Amateure 307
Der entfesselte Held 311
Grimmig unter Eingeweihten 316
Die Güte des Anthropophagen 324
Verklärung unseliger Arbeit 329
Schwarzer Blitz Gerechtigkeit 338
All-Zeit des Helden 343

Anmut und Mut der Jugend 347
Amok 353
In den Vorzimmern des Todes 356
Der Kaiser schickt seine Lakaien hinaus! 361

7 BEBEND VOR SCHÖNHEIT

Das Auge des Polyphem 367
Geheimagent im Pantheon der Poesie 375
«ein gantz unverstaendliche sprach» 379
Bebend vor Schönheit 386
Friseur der maskulinen Lüsternheiten 390
Die Ökonomie der Phantasie 393
Hammer und Hohlspiegel 398
Herz und Zunge 403
Das Kleid unserer Sprache 406
Tod zu Lebzeiten 408
«Die schlechte Versternung des Himmels!» 411
Was macht das Leben lebenswert? 414

Namenregister 417

Georg Klein

DIE LOGIK DER SÜSSE

Erzählungen

Die Helden dieser Geschichten sind eigensinnige Gestalten. Wir finden sie in vollautomatischen Cocktailbars, in zweckentfremdeten Fabriken und längst eingemotteten Gesamtschulen, auf dem Berliner Teufelsberg, in einem Keller in Shanghai: Sie sind die Werktätigen und Abenteurer einer Zeit, die unlängst erst unsere Zukunft war.

«Niemand sonst macht das und kann das, was Georg Klein betreibt: Schatzsuche, Science Fiction, Mythen und Märchen in eine gedrechselte, witzige, betörend melodische Sprache zu gießen.» *Süddeutsche Zeitung*

«Georg Klein ist ein Glücksfall.» *Frankfurter Allgemeine Zeitung*

«Eine Wohltat.» *Die Zeit*

240 Seiten, ISBN 978 3 499 25806 0

Rowohlt

Georg Klein

LIBIDISSI

Roman

Libidissi ist der Name einer phantastischen orientalischen Stadt; dort leben der deutsche Geheimagent Spaik und seine Adoptivtochter Lieschen. Als aus der alten Heimat Bosheit und Vernichtungslust nach ihnen greifen, setzen sich der Agent und das Mädchen mit den Geheimnissen Libidissis, aber auch mit alten europäischen Tugenden gegen ihre Verfolger, ein selbstverliebtes Killerpärchen, zur Wehr.

«‹Libidissi› ist ein Roman, der Zeichen setzt.» *L'Unità*, Rom

«Georg Klein erschafft phantastische Welten, wie es sie zuvor in der deutschen Literatur nicht zu sehen gab.» *El País*, Madrid

«Hier präsentiert sich ein einzigartiger Autor, der gar nicht daran denkt, es sich still in den Kategorien bequem zu machen, die uns lieb und heilig sind.» *Le Figaro*, Paris

208 Seiten, ISBN 978 3 499 24258 8

Rowohlt

Georg Klein

ROMAN UNSERER KINDHEIT

Roman

Ein scheinbar ewiger Sommer umfängt die Neue Siedlung, ein verlassenes Wirtshaus unter uralten Kastanien und die Laubenkolonie, wo die Kinder sich die großen Ferien vertreiben. Langsam, kaum merklich, sickert das Unheimliche ein: Ein Mord wird angekündigt, dann kommen die Boten, buchstäblich aus einer anderen Welt. Wer wird verhindern, dass es eines der Siedlungskinder auf die Nachtseite dieses Sommers hinüberzieht?

Ein Kindheitsroman voll fiebrigem Witz und dunkler Einsicht – ausgezeichnet mit dem Preis der Leipziger Buchmesse 2010.

«Eine solche Hülle und Fülle an Erzählkunst hat es selbst bei Georg Klein noch nicht gegeben.» *Frankfurter Rundschau*

«Ein Geniestreich ist dieser Roman – opak, dicht, verrückt, hässlich und irre schön.» *Die Zeit*

448 Seiten, ISBN 978 3 499 24487 2

Rowohlt

Das für dieses Buch verwendete FSC®-zertifizierte Papier
Schleipen Werkdruck liefert Cordier, Deutschland.